Dubbelleven

Ruth Rendell

Dubbelleven

A.W. Bruna Uitgevers B.V., Utrecht

Oorspronkelijke titel
The Rottweiler
© 2003 by Kingsmarkham Enterprises
Vertaling
Hugo en Nienke Kuipers
Omslagontwerp
Myosotis Reclame Studio
© 2003 A.W. Bruna Uitgevers B.V., Utrecht

ISBN 90 229 8766 3
NUR 332

De jaguar stond in een hoek van de winkel, tussen een beeld van een tweederangs Griekse godheid en een jardinière. Inez vond het veelzeggend voor de huidige maatschappij dat de meeste mensen bij het woord 'jaguar' niet aan een dier maar aan een auto dachten. Deze, zwart en ongeveer zo groot als een erg grote hond, was ooit een jungledier geweest. Iemands grootvader, een jager op groot wild, had hem doodgeschoten en laten opzetten. Die iemand had hem de vorige dag naar de winkel gebracht en hem Inez aangeboden, eerst voor tien pond en toen voor niets. Het was gênant om zo'n beest in huis te hebben, zei hij, erger dan wanneer ze je in een bontjas zagen lopen.

Inez nam de jaguar alleen aan om van die man af te zijn. Zijn ogen, die van geel glas leken, hadden haar verwijtend aangekeken, dacht ze. Sentimentele onzin, zei ze tegen zichzelf. Wie zou dat dier willen kopen? Ze had gedacht dat het er om kwart voor negen 's morgens aantrekkelijker zou uitzien, maar het was nog precies hetzelfde. De vacht voelde ruw aan, de poten waren stijf en de kop stond onheilspellend. Ze keerde het haar rug toe en zette in het keukentje achter de winkel water op voor de thee, die ze 's morgens altijd dronk, de laatste tijd samen met Jeremy Quick van de bovenste verdieping.

Stipt als altijd, tikte hij, op het moment dat ze met het dienblad naar de winkel ging, op de deur naar het halletje en hij kwam binnen.

'Hoe gaat het vandaag, Inez?'

Hij, en hij alleen, sprak haar naam op zijn Spaans uit, Ie-neth, en hij had haar verteld dat de Spanjaarden in Spanje, maar niet in Zuid-Amerika, de laatste letter zo uitspraken omdat een van hun koningen sliste en ze hem uit eerbied hadden geïmiteerd. Dat leek haar een verhaal dat achteraf was verzonnen, maar ze was te beleefd om dat te zeggen. Ze gaf hem zijn kopje thee met een zoetje op de lepel. Hij liep er altijd mee door de winkel.

'Wat is dat nou weer?'

Ze had geweten dat hij het zou vragen. 'Een jaguar.'

'Denk je dat iemand hem koopt?'

'Ik denk dat hij zich kan aansluiten bij de grijze fauteuil en de klok van Chelsea-porselein, waar ik tot aan mijn dood mee blijf zitten.'

Hij klopte op de kop van het dier. 'Is Zeinab er nog niet?'

'Breek me de bek niet open. Ze zegt dat ze geen besef van tijd heeft. In dat geval, zei ik, als je geen besef van tijd hebt, waarom ben je dan nooit te vroeg?'

Hij lachte. Niet voor het eerst vond Inez hem zo best aantrekkelijk. Natuurlijk was hij te jong voor haar, of niet? Misschien niet in deze tijd, waarin mensen anders over dat soort dingen dachten. Hij leek niet meer dan zeven of acht jaar jonger dan zij. 'Ik moet gaan. Soms denk ik dat ik te veel besef van tijd heb.' Voorzichtig zette hij zijn kop en schotel op het dienblad. 'Het schijnt dat er weer een moord is gepleegd.'

'O, nee.'

'Het was om acht uur op het nieuws. En niet ver hiervandaan. Dan ga ik maar.'

Hij verwachtte niet van haar dat ze de winkeldeur zou ontsluiten om hem naar buiten te laten gaan, maar ging terug zoals hij was gekomen en verliet het huis via de deur voor de huurders aan Star Street. Inez wist niet waar hij werkte, ergens in de noordelijke buitenwijken van Londen, dacht ze, en hij deed iets met computers. Dat deden tegenwoordig een heleboel mensen. Hij had een moeder op wie hij erg gesteld was, en een vriendin, maar daar praatte hij nooit veel over. Inez was maar één keer op zijn bovenwoning uitgenodigd, en toen had ze zijn minimalistische inrichting en zijn dakterras bewonderd.

Om negen uur maakte ze de winkeldeur open en zette ze de boekenstandaard op het trottoir. De boeken in die standaard waren oude pockets van vergeten auteurs, maar nu en dan kocht iemand er een voor vijftig pence. Iemand had een erg vuil wit busje voor haar deur geparkeerd. Inez las het briefje achter de ruit van het busje: NIET WASSEN. VOERTUIG NEEMT DEEL AAN WETENSCHAPPELIJKE VUILANALYSE. Daar moest ze om lachen.

Het beloofde een mooie dag te worden. De lucht was lichtblauw en de zon verscheen achter de kleine huizen en de winkels op de hoek, met drie verdiepingen erboven. Het zou mooier zijn geweest als de lucht ook fris was geweest en niet naar dieseldampen en uitlaatgassen had geroken, en naar groene curry en het resultaat van mannen die in de kleine uurtjes tegen de schuttingen waterden, maar zo was het moderne leven nu eenmaal. Ze zei goedemorgen tegen meneer Khoury, die (nogal optimistisch) de luifel van zijn juwelierszaak, naast haar winkel, liet zakken. 'Goedemorgen, mevrouw.' Hij klonk zo somber en nors als gewoonlijk. 'Ik heb een oorring die is losgeraakt van zijn sluiting. Kan ik die bij u laten repareren? Dan kom ik hem straks brengen.'

'Ik zal zien.' Dat zei hij altijd, alsof hij je een dienst bewees. Aan de andere kant stond hij altijd klaar om dingen te repareren.

Zeinab kwam ademloos door Star Street rennen. 'Hallo, meneer Khoury. Hallo, Inez. Sorry dat ik te laat ben. Je weet dat ik geen besef van tijd heb.'

Inez zuchtte. 'Dat zeg je elke keer.'

Ze ontsloeg Zeinab niet, want als ze eerlijk tegen zichzelf was, en dat was ze bijna altijd, moest ze toegeven dat haar personeelslid een betere verkoopster was dan zijzelf. Zeinab zou een olifantengeweer aan een dierenbeschermer kunnen verkopen, had Jeremy eens gezegd. Voor een deel kwam dat natuurlijk door haar uiterlijk. Zeinabs schoonheid was voor veel mannen de reden om de winkel binnen te lopen. Inez vleide zichzelf niet, ze had genoeg zelfvertrouwen, maar ze wist dat ze betere dagen had gekend, en hoewel ze ooit net zo aantrekkelijk was geweest als Zeinab, kon ze op haar 55e natuurlijk niet met haar concurreren. Ze was lang niet meer de vrouw die ze was geweest toen Martin haar voor het eerst ontmoette, twintig jaar geleden. Er stak heus geen man meer de straat over om een keramisch ei of een Victoriaanse kaarsenstandaard van haar te kopen.

Zeinab leek op de vrouwelijke hoofdrolspeelsters in die films uit India. Haar zwarte haar reikte niet alleen tot haar middel maar zelfs tot de bovenkant van haar slanke dijen. Ze zou best, als Lady Godiva, te paard door Star Street kunnen rijden met alleen haar haar als bedekking. Haar gezicht zag eruit alsof iemand de beste trekken van de gezichten van een stuk of zes beroemde filmsterren had samengevoegd. Als ze glimlachte, en je was een man, dan smolt je hart en knikten je knieën. Haar handen waren als de bleke bloemen van een tropische boom en haar huid had de structuur van een leliebloemblaadje in het licht van de ondergaande zon. Ze droeg altijd erg korte rokken en schoenen met erg hoge hakken, 's zomers hagelwitte T-shirts en 's winters hagelwitte pluizige truien, en altijd één diamant (of fonkelend steentje) in één perfect neusgat.

Haar stem was niet zo aantrekkelijk en haar accent miste de welluidende muzikale klanken van *upper-class* Karachi en had meer weg van het Lisson Grove-cockney van Eliza Doolittle, en dat was vreemd, want haar ouders woonden in Hampstead en als je haar moest geloven, was ze zo ongeveer een prinses. Deze dag droeg ze een zwartleren rok, een zwarte maillot en een trui die eruitzag als de vacht van een angorakonijn, wit als sneeuw en donzig als een zwanenborst. Ze liep sierlijk door de winkel, met in haar ene hand een theekopje en in haar andere hand een veren plumeau in alle kleuren van de regenboog, waarmee ze een zilveren olie- en azijnstelletje, oude muziekinstrumenten, sigarettenkokers, fruitbroches uit de jaren dertig, Clarice Cliffe-borden en de viermastschoener in een fles aan het afstoffen was. De klanten hadden er geen idee van hoeveel werk het was om zo'n winkel schoon te houden. Als er stof lag, leek de winkel meteen zo armoedig, alsof er bijna nooit klanten kwamen. Ze bleef voor de jaguar staan. 'Waar komt die vandaan?'

'Van een klant gekregen. Toen jij gisteren al weg was.'

'Gekrégen?'

'Hij wist blijkbaar wel dat het arme ding niets waard is.'

'Er is weer een meisje vermoord. In Boston.' Een buitenstaander zou misschien denken dat ze het over Boston in Amerika had, of zelfs Boston in Lincolnshire, maar ze bedoelde Boston Place in Londen, NW1, de straat die voor Marylebone Station langs liep.

'Hoeveel zijn het er nu?'

'Drie. Ik haal een krant voor ons zodra de nieuwe editie er is.'

Inez stond voor de etalage en zag een auto achter het witte busje parkeren. Het was de turquoise Jaguar van Morton Phibling, die de meeste ochtenden langskwam om met Zeinab te praten. Hij hoefde geen vrije parkeermeter te zoeken, want zijn chauffeur zat in de auto op hem te wachten en zou, als er een parkeerwachter aan kwam, rondjes om het blok gaan rijden. Meneer Khoury schudde zijn hoofd. Met zijn rechterhand om zijn weelderige baard ging hij naar binnen.

Morton Phibling stapte uit de Jaguar, las het briefje op de achterruit van het busje zonder te glimlachen en kwam met grote passen de winkel in, zonder de deur achter zich dicht te doen, met zijn open mohair jas achter zich aan golvend. Aan begroetingen deed hij niet. 'Ik hoorde dat er weer een jongedame is afgeslacht.'

'Als je het zo wilt stellen.'

'Ik kwam de maan van mijn verrukking bewonderen.'

'Dat doe je altijd,' zei Inez.

Morton was iets boven de zestig, klein en dik en met een hoofd dat altijd al te groot voor zijn lichaam moest hebben geleken, tenzij hij erg was gekrompen. Hij droeg een bril die nog net geen zonnebril was, maar wel sterk getinte, purperen glazen had. Geen schoonheid, en voorzover Inez kon nagaan ook niet erg aardig of amusant, maar hij was wel erg rijk, had drie huizen en nog vijf auto's, allemaal gespoten in een opvallende kleur, banaangeel, oranje, knalrood en limoengroen. Hij was verliefd op Zeinab; er was geen ander woord voor.

Zeinab, die net een prijsstickertje op de onderkant van een Wedgwoodkannetje plakte, keek hem met een van haar glimlachjes aan.

'Hoe gaat het vandaag met jou, mijn liefste?'

'Goed, en noem me geen liefste.'

'Zo noem ik je in mijn gedachten. Ik denk dag en nacht aan jou, weet je, Zeinab, in de avondschemer en bij het ochtendgloren.'

'Let maar niet op mij,' zei Inez.

'Ik schaam me niet voor mijn liefde. Ik roep het van de daken. 's Avonds in mijn bed zoek ik haar die mijn ziel bemint. Verhef u, mijn liefste, mijn schone jonkvrouw en kom met mij mee.' Zo praatte hij altijd, al nam geen van beide vrouwen er nota van. 'Hoe schitterend is de lelie in de morgen!'

'Wilt u een kop thee?' zei Inez. Ze had zelf trek in een kopje en zou dat anders niet hebben gezet.

'Graag. Ik dineer van avond met je in Le Caprice, liefste. Ik hoop dat je dat niet bent vergeten.'

'Natuurlijk ben ik het niet vergeten en noem me geen liefste.'

'Zal ik je dan thuis komen afhalen? Om halfacht?'

'Nee. Hoe vaak moet ik je nog zeggen dat als je me thuis komt afhalen mijn vader helemaal gek wordt? Je weet wat hij met mijn zus heeft gedaan. Wil je dat hij me neersteekt?'

'Maar mijn attenties zijn eerzaam, lieveling. Ik ben niet meer getrouwd, ik wil met je trouwen, ik respecteer je volkomen.'

'Dat maakt niet uit,' zei Zeinab. 'Ik mag niet met een man alleen zijn. Nooit. Als mijn vader wist dat ik met jou alleen zou zijn in een restaurant, ging hij door het lint.'

'Wat zou ik graag je mooie huis willen zien,' zei Morton Phibling weemoedig. 'Het zou zo'n groot genoegen zijn om je in je eigen omgeving

te aanschouwen.' Hij praatte wat zachter, al was Inez buiten gehoorsafstand. 'In plaats van in deze troep, als een wonderschone vlinder op
een mesthoop.'

'Niks aan te doen. Ik ontmoet je wel in Le huppeldepup.'

In het keukentje achter de winkel goot Inez kokend water over drie theezakjes. Ze huiverde bij de gedachte aan Zeinabs verschrikkelijke vader.
Een jaar voordat Zeinab in Star Antiques was komen werken, had hij
haar zus Nasreen bijna vermoord omdat ze zijn huis had onteerd door
in de woning van haar vriendje te overnachten. 'En ze deden niet eens
wat,' zei Zeinab. Nasreen was niet gestorven, al had hij haar vijf keer in
de borst gestoken. Ze had maanden in het ziekenhuis gelegen. Dat verhaal zou wel wat overdreven zijn, dacht Inez, maar ze geloofde toch min
of meer dat haar verkoopster de dood riskeerde als ze bij een man was
zonder dat haar ouders hem hadden goedgekeurd en zonder dat ze erbij
waren. Ze ging met de thee naar de winkel terug. Morton Phibling, zei
Zeinab, was naar buiten gegaan om een *Standard* voor hen te kopen.

'Dan kunnen we over de moord lezen. Kijk eens wat hij me deze keer
heeft gegeven.' Zeinab liet haar een grote broche met twee rozen en
een rozenknop op een steel zien, op een bedje van blauw satijn.

'Zijn dat echte diamanten?'

'Hij geeft me altijd echte diamanten. De broche moet duizenden ponden waard zijn. Ik heb beloofd dat ik hem vanavond zal dragen.'

'Dat zal je niet moeilijk vallen,' zei Inez. 'Maar kijk wel uit hoe je gaat.
Als je daarmee te koop loopt, word je misschien beroofd. En vergeet
niet dat er een moordenaar rondloopt die erom bekendstaat dat hij iets
steelt van ieder meisje dat hij vermoordt. Daar heb je hem weer.'

Maar in plaats van Morton Phibling was het een vrouw van middelbare
leeftijd die een stuk Crown Derby als verjaardagsgeschenk zocht. Ze
had op weg naar binnen een pocket meegenomen, een Peter Cheyney
met een afbeelding van een gewurgd meisje op het omslag. Passend,
vond Inez, en ze sloeg er vijftig pence voor aan en verpakte daarna een
rood, blauw en goudkleurig porseleinen bord. Morton kwam terug en
hield hoffelijk de deur voor haar open. Zeinab keek nog vol blijdschap
naar haar diamanten rozen. Ze zag eruit als een engel die een gelukzalig
visioen aanschouwde, dacht Morton.

'Ik ben zo blij dat je hem mooi vindt, liefste.'

'Het geeft je nog steeds niet het recht om me liefste te noemen. Nou,
wat staat er in de krant?'

10

Zij en Inez keken samen in de krant. 'Hier staat dat het gisteravond nogal vroeg gebeurde, om een uur of negen,' las Zeinab. 'Iemand hoorde haar schreeuwen, maar hij deed niets, vijf minuten lang niet, en toen zag hij iemand langs het station wegrennen, een schimmige figuur, staat hier, man of vrouw, dat weet hij niet, alleen dat hij of zij een broek aanhad. Toen vond hij haar – ze hebben haar nog niet geïdentificeerd – ze lag dood op het trottoir, vermoord. Ze zeggen niet hoe het is gebeurd, alleen dat haar gezicht helemaal blauw was. Hij zal haar wel weer hebben gewurgd. Er staat niets over een beet.'

'Dat van die beten is onzin,' zei Inez. 'Het eerste meisje had sporen van een beet in haar hals, maar het DNA bleek van haar vriendje te zijn. De dingen die mensen doen in naam van de liefde! Natuurlijk noemden ze hem toen de rottweiler en die naam is blijven hangen.'

'Heeft hij deze keer niets van haar meegenomen? Eens kijken.' Zeinab keek het hele verhaal door. 'Dat weten ze natuurlijk niet, want ze weten ook niet wie ze was. Wat heeft hij de vorige keren meegenomen?'

'Bij de eerste een zilveren aansteker met haar initialen erin,' zei Morton, die daarmee blijk gaf van zijn grote deskundigheid op het gebied van sieraden, 'en bij de tweede een gouden zakhorloge.'

'Nicole Nimms en Rebecca Milsom, heetten ze. Ik vraag me af wat hij van deze heeft meegenomen. Vast geen mobieltje, denk ik. Al dat geteisem op straat pikt mobieltjes, maar het zou niks voor hem zijn, hè?'

'Zorg dat je vanavond naar Le Caprice komt, liefste,' zei Morton, die de jaguar blijkbaar niet had opgemerkt. 'Ik denk dat ik je door een limousine laat halen.'

'Als je dat doet, kom ik niet,' zei Zeinab, 'en je zei wéér liefste.'

'Ga je met hem trouwen?' vroeg Inez, toen hij weg was. 'Hij is een beetje oud voor je, maar hij heeft veel geld en hij valt wel mee.'

'Een beetje oud! Ik zou van huis moeten weglopen, weet je, en dat zou verschrikkelijk zijn. Ik wil mijn arme moeder niet in de steek laten.'

Het belletje van de winkeldeur ging en er kwam een man binnen die een plantenstandaard zocht. Bij voorkeur van smeedijzer. Zeinab keek hem met haar typische glimlach aan. 'Dan wil ik u een prachtige jardinière laten zien. Hij is pas gisteren uit Frankrijk gekomen.'

In werkelijkheid kwam hij uit een rommelwinkel in Church Street die een opruiming hield. De klant keek naar Zeinab, die naast de jaguar neerhurkte om het driepotige object onder een stapel Indiase beddenspreien vandaan te trekken. Ze keek naar hem op en streek haar twee sluiers van zwarte haar weg als iemand die een prachtig schilderij onthult.

'Erg mooi,' mompelde hij. 'Hoeveel kost het?' Hij maakte geen bezwaar, al had Zeinab de afgesproken prijs met twintig pond verhoogd. Mannen probeerden zelden af te dingen als ze hun iets verkocht. 'U hoeft het niet in te pakken.'

Toen hij zich met zijn aankoop naar buiten manoeuvreerde, hield ze de deur voor hem open. Hij was een verlegen man, bijna kromgebogen van bescheidenheid, maar zodra hij op het trottoir stond, vatte hij moed en zei: 'Tot ziens. Ik vond het erg prettig kennis met u te maken.'

Inez schoot onwillekeurig in de lach. Ze moest toegeven dat ze betere zaken deed sinds Zeinab voor haar werkte. Ze zag hem in de richting van Paddington Station lopen. Hij nam dat ding toch niet in de trein mee? Het was bijna net zo groot als hijzelf. Ze zag dat de lucht betrokken was. Waarom waren er nooit meer mooie dagen, alleen maar dagen die mooi begonnen? Het vuile witte busje was weg en een ander, schoner busje was op die plaats komen staan. Will Cobbett stapte eruit, en na hem de bestuurder. Inez en Zeinab keken er door de etalageruit naar. Ze zagen alles wat in Star Street gebeurde, en meestal leverde een van hen commentaar.

'Die daar uitstapt, heet Keith, en Will werkt voor hem,' zei Zeinab. 'Hij gaat naar de bouwmaterialenhandel in Edgware Road. Wat doet Will thuis op dit uur van de dag? Hij gaat naar binnen.'

'Hij zal zijn gereedschap wel zijn vergeten. Dat gebeurt vaak.'

Will Cobbett was de enige huurder die bijna nooit door de winkel liep. Hij nam de bewonersdeur aan de zijkant. De twee vrouwen hoorden hem de trap opgaan.

'Wat is er toch met hem?' zei Zeinab. 'Weet je wat Freddy over hem zegt? Hij zegt dat hij achteraan stond toen de hersenen werden uitgedeeld.'

Inez was geschokt. 'Dat is gemeen. Dat verbaast me van Freddy. Will is iemand met leermoeilijkheden, zoals ze dan zeggen. Hij ziet er goed genoeg uit, vind ik, leermoeilijkheden of niet.'

'Het uiterlijk is niet alles,' zei Zeinab, voor wie het dat juist wel was. 'Ik heb graag dat een man intelligent is. Beschaafd en intelligent. Je vindt het toch niet erg als ik een uurtje wegga? Ik zou gaan lunchen met Rowley Woodhouse.'

Inez keek op haar horloge. Het was net halfeen geweest. 'Dus dan ben je om ongeveer halfdrie weer terug,' zei ze.

'Wie is er nu gemeen? Ik kan het niet helpen dat ik geen besef van tijd heb. Zouden er cursussen tijdmanagement zijn? Ik zit te denken over een cursus welsprekendheid. Mijn vader zegt dat ik zonder accent moet leren praten, al hebben hij en mam hun accent regelrecht uit de binnenstad van Islamabad. Dan ga ik nu maar, anders is Rowley in alle staten.'

Inez herinnerde zich dat Martin een tijdje een cursus welsprekendheid had gegeven. Dat was natuurlijk voor *Forsyth* en het grote succes. Toen ze hem leerde kennen, gaf hij die lessen en speelde hij kleine rollen. Hij had een mooie stem. Tegenwoordig zou die stem te aristocratisch voor een inspecteur van politie zijn, maar in de jaren tachtig niet. Ze hoorde Will de trap af komen. Hij rende met de gereedschapstas in zijn hand naar het busje, net op het moment dat er een parkeerwachter aankwam. Toen kwam Keith uit de andere richting. Inez keek naar de woordenwisseling die nu ontstond. Omstanders kijken altijd naar confrontaties tussen parkeerwachters en verongelijkte automobilisten, in de hoop dat er klappen vallen. Inez zou niet zover willen gaan, maar ze vond dat Keith moest betalen, hij moest toch weten wat die dubbele gele streep betekende.

Ze wachtte terwijl twee blonde vrouwen met dik beschilderde gezichten door de winkel liepen. Ze pakten glazen vruchten op, en figuurtjes die misschien netsukes waren en misschien ook niet. Ze 'keken alleen maar', zeiden ze. Toen ze weg waren en Inez had gecontroleerd of de deurbel het goed deed, ging ze naar de keuken en zette de televisie aan voor het nieuws van één uur. De nieuwslezer had het gezicht gezet dat presentatoren als hij (vermoedelijk) instuderen voor het geval dat het eerste onderwerp droevig of deprimerend is, zoals nu de moord op dat meisje in Boston Place, de vorige avond. Ze was geïdentificeerd als Caroline Dansk, wonend aan Park Road, NW1. Blijkbaar was ze vanuit haar eigen straat Rossmore Road overgestoken naar Boston Place, waarschijnlijk op weg naar het station. Het arme kleine ding, nog maar 21. Op het scherm verscheen de spoorlijn vanuit Marylebone Station en de straat die daar evenwijdig mee liep, met zijn hoge muur. Een nogal dure buurt, met fraai opgeknapte huizen en bomen op trottoirs. Er was politie; je zag overal agenten en afzettingslint, met daarachter de gebruikelijke kleine menigte, belust op sensatie. Er was nog geen foto van Caroline Dansk, en haar diep geschokte ouders verschenen ook nog niet op televisie. Dat zou later komen. En ongetwijfeld zou ook worden bekendgemaakt welk voorwerp de moordenaar van haar had gestolen nadat hij met een wurgkoord haar leven had beëindigd.

Als het dezelfde man was. Nu die beet onzin bleek te zijn en de bijnaam dus ook niet meer van toepassing was, konden ze de dader alleen herkennen aan het feit dat hij één klein voorwerp stal. Die jonge mensen hadden zoveel, dacht Inez, computers en digitale camera's en mobiele telefoons, heel anders dan in haar tijd. Dat was trouwens een sinistere uitdrukking, alsof iedereen een eigen tijd had, waarna alleen nog een langdurig afglijden naar de nacht volgde, eerst schemering, dan het halfduister van de avond en ten slotte diepe duisternis. Haar tijd was vrij laat in haar leven begonnen, pas toen ze Martin had ontmoet, en na zijn overlijden was het daglicht begonnen af te nemen. Kom op, Inez, zei ze tegen zichzelf, zo moet je niet denken. Ga iets te eten maken, want je hebt geen Rowley Woodhouse of Morton Phibling om dat voor je te doen, en daarna moet je een vrolijk gezicht trekken. Ze maakte een broodje ham voor zichzelf en pakte de pot met Branston Pickle, maar ze wilde geen thee meer maar cola light. De cafeïne zou haar oppeppen voor de middag.

Ze vroeg zich af wat hij van dat meisje had afgepakt. Ze vroeg zich af wie hij was en waar hij woonde, of hij een vrouw, kinderen, vrienden had. Waarom deed hij het en wanneer en waar zou hij het opnieuw doen? Het was een beetje stijlloos om over zulke dingen te speculeren, maar er viel bijna niet aan te ontkomen. Ze kon er niets aan doen dat ze nieuwsgierig was, al had Martin er wel iets aan kunnen doen, want hij was boven zulke morbide nieuwsgierigheid verheven. Misschien kwam dat doordat hij zich in elke *Forsyth*-aflevering waarin hij meespeelde in een fictief misdrijf moest verdiepen. Misschien wilde hij daarom niets met de realiteit te maken hebben.

De deurbel ging. Inez veegde haar mond schoon en ging de winkel weer in.

−2−

De zaterdagen waren haar dierbaar. De zondagen waren al wat minder goed, want dan wierp de maandag alweer zijn donkere schaduw over de dag en moest je er steeds aan denken dat over één nacht de tredmolen weer begon te draaien. Niet dat Becky Cobbett een hekel had aan haar werk, verre van dat. Had het haar niet een hogere maatschappelijke status bezorgd en bovendien aan 'dit alles' geholpen? Met 'dit alles', waarbij ze een vaag gebaar met haar hand maakte, bedoelde ze de grote comfortabele woning aan Gloucester Avenue, het Shaker-meubilair, de ringen aan haar vingers en de kleine Mercedes die voor de deur stond. Dat alles had ze bereikt zonder dat een man haar had geholpen. Er waren wel mannen geweest, maar die hadden allemaal minder succes gehad dan zij. Geen van hen had erg veel verdiend of had haar grote cadeaus gegeven.

Het moment, enkele seconden na het wakker worden, waarop ze besefte dat het zaterdag was, was een van de hoogtepunten van haar week. Als ze niet ergens heen ging of als haar neef niet kwam, deed ze op zaterdagochtend altijd hetzelfde; de halve middag trouwens ook, want ze zou buiten de deur gaan lunchen. Ze ging niet altijd naar het West End; soms ging ze naar Knightsbridge en ook wel eens naar Covent Garden. Die dag was het een dag voor Oxford Street en Bond Street. Ze kocht niet altijd iets groots, maar ze kocht wel altijd iets, kleine dingetjes, eigenlijk klein speelgoed, een lipstick, een cd, een sjaaltje, een fles badolie of een bestseller uit de toptien. Ze bekeek de etalages en snuffelde binnen rond, ging op verkenning uit op afdelingen waar ze nooit eerder was geweest en dacht uitvoerig na over de aankoop van een cosmeticaproduct waar je iets gratis bij kreeg. Haar badkamerkast stond vol met toilettasjes in alle vormen en kleuren, want daar hadden de gratis artikelen in gezeten. Grote kledingstukken waren iets anders. Het kiezen daarvan was een serieuze aangelegenheid waar ze lang van tevoren over nadacht.

'Ik ben niet rijk,' zei ze altijd, 'maar ik kan wel zeggen dat ik welvarend ben.'

Kleren kocht ze bijna nooit, en als ze het deed, waren ze van goede kwaliteit en erg duur, maar het kiezen en kopen van die kleren was niet iets voor deze zaterdagse uitstapjes. Het winkelen dat ze op zaterdag deed, was frivool en had niets te maken met het zoeken naar een nieuw zwart pakje voor op kantoor of een nauwsluitende jurk voor het jaarlijkse diner van de zaak. De hele zaterdagse escapade was iets waarvan ze luchtig wilde genieten, vanaf het moment dat ze het huis verliet om de metro naar Camden Town Station te nemen tot aan haar thuiskomst, vijf of zes uur later met een taxi.

Ze verspilde nooit tijd aan koffiedrinken, maar volgde de door haar gekozen route tot even voor één uur. Dan was het tijd om naar een restaurant of cafetaria of oesterbar in een warenhuis te gaan en daar te lunchen. Na afloop ging ze naar nog een paar winkels, en misschien liet ze zelfs haar gedachten over die serieuze kledingaankopen gaan, al ging dat nooit verder dan een voorlopige verkenning. Er was geen sprake van dat ze iets zou kopen of zelfs maar zou besluiten het later te kopen. Kledingstukken van dat prijsniveau kocht ze ook op een zaterdag, maar dan een zaterdag die ze daar speciaal voor bestemde, dus zonder enige frivoliteit.

Ze kende alle goede plekken om een taxi op te pikken. In tegenstelling tot mensen die een bevel naar de chauffeur blaften, sprak ze altijd beleefd tegen hen.

'Wilt u me naar Gloucester Avenue brengen?'

Ze wisten niet altijd waar het was en verwarden het met Gloucester Terrace of Gloucester Place of Gloucester Road.

'Ten noorden van Regent's Park,' zei ze meestal. 'Richting Camden Town, en dan linksaf bij de verkeerslichten.'

Ze vroeg hem ergens te stoppen, zodat ze een *Standard* kon kopen. Toen ze weer thuis was, zette ze thee en las ze tien minuten in de krant. Het grootste deel van de voorpagina werd in beslag genomen door een foto van het arme jonge meisje dat op de vorige avond in Boston Place was gewurgd. Caroline Dansk, 21 jaar, stond er in het bijschrift, het nieuwste slachtoffer van de rottweiler.

'De politie beschikt niet over nieuwe informatie met betrekking tot de identiteit van de schimmige figuur die van de plaats van het misdrijf zou zijn weggerend,' las Becky. '"Het is onmogelijk te zeggen," zei een woordvoerder, "of het een man of een vrouw was." De wurger is te herkennen aan zijn gewoonte om een klein voorwerp van het slachtoffer mee te nemen en aan een meer macaber detail, een beet. Ditmaal schijnt het gestolen voorwerp een sleutelring te zijn geweest, waarvan Caroline Dansks sleutels verwijderd waren en in haar tas waren achtergelaten. Bronnen uit de nabijheid van de familie zeggen echter dat er geen tekenen van een beet zijn.

"Caroline had haar sleutels aan een gouden sleutelring met een hangertje in de vorm van een Schotse terriër," zegt haar stiefvader Colin Ponti, 47. "Het was een kerstcadeau van een vriend. Ze had hem altijd bij zich."

Noreen Ponti, Carolines moeder, was te zeer van streek om de media te woord te kunnen staan...'

Becky schudde haar hoofd, vouwde de krant op en keek naar de dingen die ze had gekocht. Als het muziek was, draaide ze het, achterovergeleund in een luie stoel. De tas met de gratis artikelen moest open en alle zakjes en flesjes moesten worden bekeken. Ditmaal was het een cd en ze stopte hem in haar discman, liet haar hoofd tegen een kussen rusten en sloot haar ogen. Vanavond zou ze televisiekijken, of naar de video die ze ook had gekocht toen ze in de stad was.

Al met al was het een ononderbroken hedonistisch genot, onschuldig luxueus, heerlijke zelfverwennerij. Toch was het niet helemaal zuiver. Zoals ze iemand in Oxford Street had horen zeggen, er zat altijd een stukje bot in de kebab. Het stukje bot in haar kebab was haar grote schuldgevoel, en dat was vooral actief op zaterdagen, en met name op deze zaterdag, want ze was zich er terdege van bewust dat ze Will al meer dan een week niet had gezien, en in plaats van door South Molton Street te slenteren had ze hem moeten bellen om hem voor de lunch uit te nodigen. Lunch, niet diner. In het kindertehuis hadden ze ook altijd 's middags warm gegeten. Hij was daaraan gewend geraakt en hield er nog steeds van.

Het was Becky gelukt om helemaal niet aan haar neef te denken toen ze de nachtcrème en bodylotion kocht waardoor ze voor het gratis artikel in aanmerking kwam. Ze had niet aan hem gedacht toen ze lunchte in Selfridges, maar nu ze thuis was en de cd op zijn eind was gekomen, kwamen de gedachten aan hem met de donkere vleugels van het schuldgevoel naar haar toe gevlogen. Will zou helemaal alleen zijn geweest. Hoewel hij eruitzag als een zwaardere, forsere David Beckham, was hij

17

te simpel en naïef om vrienden te maken en te onzeker om in zijn eentje naar de bioscoop of een sportwedstrijd te gaan. Met een beetje geluk ging een van de maatschappelijk werkers uit het tehuis, iemand die hij zijn vriend noemde, vanavond iets met hem drinken in de Monkey Puzzle, maar dat gebeurde niet elke zaterdag, zelfs niet om de andere zaterdag. Trouwens, ook als iemand anders iets deed, dan had ze nog steeds het gevoel dat ze Will had verwaarloosd en dat ze dat al twintig jaar deed. Ze had opeens een hekel aan zichzelf. Als ze aan haar eigen zaterdag terugdacht, aan het plezier dat ze daaraan had beleefd, voelde ze zich beroerd.

Becky's zus Anne was bij een auto-ongeluk om het leven gekomen. De auto was van een man die haar naar Cambridge reed om haar met zijn ouders te laten kennismaken, de eerste man met wie Anne iets had gehad sinds Will geboren was. Niet dat ze vaak ergens met hem heen ging. Dit was de eerste keer in maanden geweest. De auto was frontaal op een vrachtwagen gebotst op de M11. De vrachtwagenchauffeur was achter het stuur in slaap gevallen en door de middenrail gegaan. Hij kwam om en Anne kwam om, terwijl de man met wie ze bijna was getrouwd zijn beide benen verloor.

Er kwamen twee politieagenten naar Annes woning om Becky over het ongeluk te vertellen. Ze had die avond op Will gepast, die toen drie was. Natuurlijk was ze bij hem gebleven; ze had veertien dagen vrij genomen van haar werk. Zij en Anne hadden een erg nauwe band gehad, ze was een tweede moeder voor Will geweest, en ze had vaak gezegd dat ze al het plezier van het moederschap had zonder de bijbehorende verantwoordelijkheid. In de dagen na Annes dood moest ze vaak aan die woorden denken. Zou van haar worden verwacht dat ze Annes plaats innam, dat ze bij Will bleef en een moeder voor hem werd? Zou van haar worden verwacht dat ze hem adopteerde?

Nu herinnerde ze zich dat ze vaak tegen Anne had gezegd dat ze van hem hield alsof hij haar eigen kind was. Indertijd werkte ze op een reisbureau en volgde ze in de avonduren een managementstudie. Daar zou ze mee moeten ophouden als ze Wills pleegmoeder werd, want dan zou ze geen avonden vrij hebben. De baan die ze overdag had, zou haar al voor genoeg problemen stellen. Maar – hoe had ze dat kunnen vergeten? – hij had een vader. Ze spoorde hem op en belde hem. Hij had nooit alimentatie betaald en had Will maar zelden opgezocht, maar nu zei hij dat hij zou komen.

Becky nam nog eens veertien dagen vrij en haar baas was daar niet erg blij mee. Terwijl ze thuis was, lukte het haar Will op een crèche te krijgen, en nadat ze de nodige moed had verzameld, belde ze het maatschappelijk werk om hen van de situatie op de hoogte te stellen. Wills vader kwam, en Will, die vriendelijk was, en goed van vertrouwen – te vriendelijk en te goed van vertrouwen – zat op zijn knie, terwijl zijn vader Becky vertelde dat hij het jongetje onmogelijk bij zich kon hebben. Zijn vrouw was nog maar negentien en ze was zwanger. Hij kon niet van haar verwachten dat ze ook nog voor een kind van drie zorgde.

Will ging de pleegzorg in. Becky huilde bijna de hele nacht voordat het maatschappelijk werk hem kwam halen, maar ze kon hem toch niet bij zich houden? Nee toch? Er viel nog een beetje troost te putten uit zijn blije, onschuldige gezicht toen hij de hand van de maatschappelijk werkster vastpakte en haar toelachte. Het zou wel goed met hem komen, zei ze steeds weer tegen zichzelf, het komt wel goed met hem, dit is beter voor hem dan wanneer hij bij mij zou blijven, hij gaat naar goede pleegouders of misschien zullen mensen die naar een kind verlangen hem adopteren. Maar niemand deed dat. Hoe leuk hij er ook uitzag, en hoe zachtmoedig en lief – te lief – hij ook was, niemand wilde een kind 'waar wat mee was'. Soms had Becky het verschrikkelijke gevoel dat hij zo was geworden omdat ze hem uit puur egoïsme in de pleegzorg had gestopt. Urenlang probeerde ze zich te herinneren of hij zich ook al anders dan andere kinderen had gedragen vóórdat zijn moeder om het leven kwam. Anne had wel eens gezegd dat hij te stil, te braaf was, niet wild en opstandig, zoals een jongetje zou moeten zijn. Ze had nog steeds last van wroeging.

Ze compenseerde haar schuldgevoel, probeerde dat tenminste, door hem in het tehuis op te zoeken, hetgeen niet erg op prijs werd gesteld, of ergens met hem heen te gaan, hetgeen tot op zekere hoogte werd goedgekeurd. Toen haar eigen onderneming tot bloei kwam en ze welvarender werd, begon ze cadeaus voor hem te kopen, die ze in haar eigen huis moest bewaren, omdat de andere kinderen misschien jaloers zouden worden. Toen hij twaalf was, bood ze aan hem op haar kosten naar een particuliere school in Amerika te sturen, waar leerlingen als hij een op een werden begeleid. Het maatschappelijk werk verbood dat. Ze waren daar erg progressief, erg links, en ze herinnerden Becky eraan dat ze geen zeggenschap over zijn lot of toekomst had, ze was maar zijn tante. Zijn vader was intussen naar Australië vertrokken, met achterlating van weer een vrouw en kind.

'Wij hebben de zeggenschap, mevrouw Cobbett,' zei Wills maatschappelijk werkster. 'De beslissing is aan ons.'

En dus ging Will naar een speciale school waar alle kinderen leermoeilijkheden hadden, een school met niet genoeg leraren en waar de leraren die er dan wel waren allemaal doodmoe waren van de hoeveelheid papieren die ze moesten invullen. Becky vond het al heel bijzonder dat hij kon lezen, alleen wanneer de woorden kort en eenvoudig waren, maar hij was vrij goed in rekenen. Misschien zou hij het op een particuliere school in Amerika niet beter hebben gedaan. Wat zou er van hem worden als hij zestien werd en van school moest? Hoe zou hij de kost kunnen verdienen?

Het maatschappelijk werk liet hem een opleiding volgen voor de bouw. Hij was aardig tegen iedereen, beleefd en leergierig, maar de tekeningen die hij moest bekijken en de technische leerboeken die hij moest lezen, zeiden hem niets. Dit was geen eenvoudig rekenwerk. Het waren gewichten en maten en berekeningen, en die gingen hem boven zijn pet. Hij woonde in die tijd in een huis met vijf andere jongeren die uit een tehuis kwamen en die bij elkaar waren gezet omdat ze bij elkaar pasten, maar hoewel hij nooit klaagde, had Becky het gevoel dat ze hem plaagden en intimideerden. Wat zou hij graag willen?

'Bij jou wonen,' zei hij.

Ze schrok ervan; haar hele wereld wankelde. Later dacht ze dat dit het ergste moment van haar leven was geweest. Ze had indertijd een vriendje dat op zaterdag en zondag bij haar bleef slapen, en soms ook doordeweeks. Als hij er niet was, had ze haar rust nodig, haar speciale zaterdagochtenden. Maar ze bereikte haar dieptepunt toen ze zei wat ze moest zeggen.

'Deze woning is niet groot genoeg voor twee personen, Will. Je weet dat er maar één slaapkamer is. Wat zou je ervan zeggen om op jezelf te gaan wonen, en als jij en ik elkaar vaak zien? Als je hier vaak kwam en we samen ergens heen gingen?'

Hij glimlachte weer vriendelijk, zoals hij altijd deed. 'Dat wil ik wel.'

De instantie die de bouwopleiding verzorgde, hielp hem aan een baan, ongeschoold werk voor Keith Beatty, en na een tijdje had hij de elementaire vaardigheden onder de knie. Becky vond de kamer boven Star Antiques voor hem. Dat was in de buurt van zijn werk in Lisson Grove en ook niet te ver bij haar vandaan. De woonruimte was niet zo groot en gemakkelijk te onderhouden, één kamer met een keuken en een douche. En de andere mensen in het huis waren aardig, Inez en een erg vrolijke Caribiër die Freddy huppeldepup heette, en een sympathieke man op de bovenste verdieping. Ludmila had ze nooit ontmoet. Ze was bang dat Will de kamer niet goed zou kunnen onderhouden en ging er al van uit dat zij dat voor hem zou moeten doen, maar in dat opzicht verraste hij haar. Niet alleen hield hij de kamer smetteloos schoon, maar hij voegde ook allerlei mooie dingen aan Inez' eenvoudige inrichting toe. Van sommige dingen, een groene glazen vaas, een porseleinen kat, een lamp waarvan de voet een Chinese abacus was, vermoedde ze dat hij ze van Inez had gekregen, sommige andere dingen had zij hem gegeven, maar weer andere had hij zelf gekocht, de roze en grijze kussens, de witte kopjes en borden met stippen in de kleuren van de regenboog. Hij moest een telefoon hebben, ze zou geen moment rust hebben als hij die niet had, al betwijfelde ze of hij precies wist hoe hij moest bellen.

Omdat hij graag naar de dierentuin ging, nam ze hem mee. Ze gingen met de plezierboot naar Camden Lock en over de rivier tot aan de Theems-barrière. Een paar keer gingen ze naar de bioscoop, maar daar hield ze geen goed gevoel aan over, want hij dacht dat alles echt was wat hij op het witte doek zag. Seks vond hij verwarrend, terwijl geweld hem doodsbang maakte. Hij jengelde en klampte zich aan haar vast tot ze maar met hem naar buiten ging. Harry Potter, dat haar onschuldig genoeg had geleken, maakte zo'n indruk op hem dat hij de volgende keer dat ze samen waren tegen haar zei dat hij naar King's Cross Station was geweest om naar perron $9^3/_4$ te zoeken; hij begreep niet waarom het er niet was. Meestal nodigde ze hem in Gloucester Avenue uit, maar ze zei tegen zichzelf dat ze dat niet vaak genoeg deed. Ze zou het minstens één keer per week moeten doen, het liefst nog vaker. Wat deed hij als hij alleen in Star Street was? Met angst en beven, gezien zijn reactie op bioscoopfilms, had ze een televisie voor hem gekocht, en daar keek hij erg graag naar. Ze wist niet hoe hij geweld en seks verwerkte en durfde het hem ook niet te vragen. Hij kon niets lezen wat boven het niveau van het eenvoudigste kinderboek uit kwam en hij interesseerde zich niet voor muziek. Ze nam aan dat hij zijn kamer schoonmaakte en zijn siervoorwerpen verplaatste. En verder was er nu en dan zijn steun en toeverlaat, de maatschappelijk werker die een biertje met hem ging drinken.

Het zou het beste zijn, dacht ze terwijl ze een nieuwe videoband in de recorder schoof, als hij een vriendin kreeg. Een leuk verstandig meisje, een beetje ouderwets, als er nog zo iemand bestond, iemand die hem zou bemoederen en voor hem zou zorgen. Een bemiddelingsbureau? Dat was voor iemand als Will wel het ergste wat er bestond. Misschien kende Inez iemand. Becky nam zich voor om binnenkort met Inez te praten. Voordat ze de video startte, belde ze Will, en toen hij met een angstig, vragend 'Hallo?' opnam, zoals hij altijd deed, vroeg ze hem de volgende dag 's middags en 's avonds bij haar te komen eten.

Hij ging akkoord met het opgewonden enthousiasme dat een andere jongeman aan de dag zou leggen als hem werd aangeboden een reis om de wereld te maken.

– 3 –

Will Cobbett was, dacht Inez, waarschijnlijk de enige bewoner van het huis die niets over de nieuwste moord wist, niet eens dat die moord had plaatsgevonden. Waarschijnlijk de enige bewoner van Star Street. Iedereen praatte erover, maar Will, die ze in het achterhalletje was tegengekomen toen ze de zondagskrant ging halen, zei alleen dat het een mooie zonnige dag was, mevrouw Ferry, en dat hij die dag naar zijn tante ging. Er kwam een glazige blik in zijn vriendelijke blauwe ogen toen hij naar de vette kop op de voorpagina keek, maar hij toonde geen belangstelling, hief alleen zijn hoofd op en zei dat hij zich erg op de dag verheugde.

'Ik ga graag naar haar toe. Ze kookt om twaalf uur eten voor me en we eten altijd de dingen die ik lekker vind.'

Hij zag er zo goed uit en was altijd zo schoon en netjes dat het leek of hij ook intelligent moest zijn. Hoe kon een man zo lang en slank zijn, zo'n rechte neus en strakke mond hebben, zulk blond haar en zulke ogen, en toch... nou, niet helemaal zo zijn als andere mensen? De meeste mensen verwachtten dat simpele, onontwikkelde personen lelijk en dik waren, maar Will was mooi. Er was geen ander woord voor hem en als ze dertig jaar jonger was geweest, zou ze misschien verliefd op hem zijn geworden.

'Doe je tante de groeten van me.' Ze was erg gesteld op Becky Cobbett, die zo geweldig was voor Will. Weinig tantes zouden zoveel moeite doen als zij. Altruïsme was geen veelvoorkomende eigenschap. 'Zeg maar tegen haar dat jullie, als ze weer bij je is, naar beneden moeten komen om iets bij me te drinken.'

'En dan mag ik frambozen- en cranberrysap.'

'Natuurlijk. Dat moeten we een keer doen.'

Ze zou Caroline Dansk en haar gruwelijke lot niet ter sprake brengen. Becky had haar verteld dat elke vorm van geweld, zelfs al de gedachte daaraan, hem van streek maakte. Er waren genoeg andere mensen in het huis, of in de straat, die maar al te graag bereid waren om over de moord te praten. Inez ging met de krant naar boven, zette koffie in de kleine eenkops cafetière en at een croissantje. Er had ook een foto van Caroline Dansk in de avondkrant van de vorige dag gestaan, maar dit was een andere. Ze leek ouder maar aantrekkelijker, haar lippen een beetje van elkaar, haar ogen groot en vol verwachting, dacht Inez. Daar was ze nogal veel mee opgeschoten. Dood op haar 21e.

Zo oud was zij geweest toen ze met haar eerste man trouwde. Als ze een beetje ouder was geweest, had ze wel beter geweten dan zich te binden aan een man die zijn blik, ja zelfs zijn handen, niet kon afhouden van ieder meisje dat hij tegenkwam, of ze nu aantrekkelijk was of niet. Inez was een erg mooi meisje met bruine ogen, regelmatige trekken en lang weelderig blond haar geweest, maar voor Brian was dat niet genoeg. Ze had de tekenen moeten zien en ze zag ze ook wel, maar ze interpreteerde ze verkeerd. Het was het oude liedje: ze dacht dat ze hem kon veranderen. Pas toen Martin in haar leven kwam, had ze een man die ze niet wilde veranderen. Ze zuchtte en keek weer naar de voorpagina.

Daar was het weer. Ditmaal had de moordenaar een sleutelring meegenomen. Die ring zelf was van onyx en goud, met een gouden kettinkje waaraan een Schotse terriër van onyx hing. De politie en de krant hadden de sleutelring natuurlijk niet gezien, maar een tekenaar had een afbeelding gemaakt aan de hand van de beschrijving die Carolines stiefvader hem had gegeven. Inez zag het nut daar niet van in. De wurger liet die sleutelring heus niet ergens slingeren waar anderen hem konden zien. Ze las dat Noreen Ponti, de moeder van het arme meisje, had opgeroepen tot het vinden van de moordenaar. Begrijpelijk, maar zinloos. Iedereen zou hem graag willen vinden, dat was het punt niet. Ze sloeg om en las over een schandaal in de Conservatieve Partij, een hooggeplaatste arts die bij een flagellatiebende betrokken was en de huwelijksfoto van een bejaarde politicus die met een bejaarde politica was getrouwd.

Inez had de eerste verdieping van het huis voor zichzelf gehouden. Ze had een grote huiskamer, een tamelijk grote keuken, twee slaapkamers en een badkamer. Van het geld dat Martin haar had nagelaten, had ze de drie verdiepingen boven de winkel, waar zij en Martin hadden gewoond, tot appartementen laten verbouwen. Alle kamers waren voorzien van kasten, nieuwe bedrading, nieuw sanitair en nieuwe vloerbedekking. Ze was geen filantroop, maar ze wist dat ze op die manier veel meer huur kon ontvangen en ze had, net als Scarlett O'Hara in *Gejaagd door de wind*, al lang geleden besloten nooit meer arm te zijn. Op de verdieping boven haar werden de twee appartementen, in feite één kamer met een badkamer en een keuken, bewoond door Will aan de achterkant en Ludmila Gogol aan de voorkant, en dat van Ludmila meer dan de helft van de tijd ook door Freddy.

Ze hoorde Ludmila's voetstappen nu boven zich. Ludmila stond op zondag altijd pas erg laat op en bleef de hele dag in een van haar vele ochtendjassen lopen, zelfs wanneer ze naar buiten ging om een krant of een pak melk te kopen. Er was ook een beroemde Russische schrijver geweest die Gogol heette, dacht Inez. Dat wilde niet zeggen dat het niet Ludmila's echte naam kon zijn, er waren mensen die Shakespeare en Browning heetten, Martin had een neef gehad die Dickens heette, maar op de een of andere manier leek het haar niet erg waarschijnlijk. Ze had niet altijd een accent. Soms was het erg sterk, zoals Russen in films praten, en soms klonk ze meer als de cliënten in het arbeidsbureau van Lisson Grove.

Inez interesseerde zich voor mensen, maar die interesse had haar toch niet veel mensenkennis opgeleverd. Ze wist dat, maar wist niet wat ze eraan kon doen. Hoe kon ze bijvoorbeeld weten of Freddy Perfect was wat hij leek, een opgewekte zij het niet grappige clown, of dat hij een kleine crimineel was? En Zeinab, waarom wilde ze nooit iemand thuis ontvangen en zich niet eens door iemand naar huis laten rijden? Haar vader, zo streng als sommige moslims zijn, had er misschien bezwaar tegen als ze een vriendje had, zeker een vriendje dat geen moslim was, maar waarom, als hij geen regelrechte paranoia had, maakte hij er ook bezwaar tegen dat ze door een vrouw naar huis werd gebracht? Zij, Inez, had haar de vorige week nog aangeboden haar naar huis te rijden omdat ze toch een bronzen buste van een veldmaarschalk moest afleveren op een adres in Highgate, maar Zeinab was meteen bang geworden bij het vooruitzicht. Mensen waren onmogelijk te begrijpen.

Neem nou die twee oude mensen in de krant die getrouwd waren. Waarom hadden ze dat gedaan? Als je hun leeftijden bij elkaar optelde, kwam je op 146. Hoe dachten ze dat ze op die leeftijd elkaars vaste gewoonten en eigenaardigheden nog konden leren kennen? En hadden ze wel de energie om dat te proberen? Na Martin had Inez besloten nooit meer te trouwen, gesteld al dat iemand haar zou vragen, maar ze zou wel een man om zich heen willen hebben. Een aardige man van achter in de vijftig, die haar mee uit zou nemen, die ergens iets met haar ging drinken of met haar naar de film ging. En die soms bleef slapen, waarom ook niet? Op warme zomeravonden liep ze wel eens langs een terrasje, waarop stelletjes in het milde avondlicht zaten, en dan werd ze bijna ziek van het verlangen om Martin terug te hebben. Bij gebrek daaraan – en dat gebrek zou er altijd zijn – verlangde ze naar een man met sommige eigenschappen van Martin, iemand die, zo lang als het duurde, liever bij haar was dan bij een ander. Ze vroeg niet om hartstochtelijke liefde of zelfs het soort toewijding dat ze van Martin had gehad, maar gewoon een aardige man die ze aantrekkelijk vond en die ze graag om zich heen had.

Ze had haar best gedaan wat betreft haar uiterlijk, had haar figuur behouden, had het geluk dat ze het soort donkerblond haar had dat bijna nooit grijs wordt, maar iedere man die de winkel binnenkwam, zag niet alleen haar maar ook Zeinab, en dat was dat. Altijd. Ze zou Morton Phibling geen blik waardig hebben gekeurd, maar zoals iedere redelijk denkende vrouw zou beamen, was iemand van haar leeftijd een veel geschiktere keuze voor hem dan een meisje van twintig. Mannen dachten daar altijd heel anders over.

De zondag strekte zich voor haar uit. De rest van de week weigerde ze toe te geven dat ze eenzaam was, maar op zondag was ze erg alleen, behalve als vrienden haar voor de lunch of het diner uitnodigden of als ze de moeite nam hen uit te nodigen. Misschien moest ze dat vaker proberen te doen, al betekende het wel dat ze eten moest koken en zich erop moest kleden. Ze zou deze dag de was doen, en strijken, en stofzuigen, en als het niet koud werd, zou ze in het begin van de avond door het park wandelen, of door Bayswater Road, waar de stelletjes in de cafetaria's zaten, hand in hand aan een tafel bij kaarslicht. En als ze thuis kwam – gesteld al dat ze naar buiten ging – waren er de videofilms. De films van in totaal twaalf uur lang die haar dierbaarste bezit waren geworden.

Zoals de meeste acteurs, behalve degenen die helemaal bovenaan stonden, was Martin lange perioden werkloos geweest. In die perioden gaf hij lessen welsprekendheid, vulde hij vakken in de Sainsbury-supermarkt en werkte hij desnoods als schoonmaker. Sommige mensen voor wie hij had gewerkt, herinnerden zich hem toen hij een grote ster was, en zeiden: 'Je zult dit niet geloven, maar Martin Ferry werkte hier vroeger als schoonmaker.' Het scheelde niet veel of hij was niet eens naar de audities voor de rol van hoofdinspecteur Jonathan Forsyth gegaan, maar een vriend had hem aangespoord. Dat was dezelfde vriend die hem een week eerder aan Inez had voorgesteld. Martin lag toen nog in scheiding en Inez was net van Brian gescheiden. Hij belde haar, vertelde haar wie hij ook alweer was, vroeg of ze een avondje met hem uit wilde en zei haar dat hij auditie deed voor de hoofdrol in een nieuwe detectiveserie, maar dat ze niet voor hem hoefde te duimen want hij maakte toch geen schijn van kans.

Zelfs toen hij de rol kreeg en de repetities waren begonnen, werd er niet veel van de serie verwacht. De boeken waarop de afleveringen waren gebaseerd, waren niet bepaald bestsellers, en Inez, die sommige had gelezen, vond ze slecht geschreven en niet overtuigend. Maar of het nu kwam doordat de scenarioschrijver er iets goeds van had gemaakt, of doordat Martin de rol van Forsyth zo charismatisch speelde, de serie steeg naar de top van de kijkcijferlijsten. Binnen drie maanden na de start van de serie kende iedereen zijn naam. Inez dacht dat hij haar zou laten vallen, dat hij iemand zou zoeken die dichter bij zijn eigen statuur kwam, iemand die jonger was en ook in de showbusiness werkte. In plaats daarvan vroeg hij haar met hem te trouwen.

Hij bezat niets, had een huurwoning gehad, maar net voor hun huwelijk kocht hij het huis in Star Street en namen ze hun intrek in de bovenste drie verdiepingen. Het winkelgedeelte, dat lang leeg had gestaan, sloten ze af. Wie zei dat het een gelukkig huwelijk was, zoals sommige mensen uit haar omgeving zeiden – 'O, Inez is gelukkig getrouwd, hè?' – maakte zich schuldig aan grove onderschatting. Ze verkeerden in een staat van gelukzaligheid. Het soort ademloze, hartstochtelijke liefde dat nooit van lange duur is, dat alleen erg jonge mensen hebben, en dan ook nog korte tijd, bleef bij hen in volle intensiteit bestaan vanaf de huwelijksvoltrekking op de burgerlijke stand van Marylebone en de dag waarop Martin aan een hartaanval stierf. De slanke, lange, sober levende Martin, die in zijn hele leven nooit een sigaret had gerookt, had op zijn 56e een hartaanval gekregen en was binnen enkele minuten gestorven.

Het huis en zijn aanzienlijke spaargeld waren naar Inez gegaan. Het deed haar niets. Het zou haar ook niets hebben gedaan als hij haar niets had nagelaten en een dief alles had gestolen wat ze bezat, als ze op straat was komen te staan en haar heil bij de daklozen had moeten zoeken. Niets kon erger zijn dan dat ze Martin had verloren, en er was geen troost te vinden. Tenminste, dat dacht ze toen. Toen ze de twaalf video-opnamen van *Forsyth* tussen zijn bezittingen vond, kromp ze ineen. Ze begreep later niet waarom ze ze niet had weggegooid, misschien alleen omdat ze het niet kon opbrengen ze aan te raken. Ze wist altijd waar ze waren, in een la die ze niet wilde openen. Ze hoefde maar een glimp van zijn gezicht op de videocassette te zien en ze barstte ontroostbaar in tranen uit.

Maar toen, zo'n zes maanden na zijn overlijden, was ze afgedaald in de put, de diepte van haar wanhoop en hopeloos verlangen. Ze wilde hem nog even zien, vijf minuten maar. Ze wilde hem in de kamer hebben. Daar hunkerde ze naar. Ze dacht dat ze het niet meer uithield als ze niet even zijn gezicht te zien kreeg. Anders zou ze naar de slaapkamer gaan, alle slaaptabletten nemen die de dokter haar had voorgeschreven en ze wegspoelen met gin. Op dat moment – ze wist niet waarom – dacht ze weer aan de video's. Ze kon hem even zien, en meer nog, ze kon hem ook horen, ze kon hem zien bewegen en lopen en praten, uren achtereen. En als het nu verschrikkelijk was om hem te zien en te horen? Ach, ze kon zich toch niet slechter voelen dan ze nu al deed.

Bevend haalde ze de band uit zijn verpakking. Het was de eerste die hij ooit had gemaakt, *Forsyth en de jonge minstreel,* en de vertrouwde herkenningsmelodie was de eerste schok, een aria van Händel die ze nooit bij enige andere gelegenheid had gehoord. Maar toen de film begon en de camera zich op Martin richtte, die de trap opging naar zijn kantoor, had ze onwillekeurig een kreet geslaakt. Het zou precies zo verschrikkelijk zijn als ze had gevreesd.

Toch was het dat niet. Per slot van rekening had ze hier haar geliefde echtgenoot, haar minnaar, haar lieveling, de enige man van wie ze ooit echt had gehouden, en hij was bij haar in de kamer, en ze had het gevoel dat hij tegen haar praatte. Het enige wat eraan ontbrak, was dat ze hem kon aanraken, en dat was wel een groot 'enige', maar de film had haar zoveel te bieden. En het was niet bij één keer gebleven. Hij zou nooit weer voorgoed verdwijnen, want ze kon die video's draaien wanneer ze maar wilde, zo vaak als ze maar wilde, en dan had ze de op één na beste, opgenomen Martin, zijn glimlach, zijn mooie stem. Er waren nog meer video's, die ze niet had. Maar die kon ze krijgen. Ze kon alles krijgen wat hij ooit had gedaan, alles wat op de band was gezet.

Later zou ze, in plaats van een wandeling te maken, in plaats van de dingen te zien die je in het gouden avondlicht ziet en die alleen maar een bittere nostalgie bij haar op zouden roepen, een lange avond met Martin doorbrengen.

Star Street loopt naar het westen en verbindt Edgware Road met Norfolk Square, Paddington Station en het St Mary's-ziekenhuis. Het is een straat met huizen die vroeger eenvoudig waren, elk met drie verdiepingen en een souterrain, maar op de kruispunten is er op alle vier de hoeken een winkel in plaats van een benedenverdieping, met drie verdiepingen erboven. Deze huizen zijn hoger dan de andere. Omdat dit zich op drie kruispunten op precies dezelfde manier voordoet, is er duidelijk opzet in het spel. Het is een architecturale innovatie, uitgedacht door degene die in de negentiende eeuw de plannen voor deze huizen maakte. De straten zijn tamelijk breed en er staan weinig bomen, een tekort dat gecompenseerd wordt door de platanen en linden in het plantsoen van Norfolk Square. Er staan auto's langs de straat, want zoals in de meeste delen van de Londense binnenstad zijn er geen andere parkeerplaatsen. Niemand kan Star Street mooi vinden, maar de straat heeft zijn eigen Victoriaanse aantrekkelijkheid. De symmetrie van de huizen doet prettig aan, en de winkels bezitten een ouderwetse charme: een ijzerzaak, de onvermijdelijke makelaar, een kapper, een tabakswinkel en Star Antiques, op de hoek van Brignorth Street.

In het pand waren ooit tweedehands boeken verkocht, maar er had jarenlang geen winkel in gezeten. Kort na Martins overlijden stierf Inez' tante Violet op 92-jarige leeftijd. Ze liet haar grote oude huis in Clapham met de complete inboedel na, genoeg Victoriaans meubilair om er een antiekwinkel mee in te richten. En dat was precies wat Inez ermee deed. Ze liet de planken van de ramen halen, opende de winkel en begon met tante Violets spullen. De huurders op de bovenverdiepingen kwamen geleidelijk, eerst Ludmila, toen Will Cobbett, ten slotte Jeremy Quick. De trap van boven naar beneden kwam uit op een halletje met deuren naar de winkel, de straat en de tuin. Op de deur naar de winkel had Inez een bord laten aanbrengen: PRIVÉ. GEEN TOEGANG, maar daar trok niemand zich iets van aan, zelfs Jeremy Quick niet, die Inez de ideale huurder zou noemen, want hij had bijna geen gebreken. Om de een of andere duistere reden gingen ze liever via de winkel naar buiten dan rechtstreeks.

Ze was daar die maandagmorgen nog geen tien minuten en Star

Antiques was nog dicht, toen er werd aangebeld en hard op de ruit werd getikt.

Zonder op te kijken van twee bekers in de vorm van een man met een steek, riep ze: 'We gaan pas om halftien open.'

'Politie,' zei een stem. 'Kunnen we u spreken?'

Inez maakte de deur open. Ze waren met zijn tweeën, twee mannen. De oudste, die zich als adjunct-inspecteur Crippen voorstelde, zei dat hij haar tot zijn spijt moest lastigvallen, maar ze deden een routineonderzoek. Inez vond het een nogal ongelukkige naam voor een politieman, maar ze nam aan dat die naam jongere mensen niets meer zei. Beide mannen waren heel anders dan de knappe, hoffelijke, elegante hoofdinspecteur Forsyth.

'Wat kan ik voor u doen? Heeft het iets met het meisje te maken dat in Boston Place vermoord is?'

'Inderdaad, mevrouw. Ik neem aan dat u het nieuws op televisie hebt gezien.'

'Het was helemaal niet hier in de buurt. Boston Place is hier minstens anderhalve kilometer vandaan.'

De jongere rechercheur glimlachte toegeeflijk. 'Zo ver nu ook weer niet. Een getuige heeft iemand, geslacht onbekend, van de plaats van het misdrijf zien wegrennen, en volgens een andere betrouwbare getuige begaf een soortgelijke figuur zich tien minuten later van Edgware Road naar Star Street.'

'Wat bedoelt u, "begaf zich"? Rende hij nog?'

Crippen wilde iets zeggen, maar op dat moment ging de deur naar het achterhalletje ongeveer dertig centimeter open. Jeremy Quick stak zijn hoofd om de deur en zei: 'Neem me niet kwalijk, ik wilde niet storen,' en trok zich terug.

'Wie was dat?' vroeg Crippen.

'De huurder van de woning op de bovenste verdieping.'

'We willen even met hem praten. Waar gaat hij heen, mevrouw?'

'Naar Edgware Road Station, neem ik aan,' zei Inez.

'Ren achter hem aan, Osnabrook,' zei Crippen. 'Vlug. Hebt u nog meer huurders, mevrouw... eh?'

'Mevrouw Ferry. Ja, twee. U vertelde me net dat die persoon, geslacht onbekend, aan het rennen was.'

'En nog steeds rende. Hebt u die persoon misschien gezien? Het zal donderdagavond om ongeveer kwart over negen zijn geweest.'

'Ik was boven in mijn woning. De gordijnen waren dicht.' Inez slaakte een zucht van ergernis, want op dat moment ging de deur weer open. Maar ditmaal kwam degene die hen stoorde binnen en deed hij de deur achter zich dicht. Freddy Perfect stond altijd klaar om vooraan te staan, zoals Jeremy eens had gezegd.

'Goedemorgen,' zei hij. 'We hebben niet vaak zo vroeg al bezoek, hè, Inez?' Hij knipoogde naar haar. 'Dat moeten wel dringende zaken zijn.'

'Is deze meneer ook een huurder van u, mevrouw Ferry?'

Freddy antwoordde voor haar. 'Ik ben niet de huurder, meneer. De huurder, mevrouw Ludmila Gogol, is mijn minnares.'

Crippen reageerde op het woord dat Freddy voor zijn vriendin of partner gebruikte door even met zijn ogen te knipperen. De deur naar de straat ging open en Osnabrook kwam terug, voorafgegaan door Jeremy Quick.

'Het mag niet meer dan vijf minuten duren,' zei Jeremy. 'Anders kom ik te laat op kantoor.'

Osnabrook vroeg hem naar de rennende man, maar voordat Jeremy antwoord kon geven, mengde Freddy Perfect zich al in het gesprek. 'Waarom zou hij rennen, vraag ik me af,' zei hij op een toon alsof hij gewoon een praatje maakte. 'Dat vraag ik ú. Voor wie of wat rende hij weg? Werd hij achtervolgd?'

'Dat weten we niet.'

Crippen zei het geërgerd en herhaalde zijn vraag aan Jeremy. In de hoek, bij de grote vaas met het Parthenon-fries langs de bovenrand, stond Freddy bedachtzaam met zijn hoofd te schudden. Hij liet ongedurig een Victoriaanse operakijker van zijn ene in zijn andere hand overgaan.

'Nou, ik heb hem inderdaad gezien,' zei Jeremy. 'Het zal tien over negen, kwart over negen zijn geweest. Ik hoorde harde voetstappen buiten, weet u, en piepende remmen. Blijkbaar was degene die rende een straat overgestoken, misschien Edgware Road, en had een auto hard moeten remmen om hem niet te raken. Ik keek uit mijn raam. Twee van mijn ramen kijken uit op Star Street. Hij rende door de straat in de richting van Norfolk Square.'

'U hebt niemand daarover verteld?'

'Ik legde het verband niet.'

'Natuurlijk niet,' zei Freddy, die de operakijker neerlegde en een zilveren servetring oppakte. 'Waarom zou hij? Als je iemand over straat ziet rennen, denk je toch niet meteen dat hij net een misdaad heeft gepleegd?'

'Meneer Quick?'

'Precies. Hij heeft gelijk. Misschien liep die kerel wel zijn dagelijkse trainingsrondje.'

Osnabrook keek op. 'Was het duidelijk een man? Daar bent u zeker van?'

Jeremy keek plotseling verbaasd. 'Nu u het zegt, daar ben ik niet zeker van. Het kan ook een vrouw geweest zijn. Zeg, ik moet naar mijn werk.'

'Geeft u ons eerst nog even het signalement, meneer Quick.'

'Benieuwd hoe goed zijn waarnemingsvermogen is, Inez,' zei Freddy.

Nu hij voor de derde keer ongevraagd commentaar leverde, kon Crippen zich niet meer inhouden: 'Als u geen bezwaar hebt, meneer... Eh, wat is uw naam?'

'Perfect,' zei Freddy. 'Perfect van naam en perfect van nature, zoals ik altijd zeg,' en met waardigheid: 'Ik wilde alleen maar behulpzaam zijn.'

'Ja, nou, dank u. Hebt u hem goed kunnen zien... eh, meneer Quick?'

'Man of vrouw, hij, zij was tamelijk jong, in elk geval in de twintig, en droeg een soort spijkerbroek, een gewone spijkerbroek en een shirt met lange mouwen. Geen jasje. Het geheel had een tamelijk donkere kleur, donkergrijs of blauw, dat kon ik niet zien, het was donker en bij kunstlicht zien kleuren er anders uit. Ik moet nu echt gaan.'

'Jammer dat ik die... die hermafrodiet niet heb gezien,' zei Freddy. Blij met het woord, herhaalde hij het. 'Hermafrodiet, ja. Ik had u een gedetailleerde beschrijving kunnen geven.' Hij hield een champagneflûte van Venetiaans glas tegen het licht en tuurde erdoorheen. 'Maar dat zul je dan net zien. Mevrouw Gogol en ik namen op dat moment een verfrissing in het Marquise Restaurant.'

'Zet dat glas neer, Freddy,' zei Inez op scherpe toon. 'Ik vraag me af wie heeft gezegd dat je hier zomaar mag binnenlopen en alles mag oppakken alsof je de eigenaar bent.'

Freddy keek gekwetst. 'Dat doen klanten in rommelwinkels.'

'Dit is geen rommelwinkel en als klant heb je nog nooit iets gekocht. Heb je niets beters te doen?'

Osnabrook zei: 'Als er verder niemand is om mee te praten, gaan we maar. Heb ik hier niet eens een jong Aziatisch meisje gezien?'

Inez zuchtte. Welke man kon haar ooit vergeten? 'Die woont hier niet. Ze werkt voor me.' Of zou voor me moeten werken, dacht ze met een blik op de grootvadersklok.

'Misschien komen we nog eens met u praten,' waarschuwde Crippen. Osnabrook hield de deur voor hem open en hij verliet de winkel.

'Geen wonder dat de misdaadcijfers maar oplopen,' zei Freddy. Dat moest je hem nageven, hij bleef nooit lang gekwetst. Maar dat had ook zijn nadelen. 'Weet je, als je ooit nog een verkoper zoekt, wil ik dat best voor je doen, vooropgesteld dat je me goed betaalt, natuurlijk.' Hij ging in een grijze fluwelen fauteuil zitten die van tante Violet was geweest, duidelijk van plan een gezellig praatje te maken. Voordat Inez zijn aanbod met een categorisch 'nee' kon beantwoorden, kwam Zeinab binnen.

'We hadden de kit in huis,' zei Freddy. 'Ze stelden vragen over de rottweiler. Onze wederzijdse vriend meneer Quick kon ze enkele oppervlakkige details verstrekken. Weet je wat het gekke is? Ze zeiden niets over een beet.'

'Hij bijt ze niet,' zei Zeinab. 'Dat was een misverstand. Ik vind het te walgelijk om het uit te leggen.'

De minirok van die dag was van zwart leer, met discrete goudkleurige knopjes. De angoratrui was die dag sneeuwwit en glinsterend. Op elk van haar nagels prijkte een gouden vogel, die goed bij de knopjes paste. Inez vond het vreemd dat haar strenge vader geen bezwaar maakte tegen haar kleding, maar misschien wist hij er niets van, misschien glipte ze stiekem het huis uit of hing ze zelfs een chador over zich heen.

'Je moest maar eens opstappen, Freddy,' zei Inez energiek. 'Ludmila zal zich afvragen waar je blijft.'

Dat zou in werkelijkheid het laatste zijn waar Ludmila zich druk om maakte. Ze zou het precies weten en ze had al heel lang een vete met Zeinab, die ze ervan verdacht Freddy te fascineren. Hij stond met tegenzin op, zag voor het eerst de jaguar en begon eromheen te lopen, knikkend alsof hij zijn goedkeuring verleende.

'Freddy!'

'Ik ga al.' Hij wuifde naar de jaguar, zei dat hij iets nodig had om 'zijn keel te smeren' en ging weer naar boven.

'Nu hij weg is,' zei Inez, 'ga ik thee zetten, wat later dan anders. Hoe was je diner met meneer Phibling?'

'Ongeveer hetzelfde als altijd. Zeur, zeur, zeur en stukjes poëzie, veel gezemel dat hij met me onder een boom wil zitten, met wat brood en een fles wijn. God mag weten waarom. Mannen weten van geen ophouden, hè?'

'Sommigen niet.'

'Rowley Woodhouse wil zich met me verloven. Hij is knettergek, maar hij heeft de ring al gekocht. Kon ik de ring maar krijgen zonder de kerel erbij.'

Inez ging thee zetten. Toen ze met twee mokken op een dienblad terug-kwam, was er een vrouw met een jas van imitatiebont in ongeveer de-zelfde kleur als de jaguar binnengekomen. Ze stond voor een hoge wandspiegel in vergulde lijst die Zeinab haar probeerde te verkopen, maar na twintig minuten van nauwkeurige bestudering liep ze naar bui-ten zonder hem te kopen.

'Ik vind het niet erg,' zei Zeinab, alsof ze de eigenares van winkel en spiegel was. 'Ik zou niet zonder die spiegel kunnen. Ik gebruik hem al-tijd als ik me opmaak.'

Efficiënte aannemers beginnen vroeg met werken en houden er ook vroeg mee op. Keith was een goede aannemer in die zin dat als hij tegen een huiseigenaar zei dat hij vroeg in de week zou komen hij dinsdag en niet dinsdagmiddag bedoelde, en als hij zei dat hij de volgende dag terug zou komen, kwam hij echt terug, al was het maar voor tien minu-ten. Hij dook min of meer op als hij zei dat hij de volgende morgen zou komen, dat wil zeggen, om een uur of acht, en hij zette de radio zacht of deed hem zelfs uit als de cliënt bezwaar maakte, zoals sommige lastige mensen deden. Het werk dat hij deed, was ook vrij goed. In het begin had hij gedacht dat het een te grote verantwoordelijkheid zou zijn om een kinderlijk type als Will Cobbett voor zich te hebben werken. Kon hij hem wel alleen laten in het huis van iemand anders? Zou hij op tijd klaar zijn als Keith hem kwam halen? Kon hij erop vertrouwen dat Will een simpele klus deed? Niemand had Keith ooit iets over 'leermoeilijk-heden' of 'chromosomale problemen' verteld en hij had Will waar-schijnlijk niet aangenomen als ze dat wel hadden gedaan. Hij wist alleen dat Will uit een kindertehuis kwam en nogal 'langzaam' was. Maar Will bleek een goede werker te zijn. Hij deed wat hem gezegd werd, rookte niet en wilde niet eens roken – Keith ook niet, wat nogal eigenaardig was – en maakte een volkomen betrouwbare indruk. Tot op heden was alles goed verlopen, niets om over te klagen, en als de gesprekken met hem leken op de gesprekken die hij met zijn neefje van tien voerde, dan was dat altijd nog beter dan het geouwehoer waarmee sommige vroegere werknemers waren komen aanzetten. Maar nu was er iets gebeurd wat hem dwarszat. Zijn zus had een oogje op Will laten vallen. Ze woonde nog thuis bij haar ouders in Harlesden. Hij was daar zondag geweest en terwijl zijn moeder een middagdutje deed en zijn vader met de afwas bezig was, had Kim hem in de huiskamer in vertrouwen genomen.

'Heeft hij een vriendin, Keithy?'

'Dat denk ik niet,' had hij geantwoord. 'Hij heeft er nooit iets over gezegd.'

'Ik val wel op hem. Het is zo'n stuk. Hij lijkt meer op een Hollywood-ster dan die acteurs die op tv komen.'

'Hoor eens, Kimmie, je weet dat hij niet erg snugger is.'

'Nou en? Wat heb ik nou aan hersens? Dominic had hersens, hij ging naar de universiteit, en kijk eens hoe hij me heeft behandeld. Hij zou me hebben verkracht als ik geen veiligheidsspeld in zijn been had gestoken.'

'Ik zal je wat vertellen,' zei Keith. 'Will zal je nooit om een afspraakje vragen. Je zult het hem zelf moeten vragen, als je dat wilt.'

'Waar werken jullie morgen? Dat huis aan Grove End Road, nietwaar?'

'Ja, maar je mag daar niet komen.'

'Waarom niet? Je zei dat ze de hele dag weg is. Ik kom wel even in mijn lunchpauze.' Kim, die met meer moed sprak dan ze voelde, werkte in een kapsalon in High Street van St John's Wood. 'Ik vraag hem gewoon. Dat vind ik niet erg. Ik zeg tegen hem dat er een film is die ik wil zien.'

'Je hebt wel lef,' zei Keith bewonderend. 'Een jongen die je niet kent om een afspraakje vragen.'

'Nou, op die manier leer ik hem kennen, nietwaar?'

Hij had gelachen maar maakte zich nog steeds zorgen. Will was jong en groot. Hij zou er als verkrachter meer van terechtbrengen dan dat watje van een Dominic. Aan de andere kant was zijn zus volwassen en was ze bepaald niet naïef. Ongetwijfeld zou ze zich met een veiligheidsspeld kunnen redden. Misschien gingen ze maar één keer uit en was het daarna afgelopen. Hersens om naar de universiteit te gaan waren misschien niet nodig, maar er gaapte wel een enorme kloof tussen dat en Wills niveau. Zaten er niet genoeg mannen in die kloof, dus tussen geniaal en plantaardig in, die Kim veel beter zouden bevallen? Maar Will zag er wel erg goed uit...

Morton Phibling was nog maar net weg. Hij was in zijn oranje Merce-des komen aanrijden en had een hele tijd gezeverd (aldus Zeinab) over zijn liefde die een omsloten tuin zou zijn, met de geuren van vele krui-den. Niet voor het eerst vroeg Inez zich af waar ze hem eerder had ge-zien. Dat was lang geleden geweest, en op de een of andere manier bracht ze hem in verband met Brian, haar eerste man, maar afgezien daarvan wilde haar niets te binnen schieten. Een klein raadsel. Zeinab trok een la van een Victoriaans medicijnkastje open, haalde er iets uit en liet Inez de diamanten ring zien die ze aan de middelvinger van haar linkerhand had geschoven.

'Wat vind je ervan? Ik deed hem vlug in die la toen Morton kwam. Rowley zei dat ik hem op proef mocht dragen. Ik heb geen beloften ge-daan.'

'Erg mooi,' zei Inez. 'Hij doet me denken aan mijn oorhanger. Ik ga even naar meneer Khoury hiernaast. Ik ben zo terug.'

Ze had het gevoel dat ze die dag niets meer zouden verkopen. Het was trouwens al een vrij goede dag geweest. Ze hadden de grote vaas met het Parthenon-fries verkocht die maanden, zo niet jaren, op een liefhebber had staan wachten, en al het Venetiaanse glas was gekocht door een vrouw die het verzamelde. Het witte busje met het briefje over de we-tenschappelijke vuilanalyse was terug. Het werd tijd dat ze het in een wielklem zetten, vond Inez. Ze stond nog argwanend naar het busje te kijken toen Keith Beatty's auto ervoor stopte en Will uitstapte. Tien over vier. Ze hielden altijd precies om vier uur op met werken.

'Hallo, Will, hoe gaat het?' zei ze en hij antwoordde: 'Goed, dank u, mevrouw Ferry.' Hij stond aandachtig naar het briefje te kijken. Misschien begreep hij het niet, of anders begreep hij het wel maar vond hij het niet grappig. Inez ging naar de juwelier. Meneer Khoury stortte zich op haar alsof hij de hele dag had gewacht tot hij zijn grieven tot uiting kon brengen.

'De politie is geweest,' zei hij geschokt. 'Wat moet ik daarvan denken? Ik zal u zeggen wat ik denk. Ze komen me arresteren als Al Qaeda-ter-rorist.'

'Vast niet, meneer Khoury.'

'Nee, misschien niet. Het ging over die vermoorde jongedame. Of ik donderdagavond iemand door de straat heb zien rennen. Denkt u dat ik hier woon? zeg ik. Hier? zeg ik. Ik, in deze achterbuurt.' Dat was niet erg vleiend voor Inez, maar ze ging er niet op in. 'Ik heb een mooi vrijstaand huis in Hampstead Garden, zeg ik tegen ze. Of iemand geprobeerd heeft me een zakhorloge of een sleutelring te verkopen, vragen ze. Denken ze dat ik geen kranten lees? Ik ben geen heler, zeg ik tegen ze. Trouwens, zou ik die rommel ooit aanraken? Nog niet met een tang. Toen ze dat hadden gehoord, gingen ze weg. Nou, wat kan ik voor u doen, mevrouw?'

'Mijn oorhanger,' zei Inez.

De oorhanger was nog niet klaar. Hij had hem naar een mysterieuze werkplaats in Hungerford gestuurd. Nee, hij had geen idee wanneer hij terug zou zijn. Toen ze in haar winkel terugkwam, liep Inez langs een tevreden kijkende klant die een van de donkerblauwe draagtassen van Star Antiques in haar hand had.

'Wat heeft ze gekocht?' vroeg Inez, en ze raadde verkeerd. 'Het was nogal groot. Toch niet die klok van Chelsea-porselein met die man met een tulband en die haremdame op de bovenkant? Ik had de hoop al opgegeven.'

'Nee, en het was ook niet dat beest. Het waren een paar koperen kandelaars en die gedroogde bloemen.'

'Zal ik nog een kop thee zetten?'

'Voor mij niet,' zei Zeinab. 'Mag ik nu naar huis, Inez? Mijn vader gaat raar doen als ik niet om zes uur thuis ben.'

Waarom ging hij dan niet raar doen als ze met Morton Phibling of Rowley Woodhouse uitging? Of dacht hij dat ze altijd bij vriendinnen was? Inez had er genoeg van om haar te vragen hoe ze thuiskwam – met het openbaar vervoer was het lastig om in West Heath te komen – en ze had er helemaal genoeg van om steeds weer te horen dat ze geen lift van haar wilde. Jammer, want ze zou het niet erg hebben gevonden ergens heen te rijden, al zou ze, nadat ze Zeinab had afgezet, weer in haar eentje zijn. Ze beleefde er een melancholiek genoegen aan om bij de Vale of Heath-vijver of South End Green in haar auto te zitten en naar al die jonge mensen te kijken die naar de verlichte cafés gingen, en mensen die nog laat boodschappen deden, en mannen met bossen bloemen. Het was warm voor april. De zonsondergang kleurde de lucht met lange vingers koraalrood, abrikoosoranje, lichtgeel, met wolken als staarten van grijs bont ertussenin. Nou ja, ze ging daar niet zonder reden in haar eentje naartoe...

Zeinab werkte haar lippen bij, liet haar lange haar los hangen en zei dag en tot kijk. Misschien nam ze bus 139 naar Swiss Cottage, dacht Inez, en stapte ze daar over op de bus die door Fitzjohn's Avenue reed. Maar Zeinab keerde de bushalte de rug toe, ging bij de verkeerslichten van Sussex Garden naar de overkant van Edgware Road en liep in de richting van Broadley Terrace en Lisson Grove. Mannelijke voorbijgangers keken haar na en een van hen, die in Zeinabs ogen uitschot was, riep: 'Wat doe je vanavond, schat?'

Ze negeerde hem. Toen ze in Rossmore Road kwam, begon ze vlugger te lopen, want het was daar verderop, in Boston Place, dat Caroline Dansk was vermoord. Toen Zeinab aan de wurgdraad om de hals van het meisje dacht en aan het lelijke masker van een gezicht dat zich na het wurgen op de gezwollen aderen stortte, en de bijtende mond, begon haar hele lichaam te beven, totdat ze zich herinnerde dat hij ze helemaal niet beet.

Maar ze was er bijna. Ze stak de straat over en sloeg bij het bord met GEMEENTE WESTMINSTER, DIENST HUISVESTING het weggetje in dat tussen de blokken door leidde. In het Dame Shirley Porter House was de lift defect. Wat een verrassing. Zeinab liep de drie trappen op, stak haar sleutel in het slot van nummer 36 en riep: 'Hé, jongens, ik ben thuis!'

$-4-$

Het was zo vreemd voor Will om een uitnodiging af te slaan dat Becky eerst dacht dat ze hem niet goed had verstaan. Maar omdat ze nog last had van haar schuldgevoel, kon ze hem niet vragen waarom hij niet wilde komen. Ze zou het niet aan een ander hebben gevraagd die ze had uitgenodigd, dus waarom wel aan hem? Nadat hij had gezegd dat hij zaterdag niet kon komen, werd het stil aan de andere kant van de lijn, aangenaam en gezellig, maar toch stil.

'Waarom kom je dan niet vrijdagavond?' Ze was op vrijdagavond altijd doodmoe. Als het iemand anders was geweest, had ze met hem of haar naar een restaurant kunnen gaan, maar dat zou Will niet leuk vinden. Hij was graag bij haar thuis, met vertrouwde dingen om zich heen en met vertrouwd voedsel. 'Als je zelf hierheen kunt komen, breng ik je naar huis.'

'Goed,' zei hij en toen op de toon van een tienjarige: 'Ik kan zaterdag wel komen als je het écht wilt, als ik om vijf uur maar weg kan gaan om me netjes aan te kleden.'

Nu kon ze de verleiding niet langer weerstaan. 'Waar ga je heen, Will?'

'Ik ga met een jongedame naar de bioscoop.'

Haar verbazing over zijn weigering om naar haar toe te komen was niets in vergelijking met de schok die nu door haar heen ging. Ze probeerde niets van haar verbazing te laten blijken. 'Dat is leuk.' Zou hij haar vertellen wie het was?

'Het is Keiths zus. Ze heet Kim. Ze kwam naar het huis waar we aan het werk waren en ze zei: "Ga je mee naar de bioscoop, Will?" en ik zei: "Ja, graag," want Keith had me verteld dat het een goede film over een begraven schat was.'

Het leek sterk op afgesproken werk van die twee, van Keith en die Kim. En waarom ook niet? Het kon toch geen kwaad? Will was in fysiek opzicht een normale jongeman met de normale behoeften van een jongeman. Moest hij soms altijd zonder seksuele bevrediging en aangenaam vrouwelijk gezelschap door het leven gaan, alleen omdat hij iets had wat een of andere arts het fragiele X-syndroom had genoemd? Ze dacht daar al een paar jaar over na, maar ze zag het altijd meer als een theoretische mogelijkheid dan als een echt probleem. Als ze zich al iets bij die mogelijke vriendin voorstelde, dan was het een jonge vrouw met dezelfde handicap als hij, iemand die hij in een dagverblijf had ontmoet. Maar hij ging niet meer naar dagverblijven...

'Ik kom vrijdag,' zei hij. 'Eten we dan spaghetti en kwarktaart met chocolade?'

'Natuurlijk.'

Ze keek in de bioscooprubriek van de *Guardian* om de film op te zoeken. *De schat van 6th Avenue*, dat moest hem zijn. De krant gaf hem drie sterren en schreef dat de film geschikt was voor twaalf jaar en ouder. Een beetje satirisch liet de schrijver van de korte recensie weten dat de film eigenlijk geschikter was voor twaalf jaar en jonger, want het was een belachelijke avonturenfilm over twee mannen en een meisje die Tiffany's hadden beroofd en de juwelen in de achtertuin van een gebouw in een niet nader genoemde Amerikaanse stad hadden begraven. Het klonk volkomen onschuldig, en dat was voor Becky het belangrijkste.

Toen ze Will naar Star Street had teruggebracht, zei ze Inez gedag en ze weigerde het drankje dat deze haar aanbood, met als argument dat ze nog moest rijden. Zodra Will tevreden bij Inez (die erg had aangedrongen) voor de televisie zat, was ze naar huis gegaan. Becky hoopte dat er geen geweldsscènes kwamen die Will van streek maakten, maar voorzover ze zich kon herinneren gingen de series waar ze naar keken, afgezien van de onvermijdelijke achtervolging met auto's, meer over het landelijke leven dan over snelle actie. Misschien was deze nieuwe stap van Will, het feit dat hij met een meisje uitging, het beste voor hem en voor haar. Ze stelde zich voor dat ze hen tweeën te eten vroeg. Uiteindelijk kwam het misschien tot een huwelijk en zou het meisje – Becky hoopte heel erg dat het een aardig meisje was – Will ervan weerhouden om zoveel tijd met zijn tante door te brengen. Een keer op visite was prima, zou de bruid zeggen, maar niet twee keer per week, want Becky heeft ook nog een eigen leven. Ze herinnerde zich een dag, een paar jaar geleden, toen Will haar had gevraagd of ze getrouwd was. Ze had niet geweten hoe hij daar opeens op was gekomen. Ze had gezegd van niet en hij had gezegd: 'Dan wil ik graag met je trouwen.'

Dat was ook zo'n moment geweest waarop haar hart een slag oversloeg. Ze wilde haar ogen dichtdoen en kreunen. 'Ik ben je tante, Will,' had ze gezegd. 'Je kunt niet met je tante trouwen.'

Hij deed net of hij dat niet hoorde. 'Dan kunnen we in hetzelfde huis wonen. We kunnen een groot huis nemen met ruimte voor ons tweeën.'

'Het kan niet,' had ze gezegd, al kon dat laatste wel.

Ze had gevonden dat hij er verdrietig uitzag en had zich toen ook afgevraagd of ooit een andere man verdrietig was geweest omdat ze niet met hem wilde trouwen. Niet voorzover ze wist. Dat alles zou misschien goed komen als dat meisje aardig voor hem was, of zelfs van hem hield. En zij, Becky, zou dan vrij zijn. Ze genoot al bij voorbaat van vakanties zonder Will, echt vrije zaterdagen, dagen waarop ze zich gelukkig kon voelen omdat ze wist dat Will dat ook was. Op dit moment had Will geen vrienden, behalve Monty, die natuurlijk uit plichtsbesef met hem omging, en zijzelf werd ouder, alleen, zonder partner. Als Will een andere vrouw had om van te houden, werd ze misschien geen tweede Inez Ferry, iemand die haar avonden doorbracht door met een van haar huurders televisie te kijken.

Zodra Becky weg was, deed Inez wat ze al had willen doen voordat ze haar en Will impulsief had gevraagd binnen te komen. Ze zette het televisieprogramma uit en stopte een Forsyth-video in het apparaat. Will was niet als andere mensen; hij zou dit niet vreemd of sentimenteel of gênant vinden. Het was een aflevering waarin Forsyth de moordenaar van een aantal jonge meisjes opspoorde. Het leek wel wat op de rottweilermoorden, dacht Inez, alleen kreeg je de moorden niet te zien, en trouwens ook geen andere gewelddaden. Will had haar gevraagd waar het was, was het hier in de buurt? Hij wilde blijkbaar een praatje maken, en dus legde ze haar vinger op haar lippen en zei: 'Nu stil zijn, Will. Laten we naar de film kijken.'

Will keek behoedzaam maar gehoorzaamde. 'Dat vond ik mooi,' zei hij toen het was afgelopen.

'Daar ben ik blij om,' zei Inez. 'Dat was mijn man, die hoofdinspecteur Forsyth speelde.'

Dat was moeilijk te begrijpen voor Will, maar nadat er diepe rimpels op

zijn voorhoofd waren verschenen en hij zijn lippen op elkaar had gedrukt, scheen het tot hem door te dringen. 'Hij deed alsof hij die man
was?'

'Ja. Hij heette Martin Ferry.'

'Waar is hij nu?'

'Hij is overleden, Will.'

'Was hij aardig?'

'Erg aardig. Jij zou hem graag hebben gemogen.'

Tot Inez' verbazing legde Will zijn hand op de hare. 'Als jij hem aardig
vond, vind ik het jammer dat hij doodging.'

Het kon hem niet aan iets belangrijks ontbreken, als hij zulke dingen
kon zeggen, dacht Inez. Ze voelde opeens zoveel voor hem dat ze haar
armen om hem heen zou willen slaan, maar dat kon ze natuurlijk niet
doen. Hij was een jonge man, geen kind. Ze besefte dat dit de eerste
keer was dat ze ooit samen met iemand naar een Forsyth-aflevering
had gekeken. Maar dat was geen punt geweest. Ze had gemerkt dat ze
er evengoed troost uit kon putten, en ze wist dat Will waarschijnlijk de
beste persoon was om er bij te hebben. Behalve misschien een kind dat
net zo stil en aandachtig was als hij.

Hij keek haar aan en zei: 'Mijn moeder is doodgegaan, maar ik heb
Becky. Ik zou graag bij Becky willen wonen, maar haar woning is niet
groot genoeg. Jij hebt geen Becky.'

'Nee. Ik red me wel. Zullen we nu naar het journaal kijken? En dan
stuur ik je naar boven.'

Zodra ze hoorde wat het eerste onderwerp was, had ze er spijt van dat ze
hem had laten blijven. Er werd een meisje uit het noorden van Londen
vermist. Ze hadden haar niet meer gezien sinds woensdagavond, toen ze
met vriendinnen uitging. Ze waren naar een club in Tottenham Court
Road gegaan en de vriendinnen zeiden dat ze allemaal even voor twee
uur 's nachts waren weggegaan. Jacky Miller, het vermiste meisje, hadden ze voor het laatst gezien toen ze, nog net binnen de ingang van de
club, met haar mobiele telefoon een taxi belde.

Mijn ouders zouden gek zijn geworden als ik op mijn achttiende tot
twee uur 's nachts was weggebleven, dacht Inez. Deze ouders waren natuurlijk ook in alle staten geweest. Haar moeder had wakker gelegen,
luisterend of ze al thuiskwam, en toen was ze opgestaan en had ze door
het raam naar buiten gekeken. Dat deden alle angstige moeders, een
nogal zinloze daad die het misschien alleen maar erger maakte. Toen

het ochtend werd en hun dochter nog niet terug was, hadden ze de politie gebeld. Het was nu al twee nachten en twee dagen geleden dat iemand Jacky Miller had gezien of iets van haar had gehoord. Op de foto van haar in de krant zag je een nogal dik meisje met een kinderlijk gezicht en erg blond krullend haar. Ze leek onschuldig, kwetsbaar en ook, al kon dat verbeelding van Inez zijn, niet in staat om goed voor zichzelf te zorgen.

'Wat missen ze?' zei Will.

Ze wilde hem liever geen antwoord geven maar kon er niet onderuit. 'Een meisje ging woensdagavond uit en kwam niet meer thuis. Ze woont niet hier in de buurt.' Dat was niet relevant, maar ze dacht dat hij zich er beter door zou voelen. 'Ze woont hier een heel eind vandaan.' 'Ze komt wel weer thuis,' zei hij geruststellend. 'Maak je geen zorgen.' 'Goed, dan doe ik dat niet. Het wordt ook tijd dat jij naar huis gaat, Will. Wil je nog iets voordat je gaat? Thee of zo?'

Erg beleefd antwoordde hij: 'Nee, dank u, mevrouw Ferry.'

Een kleine kilometer daarvandaan, in het Dame Shirley Porter House, hadden Zeinab en Algy Munro ook naar het journaal van tien uur gekeken. De kinderen waren naar bed en sliepen. Tussen hun ouders in stond op een zwart marmeren tafeltje met vergulde randen een open doos Belgische bonbons waar ze gedachteloos telkens iets uit namen. De kamer waarin ze zaten, had dezelfde afmetingen en hetzelfde soort ramen als alle andere flats in het gebouw, met 'magnolia' geverfde muren en dezelfde matglans op het hout, maar was veel beter ingericht. De televisie bijvoorbeeld was zo'n plasmascherm dat als een schilderij aan de muur hangt. In de ene hoek stond een geluidsinstallatie met manshoge luidsprekers en in een andere hoek een pianola. Aan het plafond hing een grote kroonluchter die uit minstens vijfhonderd prisma's bestond. Op een computertafel tussen de ramen stond een computer met een scherm van maximale grootte, met internetverbinding en alle mogelijke accessoires.

'Dat zal wel weer het werk van de rottweiler zijn,' zei Algy en hij stopte een witte rumtruffel in zijn mond. 'Alleen heeft hij haar niet op straat laten liggen. Maar je weet wat ze zeggen. Lijken duiken altijd weer op.'

'Weet je wat, Algy? Rowley Woodhouse zei dat er een vereniging is die het Nationale Rottweiler Genootschap heet, en die mensen zijn kwaad omdat ze de moordenaar een rottweiler noemen. Ze schrijven naar de kranten en zo. Ze zeggen dat het niet eerlijk is en dat er een eind aan moet komen. Het is pure laster, zeggen ze, want rottweilers zijn lieve, vriendelijke honden, als je ze goed behandelt.'

Algy zei daar niets op. 'Het bevalt me niet dat je zoveel met Rowley Woodhouse omgaat, Suzanne. Het is niet goed dat je zijn ring draagt. Het wordt tijd dat ik dat zeg.'

Zeinab nam een rozenbonbon met een gekristalliseerd rozenblad erop. 'Je moet het als werk zien. Het is mijn werk.' Ze schoot in de lach. 'Bij Inez heb ik mijn baan voor overdag en als ik met Morton en Rowley uitga, maak ik overuren. Niet dat ik het zo leuk vind. Wat die ring betreft... ja, die zal ik terug moeten geven, dat weet je. Ik kan niet met de oude Morton blijven dineren als ik met Rowley verloofd ben.'

'Het bevalt me niet,' zei Algy. 'Het bevalt me helemaal niet.'

'Volgens mij wel. Al die elektronische apparatuur en de stereo en de televisie bevallen je toch wel? Het bevalt je toch ook dat we met zijn allen op vakantie gaan naar Goa? Je Armani-pak bevalt je, en dat de kinderen een Harry Potter-kasteel en een barbie hebben, en alle videospelletjes die ze maar willen.'

Ze had kunnen zeggen, jij zou ze dat nooit allemaal kunnen geven, niet zolang je in de bijstand zit, maar ze was een aardig meisje en ze voelde veel meer voor Algy Munro dan ze ooit voor Morton Phibling en Rowley Woodhouse had gevoeld. 'Wil je weten wat ik voor die diamanten broche kreeg die Morton me heeft gegeven?' Ze vertelde het hem. Zijn gezicht was een mengeling van verwondering, hebberigheid en verbijstering. 'Daarvan kunnen we met zijn allen naar de Malediven en Hawaii, als je dat wilt, en dan is er nog genoeg over.'

'Wanneer houdt het op, Suzanne?'

'Dat zal ik je vertellen. Je moet ervan uitgaan dat ik een model ben. Een model heeft afgedaan als ze 25 is, nou ja, 28 op zijn hoogst. Niet allemaal, dat geef ik toe, maar de overgrote meerderheid. Zo moet je mij ook zien. Ik verdien hiermee een heleboel geld, en als ik ermee ophou, is dat het einde en valt het doek. Dan hebben we genoeg om een vrijstaand huis in Arkley te kopen. Wil je iets drinken? Er staan nog twee flessen champagne.'

'Ik maak me zorgen,' zei hij. 'Het bevalt me niet en ik maak me zorgen.'

'Je bedoelt dat je het niet leuk vindt om de helft van de tijd met de kinderen en mijn moeder opgescheept te zitten? Denk liever aan anderen. Zorgen! Die arme vrouw van wie de dochter is verdwenen, die mevrouw Miller, ja, die heeft iets om zich zorgen over te maken. Probeer je in haar te verplaatsen en je zult zien dat jij een zorgeloos leventje hebt.' Zeinab stond op, boog zich over zijn stoel en gaf hem een kus. Hij probeerde haar op zijn knie te trekken, maar ze ontweek hem en ging naar de keuken om twee glazen van Waterford-kristal en de champagne te halen.

De politie was niet teruggekomen, al had Inez dat wel min of meer verwacht. Misschien beseften ze dat er niet meer informatie uit de bewoners van het huis in Star Street te halen was, al hadden ze gezegd dat ze hen opnieuw wilden spreken. Ze zat in de winkel de eerste kop thee van de dag te drinken – de eerste van de week – en las in haar twee ochtendbladen. In het ene stond een foto van Jacky Miller, in het andere een foto van de drie vriendinnen die met haar naar de club aan Tottenham Court Road waren geweest. In die krant stond ook een interview met de man die de telefoon had opgenomen bij het taxibedrijf dat Jacky donderdagmorgen om twee uur had gebeld. Niet dat het interview veel voorstelde. De man kon alleen vertellen dat hij een van de wagens had opgeroepen, en dat de chauffeur naar de club was gegaan maar Jacky Miller niet had gezien, al had hij binnen geïnformeerd en was hij de straat op en neer gereden om haar te zoeken. De krant die het interview met de man van het taxibedrijf niet had, bracht het vermiste meisje in verband met de meisjes die door de rottweiler waren vermoord. Omdat ze het ergste vreesde, had een van de drie vriendinnen zelfs tegen de krant gezegd dat Jacky oorhangers had gedragen die ze haar op haar verjaardag had gegeven, zilveren ringen met briljantjes, en ze was er zeker van dat de moordenaar die zou hebben afgepakt. Er stond niets over die rennende man. Dat spoor was opgegeven.

Inez zuchtte en zei meteen tegen zichzelf dat ze moest ophouden met zuchten. Het werd een gewoonte. Toen Jeremy Quick zijn hoofd om de deur stak en 'Goedemorgen, Inez' zei, bood ze hem een kop thee aan en vroeg ze hem of ze te veel zuchtte.

'Het is mij niet opgevallen. We leven in een wereld met veel ellende, dus het zou me niet verbazen als je veel zucht. Belinda zucht veel. Die heeft ook genoeg om over te zuchten, als je erover nadenkt. Ze moest gisteravond om negen uur naar huis om de buurvrouw af te lossen. Ze moet de buurvrouw bij haar moeder laten zitten als ze met me uitgaat.'

'Hoe oud is ze? Haar moeder, bedoel ik.'

'O, erg oud, achter in de tachtig. Ze mankeert niets, maar ze is veeleisend en wil niet alleen zijn.'

Inez had Belinda Gildon nooit ontmoet, al had ze een foto van haar en Jeremy in een badplaats aan de Middellandse Zee gezien, en ze had hem ook een keer op een zomeravond op een van de terrassen zien zitten waar ze voorbij kwam. Hij had steeds op zijn horloge gekeken, alsof hij op iemand wachtte. Natuurlijk op Belinda. Ze was in de verleiding gekomen om hem gedag te gaan zeggen, want ze was die avond erg eenzaam geweest. Ze had erover gedacht om naar zijn tafeltje te gaan, zich aan Belinda te laten voorstellen als die kwam en misschien een glas met hen te drinken. Maar natuurlijk had ze dat niet gedaan; ze was het niet echt van plan geweest. Ze had zich wel eens afgevraagd waarom Jeremy en Belinda niet trouwden, maar dat kwam natuurlijk door haar moeder, en daarom was Jeremy ook zo vaak alleen.

'Ik dacht net,' zei ze, 'dat de politie zei dat ze terug zouden komen, maar dat hebben ze nooit gedaan.'

'We kunnen ze niets meer vertellen. En nu is dit meisje verdwenen, het arme kind. Weet je wat ik dacht? Er verdwijnen elk jaar honderdduizenden mensen die nooit worden gevonden. Belinda zegt dat het haar niet zou verbazen als die kerel die ze de rottweiler noemen een stuk of wat van hen heeft vermoord voordat hij hierheen kwam.'

'Als hij altijd een of ander voorwerp van ze afneemt, zou de politie toch verband leggen?'

Dat was misschien wel zo, zei Jeremy, daar had hij ook aan gedacht, en hij moest gaan. Inez schonk zich nog een kop thee in en las de rest van een van de kranten, het binnenlandse nieuws, het buitenlandse nieuws en een artikel over zelfbruiningsproducten. Om negen uur draaide ze het bordje op de binnenkant van de glazen deur naar 'open' en sjouwde ze het boekenrek naar buiten. Ze liep net weer naar binnen toen de zijdeur onder aan de trap openging en Ludmila en Freddy Perfect arm in arm naar buiten kwamen. Ludmila droeg een lange bruine katoenen jurk, een rood tuniekjasje met goudkleurige brandebourgs dat op een huzarenuniform leek, en purperen laarzen met hoge hakken. Fred droeg een pak met een pied-de-poule-ruitje en – daar was Inez zeker van – een oude Harrow-das. Ze zwaaiden naar Inez maar bleven niet staan, misschien omdat Morton Phiblings oranje Mercedes net voor de winkel was gestopt.

'Ze is er nog niet,' zei Inez tegen hem.

'Het is bijna halftien!'

'Ja, dat weet ik.' Inez vertelde hem bijna dat Zeinab altijd te laat kwam, maar ze deed het niet, want daarmee zou ze misschien de kansen van het meisje bederven. Phibling was misschien iemand die erg aan punctualiteit hechtte en erop stond dat mensen op tijd op hun werk verschenen. Ze wist eigenlijk niet veel van hem af en had ook nooit veel van hem geweten, al was ze er zeker van dat ze hem van vroeger kende. Nu zou hij natuurlijk weggaan en later terugkomen. Tot haar verbazing liep hij achter haar aan de winkel in.

'Ik wil haar erg graag spreken.' Hij haalde een juweliersdoosje uit de zak van zijn mohairen jas. 'Wat vindt u hiervan? Ik heb vrijdagavond met haar gedineerd en toen zei ze dat ze erover dacht om zich te verloven.'

'O, ja?' Inez deinsde bijna terug voor de schittering van de blauwe en witte stenen in hun bed van blauw fluweel.

'Een paruur van diamanten en saffieren,' zei Morton Phibling. 'Het kostte een vermogen, maar ik kan het me veroorloven. Ze is alle schatten van Haroen al Rashid waard,' zei hij, weer in Arabische stijl. 'Ze zou het Topkapi-paleis kunnen krijgen, als ik daar de hand op kon leggen.' Hij ging in tante Violets fauteuil zitten en stak een sigaar op.

'Neemt u me niet kwalijk, meneer Phibling,' zei Inez, 'maar ik kan echt niet toestaan dat hier wordt gerookt.'

'Maakt u zich geen zorgen. Ik ga naar buiten en rook hem op het trottoir op, in afwachting van mijn liefste.'

Zeinab kwam nog later dan anders. Carmel had niet naar school gewild en Bryn had haar gesteund door krijsend op de vloer te gaan liggen, maar dat kon ze natuurlijk niet aan Inez vertellen. 'Mijn vader sloeg mijn moeder gisteravond in elkaar en ik moest een paar dingen voor haar doen.'

'Wat erg.' Inez vond dat Zeinab zich eigenlijk moest verontschuldigen als ze eens op tijd kwam, niet als ze te laat was, want dat gebeurde dagelijks. Maar dat kon ze niet zeggen, niet nu Zeinab het over huiselijk geweld had gehad. 'Hoe gaat het met je moeder?'

'Ze zit onder de blauwe plekken,' zei Zeinab. 'Ze zei dat ze naar de politie zou gaan, maar dat doet ze toch nooit.'

Morton Phibling kwam de winkel weer in. Hij had zijn sigaar gedoofd. 'Mijn liefste, mijn schone jonkvrouw, je ziet er vandaag nog adembenemender uit dan gewoonlijk. De tijd van het gekweel der vogels is gekomen en de stem van de schildpad wordt gehoord in ons land.'

'Schildpadden hebben geen stem,' zei Zeinab en wat vriendelijker: 'We dineren vanavond in Le Gavoche, nietwaar?'

'Ja zeker, mijn ster. En ik wil mijn vriend Orville aan je voorstellen. Hij komt maar vijf minuutjes binnen om kennis met je te maken. Hij hunkert ernaar om je te ontmoeten, maar hij is nog niet helemaal hersteld van zijn tweede scheiding, dus hij is een beetje neerslachtig.'

'Hij is toch degene die al die hotels heeft?'

Als Phibling beter oplette, zou hij hebben gezien dat Zeinabs ogen net een beetje meer begonnen te schitteren, maar hij zag alleen haar lange, lange zwarte haar, haar rode lippen die iets van elkaar verwijderd waren, en haar pluizige witte trui. 'Ja,' zei hij, 'en hij heeft een vijfsterrenhotel in Bermuda dat zich in huwelijken specialiseert. Misschien kunnen we erover denken om...?'

'Waarom niet?' zei Zeinab blij en ze nam het juweliersdoosje van Phibling aan.

Op zijn vrije zaterdag sliep Will meestal uit. Hij maakte zich geen zorgen over de avond en hij was ook niet opgewonden, alleen een beetje gespannen omdat hij zich netjes zou moeten gedragen en zou moeten doen wat van hem verwacht werd. Lang geleden, toen hij nog in het kindertehuis woonde, had hij een televisiefilm gezien waarin een jongeman met een meisje uitging en een bos bloemen voor haar meebracht. Will zelf had soms bloemen voor Becky meegebracht, omdat hij had gezien dat ze een boeket narcissen meenam naar een vriendin. Misschien moest hij bloemen voor Kim kopen.

Hij stond op en maakte zijn ontbijt klaar, een ontbijt zoals een kind kan klaarmaken dat niets van koken weet: cornflakes en een snee bruin brood met marmelade. Tamelijk veel boterhammen. Toen Becky hem had gevraagd wat hij voor Kerstmis wilde, had hij om een broodrooster gevraagd, maar die had ze hem niet gegeven, hij wist niet waarom niet, want ze had hem wel een elektrische waterkoker en zelfs een magnetron gegeven. Hij had niet echt een gasfornuis verwacht, die waren te duur. Na het ontbijt waste hij de borden en het kopje van de melk af en daarna maakte hij zijn kamer schoon. Hij ging met een stofdoek rond en zoog de vloer. Hij maakte de wastafel en de wc in de badkamer schoon, maar niet de douche. Die kon wachten tot hij eronder had gestaan. Hij en Becky waren naar de winkels geweest en hij had scheermesjes willen kopen, maar dat vond ze niet goed en daarom had ze een scheerapparaat voor hem gekocht. Hij hoefde zich niet elke dag te scheren, maar hij zou het doen voordat hij uitging met Kim.

Het beloofde een mooie dag te worden. Het was nu al een mooie dag. De lucht was blauw, met zuiver witte wolkjes, de zon scheen en overal kwamen bloemen op, zelfs in Edgware Road. De lente was nu echt aangebroken. Nog meer tekens daarvan waren in de onmiddellijke omgeving te zien, en toen Will door Church Street naar Lisson Grove en door Lisson Grove naar Grove End liep, zag hij narcissen opkomen in de tuinen van de grote huizen, al wist hij niet de naam van die witte bloemen met oranje rondjes in het midden. Hij zag ook bloemen waarvan de rode knoppen opengingen, en hij wist dat het tulpen waren. De geur van hyacinten hing in de lucht, en voor een huizenblok, waar Grove End Road zich van Abbey Road vandaan boog, stond een boom in roze bloei.

In St John's Wood High Street ging hij naar een bloemenwinkel en kocht een bos viooltjes voor Kim, omdat ze zo mooi roken en erg klein waren. Ze kon ze meenemen naar de bioscoop en eraan ruiken als de film aan de gang was. Will kocht ook een pizza voor de lunch en een bekertje ijs met chocoladevlokken dat de verkoopster in een aantal lagen krantenpapier verpakte, opdat het op weg naar huis niet zou smelten.

Hij had een kleine koelkast, niet veel groter dan de magnetron maar groot genoeg voor een pak melk, een pakje boter en een stuk kip. Will was er vrij goed in om dingen in grammen en milliliters te meten, maar hij begreep niets van het Engelse systeem van *pounds* en *ounces*. Becky kon niet met grammen overweg en hij vond het altijd prachtig om haar in winkels te leren hoe het met grammen zat, daar was hij trots op. Hij wist dat hij niet zo slim was als sommige andere mensen en ook dat hij, hoewel hij zijn best deed, nooit slimmer zou worden. Het gaf hem altijd veel voldoening als hij merkte dat er dingen waren die hij wel kon en een ander niet, zoals weten dat veertien graden Celsius warm was voor maart, hoe lang vijf centimeter was en hoe je dingen in elkaar moest zetten. Toen een kast die Becky bij een postorderbedrijf had gekocht in losse onderdelen was gearriveerd, had zij hem niet in elkaar kunnen zetten, maar hij wel. Hij had op de papieren gekeken die erbij zaten en binnen een uur had hij van al die afzonderlijke onderdelen een mooie kast gemaakt met laden en een deur die open- en dichtging. Misschien verschilde Will in wel meer opzichten van een tienjarig kind dat handig was, maar in elk geval in dit ene opzicht: hij pochte niet over zijn prestatie, zoals dat kind zou hebben gedaan. Hij had het er één keer over en daar bleef het bij.

Toen hij had geluncht, nam hij een douche, hij maakte de douche schoon en ging toen rustig zitten, zonder iets te doen, denkend aan de avond die zou komen.

Kim kwam hem halen in het busje van haar broer, dat ze voor die avond had geleend. *De schat van 6th Avenue* draaide in de Warner Village aan Finchley Road. Daar was een parkeergarage bij, zodat Kim het busje binnen kon zetten, ergens waar het niet werd weggesleept en geen wielklem kreeg. Will had goede kleren aangetrokken, wit overhemd, blauwe das, leren jasje, en toen hij haar de viooltjes gaf, had ze erg blij gekeken. Ze had nog nooit bloemen gekregen van een jongen, zei ze. Ze droeg een wit jasje over een purperen T-shirt, dezelfde kleur als de viooltjes, en toen ze het boeketje op haar jasje speldde, vond Will dat de bloemen haar erg goed stonden.

In de bioscoop kocht hij een grote piepschuim beker cola en een nog grotere emmer popcorn voor ieder van hen. Hij kon zich niet herinneren dat hij ooit eerder popcorn had gegeten, maar hij wilde het graag proberen. Will had nooit veel te zeggen, maar Kim wel, en hij luisterde heel tevreden naar haar. Ze praatte over haar familie, haar moeder en vader en broer Keith en broer Wayne, en over de kappers en over de problemen die je had als je met het openbaar vervoer naar je werk wilde en over het weer, en waar ging hij van de zomer met vakantie naartoe? Als Will de wereld wat beter had gekend of gewoon meer verstand had gehad, zou hij hebben geweten dat ze met die laatste vraag hem probeerde in te schatten, zoals kappers deden. Maar Becky knipte altijd zijn haar, en dus vertelde hij haar dat hij met zijn tante meeging naar waar ze maar op vakantie ging – dat leverde hem een behoedzame blik van haar op – en dat zijn moeder was overleden, maar dat hij van de lente hield, want dan kwamen alle bloemen op. Wat zijn moeder betrof, voelde ze met hem mee, ze kon zich niets ergers voorstellen dan dat haar moeder zou sterven, maar wellicht had zijn tante haar plaats ingenomen? Will beaamde dat laatste. Ze dronken cola en aten popcorn, er kwam een eind aan de reclame en *De schat van 6th Avenue* begon.

Kim had al gezegd hoeveel ze van Russell Crowe en Sandra Bullock hield. Will keek goed naar die acteurs en was tevreden over zichzelf toen ze algauw op het witte doek verschenen en hij ze herkende. Het verhaal was niet moeilijk te volgen. De hoofdrolspelers waren een bankrover, zijn vriendin en een handlanger, gespeeld door een acteur van wie zelfs Kim nog nooit had gehoord, maar ditmaal wilde het drietal geen bank beroven maar een juwelierszaak. Voor een Brits publiek was niet duidelijk waar dit alles zou plaatsvinden. Het kon in New York zijn, maar het kon ook in bijna elke andere grote stad in de Verenigde Staten zijn. Je zag een woud van hoge kantoorgebouwen, een paar winkelstraten vanwaar andere straten als wielspaken naar buiten staken.

Will vond het niet leuk dat het personage dat door Russell Crowe werd gespeeld een bewaker in de juwelierszaak neerschoot, maar blijkbaar was er verder niemand in het publiek die daar moeite mee had. Kim bleef rustig popcorn eten en de man aan zijn andere kant bleef kauwgom kauwen. Hij nam zich voor om zijn ogen stijf dicht te knijpen als het er weer naar uitzag dat er geweld tegen mensen gebruikt zou worden. De drie dieven drongen een soort kluis binnen, waar een gigantische hoeveelheid sieraden in zat, vooral diamanten in halssnoeren en armbanden en ringen. Ze waren miljoenen waard, zei het Sandra Bullock-meisje, misschien wel een miljard.

Ze ontsnapten uit de zaak zonder dat iemand hen vond en gingen terug naar een vreemd, donker, oud huis waar Russell Crowe woonde en waar Will nooit een voet in zou durven zetten.

'Griezelig,' fluisterde Kim met een overdreven huivering tegen hem.

Hij knikte, blij dat hij niet de enige was. 'Ik ben ook bang.'

Hij genoot van de film, maar net toen hij het gevoel begon te krijgen dat hij alles begreep wat er op het scherm gebeurde, werd het ingewikkeld. Er verschenen nieuwe mensen, die de vermoorde bewaker vonden, en toen kwamen er zwermen van politiemannen en ging de camera naar plaatsen die niet eerder te zien waren geweest, clubs en bars en kelders, allemaal vol mensen die door rechercheurs met norse stem en een onverstaanbaar accent werden ondervraagd. Het was niet echt meer geschikt voor kinderen en Will was de draad helemaal kwijt. Hij probeerde stil te blijven zitten, want Becky had bij vorige bioscoopbezoeken tegen hem gezegd dat hij de mensen om hem heen niet mocht storen, maar het was moeilijk om niet te wiebelen en te draaien. Hij was ook erg teleurgesteld en verontwaardigd. Het was allemaal zo duidelijk en begrijpelijk geweest. Waarom kon het niet zo gaan als in het begin?

En toen ging het plotseling ook zo. De drie juwelendieven zaten in een auto die op topsnelheid door de straten reed. Will had nog nooit een echte auto zo hard zien rijden. De remmen piepten als hij door de bochten vloog, in een poging achtervolgers af te schudden. De auto van de dieven sloeg een straat in waar aan een lantaarnpaal een bord met 6TH AVENUE hing. Will kon het gemakkelijk lezen, want het waren grote letters en ze bleven een tijdje in beeld. Hij besefte dat die straatnaam ook in de titel van de film voorkwam. 6th Avenue. De auto schoot een parkeerterrein op en de drie dieven stapten uit, Russell Crowe met de leren tas waar de juwelen in zaten, de andere man met een schop. Er werd niet veel gepraat. Het ging nu om actie. Ze waren in een achtertuin, een rommelige plek met vuilnisbakken en een berg oud ijzer en een ingezakt schuurtje. Maar achterin stonden ook hoge bomen en aan weerskanten van het gebarsten en gescheurde beton waren stukken aarde waar schraal gras en onkruid groeiden. De bewolkte, wilde hemel was rood gevlekt van de lichten uit de stad. De man die niet Russell Crowe was, begon een kuil te graven. Toen haar vriendje riep dat ze moest komen helpen, vond het meisje nog een schop in het ingestorte schuurtje en ging aan het werk. Blijkbaar hadden ze grote haast, en Kim huiverde weer. Ze pakte Wills hand vast, en dat was onverwacht maar ook wel prettig en geruststellend. Hij gaf een kneepje in haar hand.

De drie dieven begroeven de leren tas in de kuil en schepten de aarde er weer in. Ze stampten de aarde aan en gooiden er een paar bakstenen en stukken hout overheen, zodat het leek of de grond in geen jaren was verstoord. Toen hoorden ze sirenes in de verte en herkende Will, met een schok van opwinding, de geluiden die hij elke dag in Paddington hoorde. Dit alles gebeurde hier in Londen! De dieven hoorden de sirenes ook, ze luisterden alle drie, keken elkaar aan, en binnen enkele seconden waren ze over de muur, in de volgende tuin, en weer over een muur, en op het parkeerterrein terug. Daarna werd het weer ingewikkeld en kon Will het niet goed volgen, maar vijf minuten voor het eind werd Russell Crowe doodgeschoten door een politieman, werd zijn vriend zo erg door een kogel getroffen dat hij nooit meer zou kunnen lopen, en stapte het meisje in een vliegtuig dat opsteeg zodra ze haar gordel had vastgemaakt. Will deed zijn ogen dicht toen ze aan het schieten waren en toen hij ze weer opendeed, zag hij Sandra Bullock op een strand met palmen en een prachtige blauwe zee. Ze had een nieuwe man bij zich die zei: 'Zal ik iets te drinken halen, schat?' En hij liep weg.

Het meisje wachtte tot hij buiten gehoorsafstand was en zei toen dromerig: 'Ik denk dat de schat er nog ligt. Maar niet voor mij. Ik kan nooit meer naar huis...'

De lichten gingen aan en Kim stond op. Will volgde haar voorbeeld. Hij wilde haar vragen of ze dacht dat de schat daar nog lag. Maar Sandra Bullock had gezegd van wel en ze was er blijkbaar zeker van geweest. Waarom kon ze niet naar huis? Hij dacht nog eens goed na. Omdat ze iets verkeerds had gedaan, zo verkeerd dat de politie de mannen had neergeschoten die het ook hadden gedaan, en als ze terugging, zouden ze ook op haar schieten. Was dat het? Het moest wel.
'Ik ben uitgehongerd,' zei Kim. 'Die popcorn vult niet erg, hè? Het is zo licht.'
De spanning had Wills eetlust weggenomen, maar als hij eten zag, kreeg hij misschien weer honger. Er waren cafetaria's in het bioscoopcomplex. Ze gingen in een daarvan aan een tafeltje met uitzicht op Finchley Road zitten en Kim bestelde een pizza en Will een omelet met gebakken aardappeltjes. Hij had 's middags al een pizza gehad en vertelde dat ook aan Kim. Het was voor hem niet zo vreemd om eten te bestellen. Als Keith en hij ergens in de buurt van een restaurant werkten, ging hij soms daar lunchen. Ze dronken nog meer cola en Kim praatte over de film, terwijl Will, die op de een of andere manier wist dat hij niet hoefde te luisteren en niet meer hoefde te zeggen dan ja en nee en dat is zo, erover nadacht.
De schat moest daar nog liggen. Sandra Bullock had dat gezegd en zij kon het weten. Russell Crowe kon niet teruggaan om hem op te graven, want hij was dood, en de andere man kon dat ook niet doen, want hij zou nooit meer kunnen lopen. De schat moest daar nog liggen. Maar waar? In 6h Avenue, waar dat ook was.
'Wil je nog wat?' vroeg Kim.
'Ik zou nog wel wat ijs willen.' Hij had 's middags ook ijs gehad, maar hij kon eigenlijk altijd wel ijs eten.
'Dan nemen we allebei ijs. Chocolade?'
'Ik hou het meest van chocolade,' zei Will blij.
'Ik ook. Het is mijn lievelingssmaak. Grappig, hè? Dat we allebei chocolade het lekkerst vinden.'
Will lachte hardop, want het was inderdaad grappig. Niet alleen vonden ze allebei chocoladeijs het lekkerst, maar ze hadden ook allebei een

53

hekel aan koffie en hielden van een lekker kopje thee. Dus dat hadden ze ook gemeen. Hij zag dat de viooltjes in haar knoopsgat nog mooi fris waren. Ze zag hem kijken.

'Ik zet ze in het water zodra ik thuis ben.'

Will betaalde voor het eten. Ze bood aan de helft te betalen, maar hij zei nee, hij zou betalen, zoals Becky dat altijd zei. Op weg naar buiten las ze de kop van een krant die iemand had.

HET ERGSTE GEVREESD VOOR VERMIST MEISJE. MOEDER RADELOOS. Ik ben blij dat ik jou bij me heb, Will. In mijn eentje zou ik doodsbang zijn.'

Ditmaal was hij het die haar hand vastpakte. 'Het komt wel goed,' zei hij, maar hij zei het automatisch. Inez had ook zoiets gezegd. Hij dacht aan de film en vroeg zich af waar 6th Avenue was.

Kim reed hem naar huis. 'Dank je dat je met me mee bent gekomen,' zei hij beleefd, zoals Becky hem had geleerd. Dank je dat ik bij je mocht zijn, dank je voor de thee, dank je voor je komst...

Ze gaf hem een kus op de wang, deed alle portieren van het busje op slot en reed weg. Will ging naar boven. Hoe kon hij erachter komen waar 6th Avenue was?

Achter Star Antiques lag een kleine tuin, eigenlijk niet meer dan een binnenplaats. De muren die eromheen stonden, waren zo dicht begroeid met klimop dat je geen bakstenen meer kon zien, terwijl in het midden van de tuin allemaal grote betonnen platen lagen, met spleten daartussen waaruit het onkruid omhoogschoot. Maar langs de muren lagen smalle stroken aarde, bezaaid met bakstenen en kiezels en scherven van serviesgoed. Daar vochten armetierige struiken voor hun leven en zag je nog de verschrompelde resten van guldenroede en herfstasters en wilgenroosjes. Freddy Perfect, die nooit veel naar de tuin keek als die planten in volle bloei stonden, keek nu aandachtig naar de twee mannen die tussen de struiken aan het zoeken waren, dode stengels optilden en in het oude kolenhok keken dat helemaal links achter in de tuin stond en ook al met klimop was overwoekerd.

'Ludo,' zei hij tegen de vrouw die nog in bed lag. 'Er zijn buiten een paar kerels aan het zoeken. Kom eens kijken. Ze beginnen net te spitten.'

'Geef maar een ooggetuigenverslag. Ik sta nog niet op.' Ze sprak vandaag met een zwaar Londens accent. Ludmila Gogol hield al lang niet meer de schijn op voor Freddy. 'Zijn ze van de politie?'

'Ze hebben geen uniform aan. Wacht even, daar komt er nog eentje en die heeft wel een uniform aan, met helm en al. Wat jammer, ze gaan niet spitten.'

'Waarom is dat jammer? Je wilt toch niet dat ze een lijk vinden?'

'Zouden ze dat zoeken? Ja, dat kan natuurlijk. Ik zou het niet erg vinden als ze een lijk vonden. Ik kan wel een beetje opwinding gebruiken. Maar wacht even, ze zijn klaar met wat ze aan het doen zijn. Eentje heeft allemaal modder op zijn broek. Ik ga naar beneden, kijken of ze de winkel in komen.'

Ludmila draaide zich om en ging vlug weer slapen. Ze kon altijd en overal slapen. Als een kat, zei Freddy, ze ging liggen, rolde zich op, deed haar ogen dicht en binnen dertig seconden sliep ze. Hij liep de trap af. Zoals hij had gehoopt, stonden de twee politiemannen die geen uniform droegen in de winkel, Crippen en een andere kerel, niet Osnabrook. 'Goedemorgen,' zei Freddy. 'Wat kan ik voor u doen?'

Inez negeerde hem. Crippen en die andere rechercheur, een man van wie Freddy vond dat hij op zijn vriend Anwar Ghosh leek, knikten in zijn richting. Freddy slenterde door de winkel en bleef staan op de plaats waar de afgelopen twee jaar de vaas met het Parthenon-fries had gestaan. Daar stond nu een vitrinetafeltje, met de sleutel van het glazen deksel in het sleutelgat. Freddy draaide de sleutel om, lichtte het deksel op en begon er voorwerpen uit te nemen om ze aandachtig te bekijken.

'Zoals ik al zei,' zei Crippen nogal knorrig, 'voordat ik bij het beantwoorden van uw vraag werd onderbroken, mevrouw Ferry, doorzoeken we vandaag alle tuinen van panden in deze omgeving. Het zoekterrein strekt zich uit van Paddington Station in het westen tot Baker Street in het oosten, maar vandaag concentreren we ons op Edgware Road en omgeving.'

'Wat zoekt u?' zei Freddy en hij wuifde met een Victoriaanse lorgnet in hun richting. 'Een lijk? Of die dingetjes die de rottweiler van de lijken heeft afgepakt?'

'Het is mijn werk om vragen te stellen,' zei Crippen, 'niet om ze te beantwoorden.'

'O, lieve help, sorry hoor. Neem me niet kwalijk dat ik besta.' Freddy was niet echt gekwetst, zoals te zien was aan zijn stralende glimlach.

'Wil je dat lorgnet neerleggen, Freddy? Natuurlijk zoeken ze naar het lichaam van dat arme meisje dat wordt vermist. Is er verder nog iets, inspecteur?'

'Ik geloof van niet. Behalve... ja, nou, als hier iemand komt die allerlei vragen stelt zoals deze meneer hier, als iemand blijk geeft van te veel nieuwsgierigheid, dan zouden we graag willen weten hoe hij heet. Ik bedoel, u praat met veel mensen. Daar zouden we iets aan kunnen hebben.' Toen Inez niets beloofde, zei hij tegen zijn collega: 'Kom, Zulueta, we hebben nog meer te doen.'

'Die hebben ook geen leuk baantje,' zei Freddy opgewekt. 'Er is zeker geen thee?'

'Sorry, maar ik heb de mijne al op en de kopjes zijn afgewassen.'

'Kopjes, hè? Ik denk dat je een geheime bewonderaar hebt, Inez. Hij komt hier in de kleine uurtjes van de nacht.'

'Het was meneer Quick,' zei Inez afwezig. 'En als er verder niets is...
Ludmila zal zich afvragen waar je blijft.'

Met eindeloze traagheid slenterde Freddy naar de deur waardoor hij was
binnengekomen. Onderweg bleef hij staan om een ivoren waaier te bekijken en een scheepje in een fles, een ingelijste primitief met de Hof
van Eden en een koperen klopper in de vorm van een leeuwenkop. Inez
droeg het boekenrek naar buiten en in de verte sloeg een klok negen
uur. Het was vandaag koud en grijs, en het motregende waardoor de betonnen oppervlakken nat werden. Het witte busje waarvan de eigenaar
zo trots was op de vuile staat waarin het verkeerde, stond weer voor de
deur. Meneer Khoury zag haar op het trottoir en kwam zijn juwelierszaak uit. Hij wees naar het busje.

'Weer terug,' zei hij. 'De politie zoekt ook in uw tuin, zie ik. Nu vraag ik
me af hoe de moordenaar dat lijk in mijn achtertuin zou hebben gekregen. Misschien over de muur, die twee meter hoog is? Maar eerst over
alle andere muren, die ook twee meter hoog zijn. Of heeft hij het door
de winkel gedragen? Zei hij: "Goedemiddag, neemt u me niet kwalijk,
ik loop even met dit lijk door uw winkel om het in de tuin te begraven?"
Heeft hij misschien gevraagd of hij een schop mocht lenen? Dat vraag ik
me af.'

'U had het ze moeten vragen. Is mijn oorhanger al klaar?'

'Ja, die ligt binnen. Twaalf pond vijftig en geen creditcards voor repara-
ties, alstublieft.'

'Ik kom straks wel even,' zei Inez en ze liep door de regen weer naar binnen.

Ze dacht aan Jeremy Quick. Een aardige man, de ideale huurder. Als hij
wegging, zou ze nooit iemand vinden die zo aardig was. Natuurlijk had
ze eigenlijk geen reden om bang te zijn dat hij wegging. Alleen had hij,
toen hij een halfuur eerder thee met haar dronk, over Belinda gesproken. Vooral over haar moeder had hij meer verteld dan hij ooit eerder
had gedaan. Mevrouw Gildon was blijkbaar terminaal ziek, al had de
ziekte bij iemand van haar leeftijd een trager verloop dan bij iemand
die jonger was. Evengoed hadden de dokters Belinda verteld dat haar
moeder niet meer dan een jaar te leven had. Ze hadden dat al eerder gezegd en toen had het sterke gestel en gezonde hart van mevrouw Gildon
hun ongelijk gegeven. Jeremy had zo verdrietig gekeken toen hij dat zei,
dat Inez troostend haar hand op zijn arm had gelegd. Het verraste haar
dat hij zich meteen terugtrok. Het leek wel of hij dacht dat ze avances

maakte. Ze voelde hoe het bloed naar haar gezicht steeg. Hij praatte door alsof er niets was gebeurd. Het huis in Ealing waar Belinda en haar moeder woonden, zou 'op een dag' van haar zijn. Als haar moeder 'iets overkwam', zei hij en hij suggereerde – of Inez meende dat hij iets suggereerde – dat hij en Belinda in dat geval zouden trouwen. Hij zei niets over zijn appartement in Star Street, maar Inez nam aan dat als een echtpaar over een huis met drie slaapkamers in Ealing (ooit de 'koningin van de woonwijken' genoemd) kon beschikken het niet de voorkeur zou geven aan een etage in Paddington.

'Ligt mevrouw Gildon in het ziekenhuis?' had Inez gevraagd. Ze was over haar gêne heen.

'Voorlopig wel, maar dat is tijdelijk.'

'Ja, dat zal wel. Evengoed betekent het dat Belinda voorlopig een beetje meer vrijheid heeft. Waarom komen jullie niet eens op een avond iets bij me drinken? Dinsdag of woensdag?'

'Dat zou ik leuk vinden. En zij ook. Zullen we zeggen, dinsdag?'

Dus nu zou ze eindelijk Belinda ontmoeten. Waarschijnlijk dronken ze wijn, maar ze was bijna door haar voorraad sterkedrank heen. Voor alle zekerheid zou ze, als ze haar oorhanger ophaalde, even naar de slijter op de hoek gaan om wat gin en whisky te kopen. Ze dacht weer aan zijn schrikreactie toen ze haar hand op zijn arm legde. Was ze zo weerzinwekkend? Het had geen zin dat ze zich daar druk om maakte. Waarschijnlijk was hij het incident al vergeten. Ze keek op de grootvadersklok. Vijf voor halftien en nog geen taal of teken van Zeinab. Voor het eerst zag Inez haar als een potentieel slachtoffer van de rottweiler: een jong meisje dat in de vallende schemering van de kille avond op de bus naar Hampstead wachtte, met een hele reis voor de boeg, de ene bus uit, de andere bus in. Zou ze een lift aannemen als die haar werd aangeboden? Zou ze bij een vreemde in de auto stappen? Als haar vader zo rijk was als ze zei, eigenaar van een huis in West Heath en drie auto's, zou ze toch wel een auto van hem kunnen lenen of zelfs krijgen?

Met tegenzin gaf Inez zichzelf toe dat ze niet echt geloofde dat Zeinabs vader fabelachtig rijk was en een huis en drie auto's bezat. Het leek haar waarschijnlijker dat het gezin in een bescheiden rijtjeshuis woonde. Er was in dat gezin maar één auto, en die draconische patriarch was waarschijnlijk niet arm maar zeker niet schatrijk. Evengoed moest hij wel een monster zijn om zijn dochter zulke strenge regels op te leggen maar aan de andere kant was hij niet zo zorgzaam dat hij haar bijvoorbeeld

kwam afhalen als ze zich in het donker door het jachtterrein van de rottweiler moest begeven. Halftien. Morton Phibling kon er elk moment
zijn, met zijn eigen variant op het Hooglied en met zijn eeuwige siga-
ren.

In plaats van Zeinabs bewonderaar kwam er een vrouw binnen. Ze had
een kind bij zich dat meteen blijk gaf van zijn onhandelbaarheid door
op de kwetsbaarste dingen af te stevenen die ze in de winkel had: een
blad met achttiende-eeuwse likeurglazen. In een ommezien had Inez
het blad opgepakt en boven op een boekenkast gezet, ver buiten zijn be-
reik. Het kind zette een keel op.

'O, hou je mond,' zei zijn moeder.

'Kan ik u van dienst zijn?' vroeg Inez.

'Ik zoek een verjaardagscadeau. Een sieraad of zoiets.'

'Daar hebben we niet zoveel van.' Inez trok een lade open. 'Dit is alles
wat we hebben. Het is voor het merendeel negentiende-eeuws, pinsbek
en tijgeroog en medaillons met haarlokken, dat soort dingen.'

Het kind stak beide handen in de la en gooide de inhoud op de vloer.
Zijn moeder gaf een schreeuw en liet zich op haar knieën zakken, en op
dat moment kwam Zeinab binnen. Inez keek nadrukkelijk op haar horloge en Zeinab zei: 'Je weet dat ik geen besef van tijd heb.'

De keuze van de klant viel op een ring van pinsbek en rozenkwarts. Ze
had het kind opgepakt en op haar heup gezet. De meeste halssnoeren en
armbanden lagen nog op de vloer. Toen ze weg was, knielde Zeinab
neer om ze op te rapen. Het zwarte haar viel naar voren en omhulde
haar gezicht.

'Over sieraden gesproken,' zei Inez. 'Ik heb je nooit een van de dingen
zien dragen die meneer Phibling voor je koopt. Die rozenbroche met
diamanten, bijvoorbeeld. Dat vindt hij vast niet leuk. Hij moet wel
denken dat je er niets om geeft.'

'Dan moet hij dat maar denken, hè? Als ik die diamanten droeg, als
mijn vader zelfs maar wist dat ik diamanten had, zou hij me vermoorden.'

'O,' zei Inez.

In het huis aan Abbey Road waren Keith en Will de eetkamer aan het
opknappen. Alle meubelen waren in de hal gezet. Ze hadden een nieuwe vloer van mahoniehouten planken gelegd, vitrinekasten in de twee
nissen ingebouwd en waren nu bezig de muren voor te bereiden voor

het aanbrengen van een dun laagje vinyl. Omdat de eigenaars van het huis naar hun werk waren en de werkster had gezegd dat ze wel van een beetje achtergrondmuziek hield, stond de radio aan. Hij stond zo hard dat ze hem in de keuken kon horen.

Keith zou graag willen weten hoe het zijn zus en Will op zaterdagavond was vergaan. Hij had Kim daarna niet meer gezien en trouwens, hij zou het haar ook niet rechtstreeks durven vragen. Will zou misschien wel iets vertellen, dacht hij, maar Will zei niets. Hij was wat meer in zichzelf gekeerd dan anders, alsof hij in een droom leefde. Ondanks het vroege uur waarop Kim was thuisgekomen, informatie die hem telefonisch door zijn moeder was verstrekt, waren de dingen misschien toch verder gegaan dan hij had verwacht. Misschien dacht Will nu nagenietend aan hun gezamenlijke avond. Kim had het busje gistermorgen teruggebracht en voor zijn huis laten staan, maar ze had de sleutels in de brievenbus gegooid en was niet binnengekomen. Als het tussen haar en Will had geklikt en er was achter in dat busje meer gebeurd dan een omhelzing en een afscheidskus, kwam ze vandaag misschien in de lunchpauze even langs. Als hij die twee eenmaal bij elkaar had gezien, zou hij het weten. Hij zou diep teleurgesteld zijn geweest als hij de gedachten van zijn personeelslid had kunnen lezen, want Will dacht niet aan Kim; hij was haar al bijna vergeten. Maar de zaterdagavond was hij niet vergeten. Die avond was het belangrijkste wat hem in jaren was overkomen, misschien wel het belangrijkste van zijn hele leven. Met een intens geluksgevoel dacht hij terug aan de scène in de film waarin Russell Crowe, Sandra Bullock en die andere man de schat aan het begraven waren. De dingen die ze tegen elkaar zeiden, zaten nog precies in zijn hoofd, alsof een bandrecorder in zijn hersenen alles had opgenomen.

'Horen jullie die sirene?'

'Hier in de stad zijn altijd sirenes. Dag en nacht. Een sirene zegt niks.'

'Luister nou. Het komt dichterbij.'

'God nog aan toe!'

'We moeten hier weg. Nu meteen. Over de muur, hier weg...'

En de man die dat laatste had gezegd, werd in zijn rug geschoten en zou nooit meer kunnen lopen – Will had zich gedwongen zijn ogen open te houden – terwijl Russell Crowe om het leven kwam toen hij met een pistool in elke hand op de politieman af ging. Alleen het meisje bleef ongedeerd en kon, toen ze eenmaal veilig in Zuid-Amerika was, zeggen dat de schat nooit gevonden was en daar dus nog moest liggen...

Hij kon het zich herinneren, maar hij zou nog een keer naar die film moeten gaan om er zeker van te zijn. Zou Becky mee willen? Hij was altijd graag bij Becky, liever dan bij wie ook ter wereld, maar toch moest hij zichzelf toegeven dat hij beter alleen kon gaan. Misschien die avond, of de volgende dag. Hoewel hij zich het meeste goed kon herinneren, wist hij niet precies meer hoe het huis eruitzag waarachter ze aan het graven waren. En het huisnummer in 6th Avenue had hij ook niet gehoord of onthouden. Hij wist niet eens waar 6th Avenue was, maar daar kwam hij nog wel achter. Als hij de schat eenmaal had, zouden al zijn problemen, en ook die van Becky, voorbij zijn, want dan zou hij de juwelen verkopen en veel geld krijgen en een huis kopen dat groot genoeg was voor hen beiden. Want dat was de enige reden waarom hij niet bij haar kon wonen: ze had geen ruimte voor hem, ze had maar één slaapkamer. Hij zou een groot huis kopen, met veel slaapkamers en veel ruimte voor hen beiden.

Kim kwam niet in de lunchpauze. Keith was teleurgesteld. Hij wist dat ze die avond vrij was. Het was de avond waarop haar vriendin kwam en ze elkaars nagels lakten en een maskertje op hun gezicht smeerden, maar die vriendin kon deze keer niet komen, dus ze zou vrij zijn en misschien hadden ze afgesproken om weer met elkaar uit te gaan. Kon hij dat maar aan Will vragen, maar dat kon hij niet. Het geluid van de radio en zijn gestage ritme, trollen die in de onderwereld met mokers sloegen, zou voor de eigenaars van het huis aan Abbey Road oorverdovend zijn geweest, maar niet voor Will, die het amper hoorde. Het verstoorde zijn gedachten nauwelijks. En hij liet zich ook niet afleiden door de sandwiches met boterhamworst die hij 's morgens zelf had klaargemaakt, en evenmin door de verfroller toen hij aan de muur met het raam begon.

Hoe kocht je een huis? Mensen deden dat vaak, dat wist hij, hij zag verhuiswagens in deze straat en in zijn eigen straat staan, en dan werden er meubelen in geladen. Dan gingen mensen verhuizen. Maar hoe je een huis kocht zodat je er kon gaan wonen, zodat je een sleutel kreeg waarmee je de voordeur kon openmaken, zodat je je eigen spullen erin kon zetten, dat alles was een raadsel voor hem. Als hij zich probeerde af te vragen hoe je dat deed, duizelde zijn hoofd.

'Hoe koop je een huis?' Het was in meer dan een uur het eerste wat hij tegen Keith zei.

'Wat?' schreeuwde Keith boven de herrie van de radio uit.

'Hoe koop je een huis?'

'Hè?'

Will vond het altijd erg moeilijk om iets uit te leggen. Hij wist niets meer te bedenken dan: 'Hoe doe je dat?' En: 'Je moet het toch vinden?'

'Je leest de advertenties of je gaat naar een makelaar. Bedoel je dat?'

Will knikte, al was hij niet veel wijzer geworden. Hij moest maar wachten tot hij de schat had, dan kon Becky misschien het huis kopen. Hij zou het haar nog niet vertellen; hij zou het haar pas vertellen als hij de schat had. Als hij haar de schat liet zien, zou dat een verrassing zijn, de grootste verrassing uit haar leven.

Inez keek naar *Forsyth en het krooncomplot* toen de bel ging. Ze zette meteen de video en de televisie uit. Het moest een van de huurders zijn, want niemand anders kon binnenkomen, maar toch tuurde ze door het kijkgaatje in de deur. Zodra ze zag dat het Jeremy Quick was, deed ze open.

'Sorry dat ik je kom storen, Inez.'

'Helemaal niet,' zei Inez, die aangenaam verrast was en hem liet binnenkomen.

'Nou, eventjes dan.'

Waarschijnlijk was dit de eerste keer dat hij in haar appartement kwam. Ze zag hem met discrete waardering in de kamer om zich heen kijken. Onwillekeurig vergeleek ze zijn reactie met wat vermoedelijk die van Freddy zou zijn geweest, 'Mooie spullen heb je', en hij zou luidruchtig door de kamer hebben gelopen en alles in zijn handen hebben genomen, en hij zou zijn gaan zitten wanneer hij wilde, zonder te wachten tot ze het hem vroeg, zoals Jeremy deed. Jeremy was altijd zo goed gekleed, met schoenen die glansden als zwart basalt. Ging hij naar een manicure? Daar zag het wel naar uit, en blijkbaar had de manicure wit potlood onder de nagels gebruikt. Inez merkte dat ze dat eigenlijk niet zo'n goed idee vond.

'Kan ik iets voor je inschenken? Een glas wijn? Frisdrank?'

'O, nee, dank je. Ik wil je echt niet tot last zijn. Daar kwam ik juist voor. Ik kom je vertellen dat ik het heel erg vind maar dat we morgen niet kunnen komen. Iets bij je drinken, bedoel ik. Mevrouw Gildon is plotseling achteruitgegaan en Belinda moest in allerijl naar het ziekenhuis.'

'Wat jammer,' zei Inez. 'Is het ernstig? Ja, dat moet wel, op haar leeftijd.'

'Nou, ze is 88 en deze keer is het helaas haar hart. Bij die oude mensen is kanker een erg langzaam proces, maar als het hart het laat afweten... nou, dan hoef ik je de prognose niet te geven.'

'Nee. Ik neem aan dat Belinda in het ziekenhuis moet blijven, als haar moeder zo ziek is?'

'Ze hebben een bed voor haar neergezet in een zijkamertje. Ik kom daar nu net vandaan. Daar ging natuurlijk een heleboel tijd in zitten. Bussen rijden nooit volgens de dienstregeling.'

'Je hebt geen auto?'

Hij leek zo welgesteld. Ze had gedacht dat hij, net als zij, ergens in de straat een auto had staan.

'O, nee. Hoe vreemd het ook klinkt: ik kan niet rijden.' Hij lachte een beetje beschaamd. 'Nou, wat mevrouw Gildon betreft, Belinda zegt dat ze haar niet onnodig lang wil laten lijden en daar ben ik het helemaal mee eens. Ze heeft een goed leven gehad, en als daar een eind aan komt, zal Belinda natuurlijk erg bedroefd zijn, maar uiteindelijk zal ze misschien inzien dat het beter is.'

Inez knikte. Ze wilde zich niet met andermans zaken bemoeien, maar blijkbaar stelde hij het op prijs dat ze belangstelling toonde. 'Ik neem aan dat Belinda jong genoeg is om nu een eigen leven te willen leiden?'

'Ik wil jou wel vertellen,' zei Jeremy op vertrouwelijke toon, 'dat ze graag een kind of zelfs meer kinderen zou willen. Per slot van rekening is ze nog maar 36.'

'Nou, zoals je al zei, kan het leven van mevrouw Gildon niet veel langer meer duren.'

'Weet je, ik wil eigenlijk toch wel iets drinken.'

Inez pakte een fles wijn uit de koelkast en schonk voor hen in.

'Je bent erg aardig,' zei Jeremy. 'Mag ik je iets vragen? Waarom heet je Inez? Je bent toch geen Spaanse?'

Inez glimlachte. 'Mijn vader was in de Spaanse Burgeroorlog. Ik zeg niet "vocht", maar hij was er. Hij was toen niet getrouwd, maar mijn moeder zei dat hij haar had verteld dat hij een baan "bij het grondpersoneel" had. Ik weet dat het vreemd klinkt. Er was een meisje dat hij aardig vond; misschien ging het nog wel wat verder. Ze heette Inez en ze kwam om.'

'Vond je moeder het niet erg dat jij haar naam kreeg?'

'Ik geloof van niet. Ze vond het ook een mooie naam.' Inez lachte. 'Het is bijna tien uur. Vind je het erg als ik het nieuws aanzet?'

'Natuurlijk niet.'

'Ik hoorde dat ze dat meisje hebben gevonden. Jacky Miller, bedoel ik.'

Dat hadden ze niet. Het lichaam dat ze hadden gevonden, verborgen onder een berg puin op een bouwterrein in Nottingham, was van een meisje dat ouder was dan Jacky en dat ongeveer twee jaar geleden was gestorven. Tot nu toe was ze nog niet geïdentificeerd. Zoals de leider van de recherche op een persconferentie zei: er stonden zoveel jonge meisjes op de lijst van vermisten dat ze er in dit stadium zelfs niet over konden speculeren wie het was. De politie kon ook niet zeggen hoe het meisje aan haar eind was gekomen. Intussen bleven ze naar Jacky Miller zoeken.

'Ik ben nooit in Nottingham geweest,' zei Jeremy.

'Een van de films van wijlen mijn man werd daar opgenomen, en ik ben een paar weken met hem mee geweest. Dat moet in... O, het zal begin jaren negentig zijn geweest.'

'Hebben ze geen ouders, die meisjes, die zich afvragen waar ze zijn?'

'Vast wel,' zei Inez. 'We weten dat alle drie de vermoorde meisjes en Jacky Miller ouders hebben die bijna gek zijn geworden van de zorgen. Maar als een meisje verdwijnt en niet gevonden wordt, wat kunnen ze dan doen? Privé-detectives inschakelen? Dat is voor de meeste mensen veel te duur.'

'Ja. Nou, ik moet gaan. Bedankt voor de wijn en voor je begrip.'

Inez ging verder met de videofilm. Maar *Forsyth en het krooncomplot* was niet een van haar favoriete afleveringen, misschien omdat – en ze durfde het zichzelf bijna niet te bekennen – er meer seks tussen Martin en de vrouwelijke gastactrice in voorkwam dan in de andere afleveringen. Er kwam zelfs een scène in een slaapkamer in voor, en toen die begon, zette ze de film uit. Ze dacht erover de aflevering uit Nottingham te bekijken, *Forsyth en het wonder*, maar in plaats van de band te verwisselen bleef ze zwijgend zitten. Ze dronk haar wijn en dacht eerst aan het meisje dat nog werd vermist en het lichaam dat onder zulke afschuwelijke omstandigheden was gevonden. Hoe zouden ouders zich voelen, vooral wanneer ze dichtbij woonden, als ze hoorden dat hun dierbare dochter – en natuurlijk was ze dierbaar – jarenlang, schimmelend in de natte aarde, onder een berg puin had gelegen waaraan de bouwers ongetwijfeld steeds weer nieuwe ladingen stenen en brokstukken hadden toegevoegd? Voor haar geestesoog zag ze de televisiebeelden weer, de piramide van puin die eindelijk werd opgeruimd. Toen bakstenen als een lawine naar beneden rolden, was er opeens een uitgestoken hand te zien geweest.

Inez had nooit kinderen gehad. Ze had ze wel graag willen hebben, maar haar echtgenoten niet en dat maakte de teleurstelling wat minder groot. Martin, de enige om wie ze echt had gegeven, had al kinderen uit zijn eerste huwelijk gehad. Hij wilde er niet meer hebben, maar hij zou blij voor haar zijn geweest als... Plotseling ging ze rechtop zitten, met het wijnglas in haar hand. Ze had opeens gedacht aan iets wat Jeremy had gezegd. Hoe kon Belinda nog maar 36 zijn als haar moeder 88 was? Misschien kon een vrouw op haar 52e nog een kind krijgen, in bepaalde zeldzame gevallen die in het Guinness Book of Records thuishoorden. Maar het was de vraag of in zulke gevallen niet de hand werd gelicht met de waarheid. Tegenwoordig was het mogelijk met in-vitrofertilisatie. Maar in 1966, het jaar waarin Belinda ter wereld moest zijn gekomen? Het kon niet anders of ze was geadopteerd. Natuurlijk. Elke andere verklaring zou Jeremy Quick in een kwaad daglicht stellen...

– 6 –

Tegen het weekend dacht Becky weer aan Will. Ze vroeg zich af of ze hem voor de zaterdag of de zondag zou uitnodigen. Ze had hem niet meer gesproken sinds ze hem de vorige vrijdagavond bij Inez had achtergelaten, en nu stak haar gebruikelijke schuldgevoel de kop op. Maar er was Becky de afgelopen zondag iets ongewoons overkomen. Ze had een man ontmoet.

Dat was gebeurd in het huis van een collega die haar te eten had gevraagd, een uitnodiging die volkomen onverwachts was gekomen. Ze was erdoor verrast en omdat ze net had gezegd dat ze die dag niets bijzonders te doen had, moest ze wel ja zeggen. De man was een neef van haar gastvrouw. Hij was ongeveer even oud als Becky, en hij was aantrekkelijk en sympathiek en pas gescheiden. Omdat het donker was toen ze wegging en ze haar auto een paar honderd meter verderop had moeten parkeren, was James met haar mee gelopen. Nadat hij haar had laten instappen, vroeg hij of ze de volgende vrijdag of zaterdag met hem wilde dineren. Becky zei zonder veel aarzeling ja, maar dat gold dan wel voor de vrijdag, want ze vroeg zich al af op welke weekenddag ze Will zou moeten uitnodigen.

James had haar gebeld en was erg charmant geweest. Hij wilde alleen maar haar stem horen, zei hij, en vijf minuten met haar praten, als ze tijd had. Die vijf minuten werden er twintig, en toen Becky neerlegde, begon ze het gevoel te krijgen dat als de vrijdagavond zo goed verliep als ze mocht verwachten, hij misschien zou willen dat ze ook de zaterdag met elkaar doorbrachten en dat zij dat zelf ook zou willen. Ze had zich in geen jaren zo tot iemand aangetrokken gevoeld en ze dacht dat het wederzijds was. Moest ze nu afwachten of Will voor de zondag uitnodigen?

En als híj de zondag ook met haar wilde doorbrengen? Als ze dan zei, ja, maar mijn neef komt ook, en hij zei, dat geeft niet, ik wil je neef best ontmoeten, wat dan? Er kwamen afschuwelijke gevoelens bij Becky op, gevoelens waarvoor ze zich diep schaamde. Ze wilde niet dat James Will ontmoette, want Will was een naast familielid maar ook bouwvakker en... nou ja, niet helemaal... O, gód, hoe kon ze het onder woorden brengen zonder de indruk te wekken dat ze op haar neef neerkeek?

Aan de andere kant ging er nooit een weekend voorbij zonder dat ze hem uitnodigde. Plotseling dacht ze aan dat meisje dat Kim heette. Misschien waren zij en Will elke avond bij elkaar geweest en zou Will geen hele dag voor haar, Becky, willen uittrekken. Niemand, niet de God waar ze niet in geloofde, geen menselijke rechter, kon van haar verlangen dat ze haar weinige vrije tijd aan het kind van haar overleden zus wijdde, een volwassen man met een baan en vrienden en een eigen leven. Niemand. Natuurlijk kon je het niet helemaal zo stellen, zei ze tegen zichzelf. Zo leek het aan de oppervlakte, maar omdat het geen algemene situatie was maar om individuele personen ging, waren de gewone regels niet van toepassing. Als haar geweten, die innerlijke stem, dat ouderwetse idee, steeds weer tegen haar zei dat ze hem moest uitnodigen, zou ze daaraan gehoorzamen. Als James haar echt aardig vond, zou hij terugkomen en zich niet door een met redenen omklede weigering uit het veld laten slaan. Dat, wist ze, was het advies dat ze zou krijgen van de Lieve Lita die ze nooit schreef, al had ze er wel vaak over gedacht om dat te doen.

Waarom raadden die Lieve Lita's je nooit aan om te doen wat je het liefste deed en probeerden ze je altijd over te halen om voor het alternatief te kiezen?

Terwijl de meeste mensen die geen kinderen of andere huiselijke verplichtingen hadden en die naar een film wilden, alleen maar even de tijden en de naam van de bioscoop hoefden op te zoeken, moest Will zorgvuldige voorbereidingen treffen. Hoe kwam hij er bijvoorbeeld achter wanneer hij kon gaan? En moest hij voor of na de film, of onder de film, iets eten, en wat dan? En welk vervoermiddel zou hij gebruiken? Net als een kind hoefde hij bijna nooit beslissingen te nemen of verantwoordelijkheid te dragen. Anderen, Becky, het kindertehuis, zijn vriend Monty de maatschappelijk werker, Inez en Keith deden die dingen voor hem. Zelfs Kim was de vorige keer met een busje gekomen om hem naar de bioscoop te brengen. Nu was hij op zichzelf aangewezen. Een psychiater zou waarschijnlijk hebben gezegd dat het goed voor hem was.

De schat van 6th Avenue draaide nog in de Warner Village. Hij zou niet op het idee gekomen zijn dat de film daar niet meer draaide en hij reed erlangs met de bus die door Finchley Road reed, niet om te kijken of de film daar draaide maar om het reizen met de bus te oefenen: instappen, een kaartje kopen en zorgen dat hij de goede kant op ging. In de filmrubriek van een krant had Inez de aanvangstijden voor hem gevonden. Hij kon goed met cijfers omgaan en vond het gemakkelijker om 2.50, 6.20 (op die tijd was hij met Kim gegaan) en 8.35 in zijn gedachten te houden dan het zou zijn geweest om die informatie te lezen. Het was nog moeilijker om te beslissen wanneer hij zou gaan. Als hij voor de eerste voorstelling koos, zou hij op zaterdag of zondag moeten gaan, en Becky zou hem vast wel voor een van die dagen uitnodigen. Hij moest er niet aan denken dat hij Becky een tweede keer zou weigeren, want dat kon ertoe leiden dat ze niet meer van hem hield, en haar liefde was het belangrijkste in zijn wereld.

8.35 was erg laat. In Wills gedragscode was nog steeds een regel uit het kindertehuis van kracht, een regel die Monty hem had bijgebracht: alle bewoners moesten om halfelf in bed liggen. Die avond met Kim was hij tot tien over halfelf opgebleven omdat hij zich zo amuseerde, maar hij voelde er niets voor om het nog een keer zo laat te maken. Dan was er de kwestie van zijn avondeten. Hij at altijd om zeven uur, maar als hij op dezelfde tijd ging als met Kim zou hij om zeven uur in de bioscoop zitten. Om halfzes zou hij nog niet genoeg honger hebben en om negen uur, de tijd waarop hij waarschijnlijk thuis zou zijn als de twee bussen die hij moest nemen snel kwamen, zou het te laat zijn. Kwart over acht, de tijd waarop hij met Kim had gegeten, zou niet te laat zijn, maar hij ging niet graag in zijn eentje naar een van die cafetaria's.

Het duizelde hem van al die moeilijkheden en hij zou erg graag willen dat iemand die last van zijn schouders nam. Becky zou die iemand kunnen zijn, maar om het haar te vragen zou hij haar moeten bellen; de telefoon opnemen kon hij wel, maar hij had nog nooit zelf iemand gebeld. Natuurlijk zou ze hem bellen. Dat moest ze wel, anders kon ze hem niet voor zaterdag of zondag uitnodigen, en dan zou hij het haar vragen. Hij zou haar gewoon vragen naar welke voorstelling hij moest gaan en wanneer hij moest eten. Misschien zou ze zeggen: 'Kom deze week dan op zondag bij me, Will, dan kun je zaterdagmiddag naar de voorstelling van 2.50 uur gaan.' Of misschien zei ze zelfs: 'Kom hier op zaterdag, dan kun je zondagmiddag naar de film.'

Misschien zou ze zelfs met hem mee willen gaan op de middag dat hij niet naar haar toe ging. Dat zou erg mooi zijn, zoals het altijd mooi was om bij Becky te zijn, maar er was wel één probleem. Als zij ook van de schat wist, zou ze hem misschien willen helpen ernaar te zoeken en dan zou het geen verrassing meer zijn als hij haar over het geld en het huis vertelde. Die verrassing en Becky's blije gezicht dat hij dan zou zien waren voor Will bijna even belangrijk als de schat zelf.

Er kwamen op donderdagmorgen, en ook 's middags, zoveel klanten in de winkel dat Zeinab pas na vier uur de kans kreeg om Inez het nieuws te vertellen.

'Ik dacht dat die vrouw nooit een besluit zou nemen over die zilveren theelepeltjes, jij wel? Het leek wel of ze van platina waren. Over platina gesproken, wat vind je van mijn verlovingsring? Die kreeg ik onder de lunch van Morton. Hij past precies. Hij zegt dat hij de maten van mijn lieve kleine vingertjes – zijn woorden, niet de mijne – net zo goed weet als die van zijn eigen vingers. Die van jou lijken net een tros bananen, zei ik.'

Inez bewonderde de ring waarin een diamant ter grootte van Zeinabs duimnagel was gezet. 'Maar ben je niet al verloofd met Rowley Woodhouse?'

'Min of meer. Maar ze kennen elkaar niet, weten niet dat de ander bestaat, dus er kan niets gebeuren.'

Inez kon haar lachen bijna niet inhouden. 'Ga je met allebei trouwen?'

'Eerlijk gezegd, Inez, tussen ons gezegd en gezwegen: ik ben helemaal niet van plan om met iemand te trouwen. Weet je wat Rowley tegen me zei? Hij weet het altijd zo mooi te zeggen. "Liefste," zei hij, "de verloving is het moderne huwelijk."'

'Ja, en het is niet bij de wet verboden om twee verloofden te hebben. Maar wat zal je vader zeggen als je eerst met de ene verloofde thuiskomt en dan met de andere?'

'Ik neem ze nooit mee naar huis.' Zeinab klonk geschokt. 'Mijn vader denkt dat ik met de zoon van zijn neef in Pakistan ga trouwen. Ik heb je nog niet verteld over die man die Morton gisteravond aan me voorstelde, hè? Hij heet Orville Pereira en hij is niet leuk om naar te kijken, een kop als een vuilnisbak en god mag weten hoe oud, maar Morton zei dat hij dertigduizend pond per week verdient. Per wéék.'

Inez schudde haar hoofd. Ze wist vaak niet wat ze van Zeinab moest denken. 'Daar heb je Will. Hij stapt uit Keith Beatty's busje. Hij is de laatste tijd erg in gedachten, alsof hij er niet helemaal bij is.'

Maar Zeinab interesseerde zich niet voor Will Cobbett. 'Ik wacht tot die Keith is weggereden en dan ga ik even naar de hoek om een krant te kopen.'

'Benieuwd of ze Jacky Miller al hebben gevonden. Ze zeiden er niets over op het nieuws van één uur.'

Toen ze weg was, ruimde Inez de winkel een beetje op. Alle dozen en kistjes met bestek lagen open op tafels, op het spinet en op allerlei plantenbakken. Ze deed net het deksel op de laatste doos toen Freddy Perfect en Ludmila Gogol door de winkeldeur binnenkwamen. Inez had daar een hekel aan. Haar nekharen gingen ervan overeind staan, zoals ze het zelf zei. Beneden aan de trap was er een deur voor de huurders, waarom konden ze die niet gebruiken, als ze naar buiten gingen? Ludmila was gekleed in een erg oude, tot de vloer reikende jurk van roze gedessineerd fluweel die niet uit Star Antiques maar uit een winkel in Portobello Road kwam, zoals de draagster haar vertelde. Met het accent van de steppen, of iets wat daarbij in de buurt kwam, zei Ludmila dat de jurk minstens honderd pond waard was, al had ze er maar veertien pond negenennegentig voor betaald. Ze haalde een sigaret uit haar handtas, die ze een reticule noemde, schoof hem in een zwart met zilver pijpje, stak hem aan en blies een volmaakte rookkring. Freddy was zoals gewoonlijk bezig kleine voorwerpen op te pakken en te bekijken.

'Neem me niet kwalijk, Ludmila,' zei Inez, die zich niet langer kon inhouden en moest kiezen uit twee klachten. 'Ik wil niet dat hier wordt gerookt. Dat is een regel.'

'O, maar ik ben een bewoner. Freddy, ja, dat is wat anders, hij is geen bewoner, alleen maar mijn minnaar, hij woont hier niet.'

'O, nee? Daar lijkt het anders wel op. En nog iets. Heb ik dat sigarettenpijpje niet ergens anders gezien? In deze winkel bijvoorbeeld?'

Zeinab kwam terug, maar Inez liet zich daar niet door tegenhouden. 'Ik weet zeker dat ik het niet aan jou heb verkocht, en Zeinab ook niet.'

'Beslist niet.'

Met een nonchalant schouderophalen en een vaag glimlachje nam Ludmila de nog brandende sigaret uit het pijpje en stak hem in haar mond. Als bij toverslag hechtte de sigaret zich aan haar onderlip en ging op en neer terwijl ze praatte. 'O, ik vind dit zo erg. Freddy is de schuldige. Freddy is een stoute jongen. Hij is zo verliefd op me, weet je, dat hij steeds weer cadeaus voor me wil kopen, maar hij heeft geen geld. Wat zou jij doen? Hij heeft dit uit je winkel geleend. Voor een dag of twee, zo is het toch, Freddy?'

'Ik heb er geen woord van verstaan,' zei Freddy, die aandachtig aan een ketting trok waarmee je een koperen tafellamp zacht, normaal en fel kon laten branden. 'Vertel het nog eens.'

Dat deed ze, woord voor woord, met een zuur glimlachje. Ze hield Inez het sigarettenpijpje voor. Met een minachtend geluid griste Zeinab het uit haar hand, maakte het schoon met een papieren zakdoekje en legde het op het spinet, naast een ei dat een Fabergé-kopie was en een paar minuscule balletschoentjes. 'Ze hebben dat meisje in Nottingham geïdentificeerd,' zei ze tegen Inez. 'Die krantenkop is een schande, vind je niet? Het kan ze niet schelen wat ze in de krant zetten.'

'Puinmeisje werkte in seksbranche,' las Inez. 'Dat is wel wat hard voor de mensen uit haar omgeving. Ze heette Gaynor Ray en de plaats waar ze is gevonden is maar een steenworp verwijderd van het adres waar ze met haar vriend woonde.'

'Dat hangt ervan af hoe ver je een steen kunt gooien. Een paar jaar geleden was Rowley de kampioen van Londen. Hij kon hem achthonderd meter gooien.'

'Er staat hier ook veel over wat haar moeder heeft gezegd. Ze schijnt geen vader te hebben gehad. En... o, ze brengen haar in verband met de rottweiler-moorden.'

'Absoluut.' Zeinab had het hele verhaal blijkbaar al op de terugweg van de kiosk gelezen. 'Ze is met een koord gewurgd en dat is geen gewone moord, hè? Haar tasje lag naast haar onder al die troep, en er lag ook een draagtas die ze bij zich had, met boodschappen erin. Jakkes, ik moet er bijna van overgeven.'

'Ik vraag me af wat hij heeft meegenomen. Ik bedoel, wat was het kleine voorwerp?'

'Als hij dat toen al deed. Ik denk trouwens van wel. Ik denk dat hij in Nottingham woonde en waarschijnlijk veel meisjes vermoordde, alleen hebben ze die nog niet gevonden. Die vinden ze nog wel. Er was een man in Rusland die meer dan vijftig mensen had vermoord. Dat heb ik in een boek gelezen.'

'In Rusland gebeuren veel verschrikkelijke dingen,' zei Ludmila en ze nam een snoepje uit de rol die Freddy haar voorhield, vermoedelijk in plaats van de sigaret die Inez had uitgedrukt toen hij even op een

71

Wedgwood-asbak was blijven liggen. 'Alle dingen die in Rusland gebeuren, zijn groter en erger dan in andere landen. Ik kan het weten. Ik ben geboren in Omsk.'

De vorige keer dat het gesprek over Rusland ging, had ze Charkov als haar geboorteplaats genoemd. Inez verwachtte van Ludmila trouwens alleen nog maar leugens. Ze dacht even aan Jeremy Quick, maar toen sprak ze een van de formules uit die ze 's morgens bij Freddy gebruikte. 'En als jullie me nu willen verontschuldigen, we moeten aan het werk.'

De twee deden er minstens vijf minuten over. In die tijd bewogen ze zich min of meer in de richting van de binnendeur. Geërgerd keek Inez hen na. 'Wat zou ze nog meer in haar zak hebben gestoken?' zei ze. 'Freddy heeft het vast niet gedaan.'

'Je mag alles wel aan de ketting leggen, als zij in de winkel is. Dat arme meisje was al minstens een jaar dood, staat hier. Op die foto ziet ze er goed uit, erg aantrekkelijk, heel anders dan toen ze haar vonden, wed ik.'

'Hou op,' zei Inez.

Mevrouw Sharif zou nooit zijn gaan babysitten, als er geen televisie was geweest die groter was dan die van haarzelf, met veel meer mogelijkheden, en verder waren er een stapel video's, de Chicken Tikka van Marks & Spencer in de koelkast en de Godiva-bonbons op de tafel. Al die verrukkingen maakten de wandeling van tweehonderd meter van haar huis naar het Dame Shirley Porter House tot een waar genoegen; in elk geval een aanvaardbaar middel om een epicuristisch doel te bereiken. Ze ging er 's middags ook vaak heen en als ze dan een praatje met Algy maakte, dronken ze een van die romige cappuccino's met chocoladeschilfers die hij maakte.

Reem Sharif was nooit getrouwd geweest. Toch noemde ze zich 'mevrouw', zoals ongehuwde kokkinnen in de huizen van de adel dat vroeger ook deden. Zoals ze zelf zei, was Zeinabs vader 'pleite gegaan' zodra ze hem over haar zwangerschap had verteld. Hij was een erg aantrekkelijke blanke man geweest die Ron Bocking heette, al noemde ze hem altijd 'de rat' of 'het schuim der aarde'. Reem was ook aantrekkelijk geweest en zou dat nu, nog maar 45 jaar, nog steeds zijn, als ze niet omhuld was door een dikke laag vet. De oorzaak daarvan was voor een groot deel te vinden in een besluit dat ze nam zodra Zeinab naar school ging: voorzover ze kon, zou ze nooit meer iets doen wat ze niet leuk vond en zo veel mogelijk dingen die ze wel leuk vond.

En dus had ze haar werk in de beha- en ondergoedfabriek in Brentford opgegeven en zich erop toegelegd rugklachten te krijgen. Artsen kunnen weinig aan rugpijn doen. Diagnose en behandeling zijn moeilijk. Ze kunnen niet bewijzen dat je het hebt, maar ze nemen het aan als je kreunt en krom loopt. Reem was een goede actrice en kreunde als de beste, en soms was ze extra goed op dreef en hield ze haar adem in alsof er net een steek door haar heen ging. De WAO-uitkering was veel hoger dan de bijstandsuitkering, en Reem, die niets anders te doen had dan zich te concentreren op de informatie die haar werd verstrekt, sleepte alle mogelijke voordelen in de wacht. De uitkeringsinstantie betaalde de huur van haar flat en was ook bereid haar een auto ter beschikking te stellen. Nu Zeinab en Algy naar de bioscoop waren en ze met Carmel en Bryn alleen was, dacht ze over dat aanbod na. Misschien was het niet zo'n slecht idee om een auto te nemen. Ze kon niet rijden, maar dat kon ze leren...

'Mogen we een video zien, oma?' zei Carmel. 'We willen graag naar *Basic Instinct* kijken.'

Hun vader had die film verboden, evenals *Reservoir Dogs* en *The Shawshank Redemption*, maar daar trok Reem zich niets van aan. Ze liet de kinderen altijd doen wat ze wilden, zolang ze haar maar niet lastigvielen. De kinderen waren gek op haar.

'Bryn chocola hebben.' Het jongetje gebruikte babytaal als hij iets wilde hebben. 'Witte chocola, geen bruine,' schreeuwde hij toen ze met de verkeerde soort kwam aanzetten.

'Pak zelf maar, en dan stil zijn,' zei Reem en ze duwde de doos naar hem toe. Het was tijd voor curry. Het was al jaren geleden dat ze voor het laatst eten klaarmaakte. Ze leefde van Indiase afhaalgerechten uit The Banyan Tree, ontbeet met de tikka of korma die van de vorige avond was overgebleven, met een Mars toe, een maaltijd die ze tot zich nam als ze rond het middaguur opstond. Aan een strenge opvoeding door moslimouders in Walworth had ze één moreel principe overgehouden: een afkeer van alcohol. Ze mocht graag heel deugdzaam opmerken dat ze nooit iets sterkers dronk dan cola, gewone cola, dus niet light. Er stonden ongeveer tien blikjes in de afdeling drank en ijs van Zeinabs enorme Amerikaanse koelkast. Ze nam een blikje en stak een van haar eigen kingsize sigaretten op, want vreemd genoeg hadden Zeinab en Algy geen sigaretten voor haar achtergelaten. Beurtelings nam ze een mondvol eten en een trek van haar sigaret, en intussen keek ze met een onbewogen gezicht naar Carmels hoogst ongeschikte videokeuze. Bryn, zijn gezicht onder de witte en bruine chocolade, klom op haar grote zachte schoot en vlijde zijn wang liefhebbend tegen haar hals. Reem sloeg onverschillig een arm om hem heen en nam een slok cola. Intussen gingen Zeinab en Algy in de Warner Village-bioscoop zitten. Dankzij Algy, die in tegenstelling tot Zeinab altijd op tijd was, waren ze nog iets te vroeg voor de voorstelling van tien voor halfzeven.

'Dit is een rare tijd om naar de film te gaan,' mopperde Zeinab. 'Ik snap niet waarom we die van vijf over halfnegen niet konden nemen.'

'Omdat je moeder niet om acht uur wil komen, daarom niet. Ze zegt dat ze geen zin heeft om na twaalf uur thuis te komen, ze heeft haar slaap nodig.'

'Wat? Ze heeft geen klap meer uitgevoerd sinds 1981.'

'De rottweiler loopt los rond, zegt ze, en als je in zo'n gebouw woont als waar zij woont, loop je groot gevaar. Vooral 's avonds. Ik vertel je alleen maar wat zij heeft gezegd.'

Zeinab, die nooit lang in een slecht humeur bleef, begon te lachen. 'Hij heeft het niet op haar voorzien, hè? Het zijn allemaal jonge meiden die hij vermoordt. Of tamelijk jong. Wie denkt ze dat ze in de maling neemt?'

'Je kent je moeder.' Algy trok het blik popcorn open en gaf het aan haar. 'Jij hebt vandaag nog geen tv gekeken, hè? En je hebt de *Standard* niet gelezen? Er staat iets in over Gaynor Rays vriendje en wat hij heeft gezegd.'

'Dat meisje in Nottingham?'

'Ja. De politie zal het hem wel hebben gevraagd, want hij heeft hun slaapkamer doorzocht en hij heeft gezien wat er in haar tas in dat puin zat, en hij zegt dat er iets ontbreekt wat Gaynor altijd bij zich had. Ze wilde daar nooit van scheiden, zei hij, het was haar mascotte en haar beschermengel, maar ze kunnen het nu niet vinden.'

'Wat is het?'

'Een zilveren kruis. Dat zat aan een halsketting. Als ze werkte, had ze het wel bij zich, maar ze droeg het niet aan haar hals. Het zou de klanten afschrikken, nietwaar, een stripdanseres met een kruis?'

'Misschien wel.'

'Hij gaf een interview. Ik bedoel, dat vriendje van haar, en hij heeft dat allemaal gezegd. Nou, niet dat de cliënten werden afgeschrikt. Hij zei dat het kruis in Gaynors tasje zou hebben gezeten, dat moest wel. Het had geen zin om de slaapkamer te doorzoeken, want daar was het toch niet, tenzij Gaynor er zelf ook was.'

'Het arme ding,' zei Zeinab. Ze keek achter zich om te zien hoe de bioscoopzaal begon vol te lopen. Natuurlijk zou niemand die normaal bij zijn verstand was op deze tijd gaan, tenzij het niet anders kon, zoals in het geval van haar en Algy. Het was de bedoeling dat ze over een uur met Morton Phibling ging dineren en dat ze daarna met hem naar Ronnie Scott's ging, maar ze zou niet komen opdagen. Ze had een goed hart en begreep hoe het voor die arme Algy moest zijn om avond aan avond met de kinderen thuis te zitten. Ze was het aan hem verplicht. Ze zou tegen Morton zeggen dat ze van haar vader niet naar buiten had gemogen, dat hij haar in haar kamer had opgesloten of zoiets. Niet voor het eerst feliciteerde ze zichzelf met die hardvochtige vader die ze had verzonnen. Dat verzinsel loste alle problemen van haar dubbelleven op. Het was een geniaal idee geweest. Plotseling keek ze naar links. Ze zag iemand die ze kende.

'Kijk, Algy, daar heb je die Will over wie ik je vertelde, de jongen die in Inez' huis woont. Hij is helemaal in zijn eentje. Zielig hoor.'

Algy draaide zich om. 'Waar? Die eruitziet als David Beckham?'

'O, ja? Dat was me niet opgevallen.'

'O, nee? Ik zou denken dat alle meisjes op hem vielen.'

De lichten begonnen geleidelijk uit te gaan. Zeinab pakte Algy's hand vast. 'O, kom nou, schat, je weet dat ik maar één man wil. Jij bent de enige voor me.'

Het enige aan de film wat haar erg interesseerde, was de partij juwelen van Tiffany. Vooral de smaragden waren erg mooi. Ze hadden een prachtige blauwgroene kleur die haar erg goed zou staan. Ze zou Morton erover vertellen als hij medelijden met haar had omdat haar wrede vader haar had opgesloten. Ze wilde wel eens wat anders dan diamanten en saffieren. Zoals veel mensen kon ze niet goed volgen wat de gangsters in de film allemaal deden en begreep ze ook niet alles van de mannen die met een zwaar accent in lawaaierige, schemerige bars aan het praten waren. Natuurlijk vond ze het jammer dat Russell Crowe werd doodgeschoten, zoals iedere vrouw dat jammer zou vinden. Het lot van Sandra Bullock, daar op dat strand in Brazilië, liet haar koud.

Toen ze de bioscoopzaal verlieten, kwamen ze Will tegen. Zeinab stelde hen aan elkaar voor en Will mompelde dat hij het leuk vond hen te ontmoeten en werd toen vuurrood. Nu Algy met eigen ogen kon zien dat Will geen plaats in Zeinabs leven had, was ze bang dat hij, vriendelijk als hij was, Will zou vragen een hapje met hen te gaan eten, maar omdat ze met haar naaldhak in zijn enkel porde, deed hij dat niet.

'We hoeven pas om tien uur terug te zijn,' zei hij, 'of zelfs halfelf, als ik je moeder naar huis breng.'

Will wachtte aan de overkant van Finchley Road op de bus. Hij had gedaan wat hij van plan was, had de film opnieuw gezien, had de tuin goed in zijn geheugen geprent en wist nu zeker dat de voorkant van het huis of de winkel of wat het ook was niet in beeld kwam. Hij had goed gekeken waar de juwelen waren begraven en wat voor tas het was, een zwartleren aktetas was het, en hij had ook dat bord aan die lantaarnpaal weer gezien, dat bord waarop stond dat het 6th Avenue was. Maar hij voelde zich niet zo goed als anders op vrijdagavond. Becky had niet gebeld.

Daarom had hij, die ochtend pas, besloten op vrijdag naar de film te gaan en niet op zaterdag of zondag. Misschien belde Becky nog om een afspraak voor een van die dagen te maken. Misschien belde ze zelfs op dit moment, terwijl hij niet thuis was. Daar was hij bang voor. Hij wachtte ongeduldig op de bus, want hij wilde gauw thuis zijn om de telefoon te kunnen opnemen.

In tegenstelling tot veel mensen die Wills handicap niet hadden, kon Will zichzelf niet van zijn zorgen afleiden door zich op iets anders te concentreren. De schat en de verblijfplaats daarvan hadden daartoe kunnen dienen, maar op dit moment was hij de schat bijna vergeten. Hij kon alleen maar aan Becky denken en aan het telefoontje dat niet was gekomen. Misschien was ze ziek, misschien was haar iets overkomen. Omdat hij niet veel fantasie had, kon hij niet bedenken wat dat kon zijn geweest, en daarom zweefde er alleen een vage droefheid door zijn hoofd. Hij voelde zich eenzaam en radeloos, als een huisdier waarvan het baasje weg is en dat met voedsel en water maar zonder gezelschap is achtergelaten.

De verdwijning van Jacky Miller was uit de zondagskranten verdreven door de opwindende onthullingen over Gaynor Ray, haar manier van leven, haar werk en de mannen die ze had gekend. Een van de boulevardbladen schreef dat ze 'werkzaam was in de seksindustrie'; een ander blad bracht interviews met drie mannen die haar goed hadden gekend.

Ze was niet één maar twee jaar geleden verdwenen. Haar vriendje zei dat hij 'kapot' was door de onthullingen. 'Ondanks het werk dat ze deed,' zei hij, 'dacht ik dat ik de enige man in haar leven was. We zouden ons met Pasen gaan verloven en maakten al plannen voor onze bruiloft. Toen ik hoorde dat ze ook met anderen omging, was ik helemaal kapot.' De journalisten suggereerden, afgaand op wat ze hadden ontdekt, dat Gaynor een gemakkelijke prooi was geweest voor de rottweiler – ondanks de tegenwerpingen van het Nationale Rottweiler Genootschap en de afwezigheid van beten werd de naam inmiddels algemeen gebruikt – want ze zou een lift aannemen van iedere man die haar er een aanbood.

Die verhalen, die op vrijdagavond en zaterdag in de openbaarheid waren gekomen, leidden tot een verontwaardigde reactie van Caroline Dansks stiefvader. Iemand die zou suggereren dat Caroline ooit een man had opgepikt of een lift van een man had aangenomen, maakte zich schuldig aan belastering van een meisje dat zelfs nooit een vriendje had gehad. Het was bekend dat toen ze de rottweiler in Boston Place tegenkwam, ze op weg was naar een vriendin en de ouders van een vriendin, die 'een prachtig huis' hadden in Glentworth Street. Sinds haar lichaam was gevonden, was zijn vrouw, Carolines moeder, niet meer uit haar bed gekomen en hij was bang dat dit soort lasterpraatjes haar dood zouden worden. De ouders van Nicole Nimms en Rebecca Milsom hadden niets aan de pers verteld.

Toen Inez dit alles las, begon ze zich voor zichzelf te schamen omdat ze die sensatiekrant had gekocht en gelezen, naast de krant die was bezorgd. Ze deed beide kranten in de oud-papierbak en ging zich zitten afvragen wat ze die dag zou doen. Het was doodstil in het huis, al was het inmiddels bijna middag. Ludmila en Freddy lagen hoogstwaarschijnlijk nog in bed. Om één uur zouden ze opstaan en naar buiten gaan, zoals ze altijd deden. Ze zouden voor een zware lunch van rosbief, yorkshire-pudding, gebakken aardappeltjes en twee soorten groente naar Crocker's Folly in Aberdeen Place gaan. Jeremy Quick was misschien al op, maar hij was altijd zo stil als een muis, zonder de neiging van muizen om te krabbelen en ritselen. Het was een mooie ochtend. In de melkachtig blauwe hemel zweefden witte wolkjes als vlokken yoghurt. De zon scheen en de wind van de vorige dag was helemaal verdwenen. De oude perenboom in de tuin kwam tot bloei. Jeremy zou nu waarschijnlijk koffiedrinken op zijn dakterras, of misschien zat hij al aan een vroege lunch. Die middag zou hij, zoals hij twee keer per week deed, naar het ziekenhuis gaan waar mevrouw Gildon lag weg te kwijnen en waar Belinda vier nachten per week bleef slapen.

Will Cobbett was ongetwijfeld naar Gloucester Avenue gegaan om de dag bij Becky door te brengen. Ze had hem niet horen weggaan, maar ze sliep aan de achterkant van het huis en kon niet altijd horen of er iemand over de trap liep. Becky was zo aardig en zorgzaam, vond ze. Ze deed veel meer dan je van een tante zou verwachten. Will moest haar wel als zijn moeder beschouwen. Ze luisterde weer en hoorde alleen de stilte, en toen een auto die door Star Street reed en een brandweersirene in de verte. Gevoelens die ze anders altijd probeerde te onderdrukken, eenzaamheid, het gevoel dat ze volslagen alleen was in een wereld waar iedereen iemand had, omsloten haar als muren van glas. De vorige avond was ze een eindje gaan wandelen, maar de combinatie van de gure wind en de al even onaangename aanblik van zoveel mensen die in hun gezellige huiskamers bij elkaar zaten, had haar naar huis gedreven, waar ze een *Forsyth*-video had opgezet, haar vaste remedie. De video had zijn werk gedaan, zij het maar tot op zekere hoogte, zoals soms gebeurde. Toen ze naar bed ging, verlangde ze naar de geest op de videoband, de schimmige figuur die er als Martin uitzag en sprak zoals hij deed, maar dan de echte man met de armen en lippen en stem van de echte man.

Maar ze kon nu net zo goed een andere band afspelen. Bijvoorbeeld *Forsyth en het wonder*. Dat was haar lievelingsaflevering, want daarin overleed Forsyths jonge vrouw en rouwde hij om haar, zoals zij, Inez, om hem had gerouwd. In haar melancholie bedacht ze dat als zij het was geweest die was gestorven, en niet hij – iets wat ze soms wenste – hij net zo door verdriet overmand zou zijn geweest als het personage dat hij speelde.

Ze zette het geluid zacht om niemand te storen, en daarom hoorde ze na zo'n twintig minuten voeten de trap af komen. Omdat ze voor haar deur bleven staan, zette ze de band stop. Wie het ook was, hij of zij bleef daar staan wachten. Ze luisterde, hoorde niets dan stilte, en omdat ze wist dat het een bewoner van het huis moest zijn, deed ze de deur open. Het was Will.

'Is er iets mis, Will?'

Hij had gehuild. Dat kon ze zien aan zijn opgezette ogen, al had hij waarschijnlijk zo'n rode kleur omdat ze opeens de deur had opengedaan terwijl hij nog stond te twijfelen of hij zou aanbellen.

In plaats van antwoord te geven zei hij haperend: 'Ik ga naar buiten, meer niet. Ik ga naar buiten.' En hij gooide de straatdeur open en sloeg hem achter zich dicht, heel ongewoon gedrag voor Will.

Inez wist niet wat ze daarvan moest denken, maar ze zei tegen zichzelf dat hij waarschijnlijk alleen maar te laat was voor zijn bezoek aan Becky of vergeten was iets voor haar te kopen, zoiets zou het zijn. Ze ging terug naar *Forsyth en het wonder*, naar haar lievelingsgedeelte, waarin Forsyth 's morgens wakker wordt en eerst denkt dat hij het overlijden van zijn vrouw alleen maar heeft gedroomd. Hoe vaak had zij datzelfde niet van Martin gedacht!

Will rende door Star Street naar Edgware Road. Hij hoorde de deur met een klap achter zich dichtvallen en was bang dat hij daardoor moeilijkheden met Inez zou krijgen. Dat wilde hij niet. Na Becky verlangde hij het meest naar Inez' genegenheid, en hoewel hij het niet zou kunnen uitspreken, ook haar bescherming. Van schrik ging hij langzamer lopen, maar hij ging niet terug. Toen hij voor de deur van haar appartement had gestaan, had hij moed verzameld om haar te vragen Becky voor hem te bellen. Hij wist gewoon niet hoe hij dat zelf moest doen. Inez zou het doen en aan Becky vragen waarom ze hem niet had gebeld, waar ze was geweest, wat er aan de hand was. Maar hij had de moed verloren en ging nu zelf naar Becky toe, lopend naar Gloucester Avenue, al was het een heel eind. De schat van 6th Avenue was uit zijn gedachten verdwenen alsof hij er nooit door gefascineerd was geweest.

Het kostte hem een uur om bij het huis te komen waar Becky een appartement op de eerste verdieping had. Inmiddels was het bijna kwart voor twee; hij had erg weinig ontbijt en geen middageten gehad. Zijn eetlust, die steun en toeverlaat van zijn bestaan, was weg. Hij zou weer honger krijgen als hij Becky had gevonden en bij haar thuis was. Maar toen hij op haar bel drukte, de op een na onderste van de rij met haar naam op een rood plaatje, werd er niet opengedaan. Hij belde en belde. Ze kon niet weg zijn, maar ze was het toch. Met zijn gebrekkige fantasie kon hij zich niet voorstellen waar ze kon zijn, het was al erg genoeg dat ze niet was waar ze zou moeten zijn, op de plaats waar hij dacht dat ze altijd was. Ze moest altijd in die kamers zijn en aan hem denken, op hém wachten.

Hij kon maar één ding doen. Daar blijven tot ze kwam. Op de trap gaan zitten die naar de voordeur leidde en op haar wachten. Als er een bankje in de voortuin van het huis had gestaan, was hij daarop gaan zitten, maar er was alleen de trap. Hij zat daar in de lentezon. Een vrouw van de benedenverdieping kwam terug van haar lunchafspraak, liep langs hem en zei onzeker: 'Goedemiddag.' Een echtpaar dat helemaal bovenin woonde, stapte over hem heen, want hij was in slaap gesukkeld. Iemand die bij nummer drie op bezoek kwam, liep met een wijde boog om hem heen, in de veronderstelling dat hij een dakloze was.

Toen Becky thuiskwam, hand in hand met James, was Will in diepe slaap verzonken.

−7−

Voor het eerst in jaren nam Becky vrij van haar werk. Ze had gebeld en gezegd dat ze niet zou komen. Als partner in de firma hoefde ze geen reden te geven of uitvluchten te verzinnen. Ze voelde zich echt ziek, zwak, moe en beverig, ongetwijfeld omdat ze de afgelopen nacht helemaal niet had geslapen. Of beter gezegd, ze was uiteindelijk om een uur of vier in slaap gevallen en om vijf uur wakker geworden van een autoalarm. Ze wilde liever niet meer aan de vorige middag en avond terugdenken, maar ze kon het niet helpen, het was zo afschuwelijk geweest, en dat was het nog steeds.

Ze hadden zich goed geamuseerd, zij en James. Ze waren naar een lunchparty van James' zus gegaan. Misschien hadden ze een beetje te veel wijn gedronken, maar het was ook zo'n mooie dag en ze waren bijna voortdurend in de tuin en er waren interessante mensen om mee te praten. Omdat het niet ver van haar huis vandaan was, in de buurt van Regent's Park, had James zijn auto bij haar in de straat laten staan en waren ze heen en terug door het park gelopen. Ze had helemaal niet meer aan Will gedacht. Als ze al aan hem had gedacht, had ze meteen tegen zichzelf gezegd dat hij waarschijnlijk ergens met Kim naartoe was. Ze moest eens ophouden met die gewoonte om hem elke week uit te nodigen, en dit was daar misschien een goed moment voor.

De vorige dag was goed begonnen. Natuurlijk begreep ze nu hoe dom het van haar was geweest om bij het maken van haar weekendplannen (of het niet maken daarvan) te denken dat James niet alleen de vrijdagavond maar ook de hele zaterdag en zondag met haar zou willen doorbrengen. Daar was het nog veel te vroeg voor. Maar de vrijdag was een succes geweest en ze was blij toen hij zaterdagmorgen belde, net voordat ze ging winkelen, en haar vroeg om met hem mee te gaan naar zijn zus. Toen ze na afloop van de party met hem mee terugliep, voelde ze zich gelukkig. En het scheelde niet veel of ze zei dat tegen hem.

'Ik vind dit een mooie dag.'

'Goed,' zei hij. 'Ik ook,' en hij glimlachte en pakte haar hand vast. Ze liepen hand in hand verder, de brug over en Princess Road in. Op dat moment, om vijf uur 's middags was de zon warmer en helderder dan de hele voorafgaande dag.

Als ze Will eerder had gezien, zou ze misschien op de een of andere manier hebben voorkomen dat James met haar naar binnen ging, of anders had ze hem misschien kunnen voorbereiden. Maar ze keek pas in de richting van de voordeur toen ze al bijna bij de trap waren. En zelfs toen was het James die zei: 'Hebben jullie dat hier vaker?' Daarmee bedoelde hij natuurlijk: gebeurt het vaker dat daklozen bij jullie op de stoep een dutje doen? Nu pas keek ze naar de slapende man. Ze voelde hoe het bloed naar haar hals en gezicht steeg.

Op dat moment werd Will wakker. Hij was altijd schoon, tenminste, hij ging altijd schoon op weg, maar hij had op een vuile trap in de zon gelegen en hij had gehuild. Zijn gezicht was gevlekt van de tranen, vale strepen door een laagje stof; zijn handen waren zwart en zijn haar stond in pieken overeind.

'O, Will...' zei ze.

'Ik heb gewacht tot je terugkwam,' zei hij. Blijkbaar had hij James niet opgemerkt. 'Ik wachtte en wachtte.'

Maar James had hem wel opgemerkt. 'Ken je deze man, Becky?'

Uitvluchten hadden nu geen zin meer. 'Hij is mijn neef.'

'O. Op die manier.' Hij zei dat op de toon die mensen gebruiken als ze iets niet begrijpen en dat ook niet willen. 'Goed, dan laat ik je maar met hem alleen. Ik zal jullie niet storen.'

Hij dacht natuurlijk dat Will dronken was of zoiets. Waarschijnlijk zag hij hem aan voor een verslaafde die aan zijn volgende spuit toe was. Ze keek hem niet na, maar hoorde hem de auto starten. 'Kom binnen, Will,' zei ze.

Hij legde niet uit waarom hij daar was. Dat hoefde ook niet. Ze begreep het volkomen. Ze had hem niet uitgenodigd en hij had daarover gepiekerd tot hij het niet meer uithield. Er kwam een stralende glimlach op zijn vuile gezicht en hij praatte honderduit toen ze de trap opgingen: was het geen mooie dag? Had ze al die bloemen gezien die waren uitgekomen? Het was nu echt voorjaar, hè? Ze liet hem zijn handen en gezicht wassen en zijn haar kammen en keek intussen in de koelkast of ze iets had wat ze voor hem kon klaarmaken. Toen ze hem binnenliet, had hij vol verlangen gezegd dat hij de hele dag niets te eten had gehad. Er waren eieren en er was een stuk ham. In de vriezer lag nog een pak bevroren aardappelschijfjes waarvan de uiterste houdbaarheidsdatum verstreken was, maar oude aardappelschijfjes konden toch niet veel kwaad? Ze bakte twee eieren, zette de schijfjes in de magnetron, roosterde het brood omdat het oud was, en terwijl ze dat deed, schonk ze zich een gin-tonic in. Ze had al bijna een hele fles wijn op, maar ze had iets nodig om zich te kalmeren en haar gevoelens te verdoven. Will at gretig. Hij deed overal ketchup op en smeerde boter op de ene na de andere plak geroosterd brood. Hij dronk cola en ze zette thee voor hen beiden. Ze zou zelf geen hap door haar keel kunnen krijgen. In het kindertehuis hadden ze hem goede manieren geleerd en daarom zou hij nooit de televisie aanzetten zonder het eerst aan haar te vragen, maar ze wist dat hij het zou willen. In de loop van de jaren had ze geleerd zijn wensen van zijn gezicht af te lezen.

Hij genoot van een kinderprogramma en een banale spelshow – of misschien vooral van het feit dat hij bij haar thuis en in haar gezelschap was – en hij lachte van plezier en wierp haar telkens een stralende blik toe. Hij zou haar geen verwijten maken, geen vragen stellen; zo was hij niet. Dat ze weg was geweest terwijl ze thuis had moeten zijn, dat ze hem niet had uitgenodigd, dat ze hem niet had gebeld, dat alles was hij vergeten, want op dit moment was hij intens tevreden. Hij keek naar de televisie, leunde met zijn hoofd in de kussens, en at met een gelukzalig gezicht gekonfijte vruchten uit een doos die iemand haar had gegeven maar die ze, om slank te blijven, nooit had opgegeten.

Al die tijd dat hij er was, had ze haar best gedaan om niet na te denken. Ze wilde niet denken aan wat er gebeurd was en ook niet aan de gevolgen daarvan. Ik moet niet denken, zei ze keer op keer tegen zichzelf. Ik moet niet denken, niet nu. De televisie was ongeschikt voor hem geworden, met alleen kerkgezang en oude beschavingen en een moordfilm. Het nieuws was maar een klein beetje minder erg dan dat laatste. Ze zette het aarzelend op en zag dat het scherm helemaal werd gevuld door een vergrote foto van Gaynor Ray. Het meisje droeg haar amulet, een zilveren kruis dat tegen haar zachte jonge huid lag, en had een nogal uitdagende glimlach op haar lippen. Toen kwam het kruis alleen in beeld. Een beetje vaag omdat het te sterk vergroot was, een kruis dat er eerst eenvoudig had uitgezien maar nu bladfiguren in het zilver bleek te hebben. De foto was enkele weken voor haar verdwijning gemaakt.

Ze zeiden niets over Jacky Miller. Het was geen nieuws meer dat zij of haar lichaam niet was gevonden.

Becky reed Will naar huis in Star Street. Ze wist dat ze niet zou moeten rijden, ze had veel te veel gedronken, maar ze wilde hem absoluut niet meer kwetsen en kon het niet opbrengen om hem de lange terugreis in zijn eentje te laten maken, met twee bussen of zelfs lopend. Het was elf uur geweest, ruimschoots voorbij zijn bedtijd, maar hij voelde zich te goed om dat te merken.

'Hoe gaat het met Kim?' vroeg ze hem. Ze dacht aan haar toen ze langs Abbey Road reden.

Hij keek haar verbaasd aan en zei toen: 'Ze is Keiths zus. Het gaat goed met haar.'

'Heb je haar opnieuw gezien?'

'We zijn naar een film geweest,' was het enige wat hij zei.

Ze liep met hem naar de deur en bleef in het halletje staan terwijl hij de trap beklom. Hij liep op zijn tenen om niemand te storen en draaide zich zelfs een keer om en legde zijn vinger op zijn lippen. Ze vond dat zo ontroerend dat de tranen in haar ogen opwelden. Maar toen hij weg was en de deur achter zich dicht had gedaan, zou ze alleen maar voor zichzelf hebben gehuild. Ze huilde niet, maar liet haar gedachten de vrije loop.

Toen ze in Gloucester Avenue terug was, hoefde ze niet te proberen te gaan slapen. Ze kon zich niets ergers voorstellen dan in haar eentje in het donker naar een onzichtbaar plafond te liggen staren. Dan kon ze beter hier in een lekkere stoel blijven zitten, met een kop thee. Als je je toch ellendig voelde, was een beetje comfort nooit weg. Het leek erop dat ze James kwijt was. Hij was weggegaan en zou niet terugkomen. Ze kon het hem niet kwalijk nemen. Je kon een mogelijke relatie beter in zo'n vroeg stadium beëindigen dan dat je er verder mee ging en het aanlegde met een vrouw die nauwe banden met een dakloze junk onderhield. Ze begreep dat wel, maar als hij nu een beetje toleranter was geweest, een beetje geduldiger, bereid om eerst eens af te wachten... Maar goed, daar was het nu te laat voor. Ze kon nu beter aan Will denken, aan wat hij had moeten doormaken. Ze moest dat nooit meer laten gebeuren. Voortaan zou ze hem echt elk weekend een dag uitnodigen.

Maar nog terwijl ze dat dacht, werd ze zich bewust van een onbekend gevoel dat in haar opkwam. Het leek wel of het letterlijk opsteeg in haar lichaam, en ze kromp van schrik ineen. Het duurde even voordat ze begreep wat het was: paniek. De betekenis van wat ze zojuist had gedacht, was met volle kracht tot haar doorgedrongen. Het zou niet ophouden, Will die eens per week op bezoek kwam, dat offer van één dag per week aan iemand met wie ze geen betere gesprekken kon voeren dan met een kind van tien, het zou doorgaan tot hij de middelbare leeftijd had bereikt en zij oud was, tot zij dood was. Ze zou zich er nooit uit los kunnen maken, zou de frequentie nooit kunnen verlagen. Kijk maar eens wat er gebeurde toen ze dat durfde te proberen. Als een trouwe hond was hij op haar stoep gaan slapen. Zijn hart was gebroken; hij kwijnde weg van ellende.

Een mogelijke – meer dan mogelijke – minnaar was afgeschrikt. Achteraf begreep ze dat dit al minstens één keer eerder was gebeurd sinds Will het huis verliet dat hij met die andere ex-bewoners van het tehuis deelde. Ze had indertijd niet geweten waarom die man opeens niet meer met haar wilde omgaan, haar niet meer belde, maar nu wist ze het wel. Waarschijnlijk zou iedere opvolger van James zich – misschien niet in zo'n vroeg stadium van de relatie maar uiteindelijk – laten afschrikken door dit onwelkome gezelschap, dit spook op het feestmaal, deze persoon die haar leven beheerste, die zich aan haar vastklampte, die alleen maar banaliteiten over het weer en eten en lentebloemen te berde kon brengen. Ze nam het zichzelf kwalijk dat ze die dingen dacht, maar tegelijk wist ze dat het waar was. In zekere zin zou je kunnen zeggen dat zolang Will deel uitmaakte van haar leven – en dat zou hij altijd – er nooit iemand anders zou kunnen zijn, geen man of vrouw, geen vriend of minnaar. Zonder het te weten had hij een kooi gemaakt, haar erin gestopt en de sleutel weggegooid.

Dus toen ze na haar slapeloze nacht eindelijk opstond, had ze geweten dat ze die dag niet naar haar werk kon gaan. En ze zou thuis ook niets kunnen doen. Er kon niets worden gedaan. Zolang zij leefde en Will leefde, zou die situatie altijd doorgaan. Het was duidelijk dat hij helemaal niet meer aan Kim Beatty had gedacht. Hij gaf duidelijk de voorkeur aan haar, Becky. En ze moest James vergeten, en trouwens ook alle andere mannen; dat had allemaal geen zin. De paniek had plaatsgemaakt voor doffe wanhoop.

Ook Will was ten prooi gevallen aan allerlei gevoelens. Nu hij zijn hopeloze ellende was vergeten, kwamen er weer herinneringen aan de schat bij hem op. Hij moest nu uitzoeken waar die schat was, of beter gezegd, waar 6th Avenue was. Hij wist van Amerika af, wist min of meer waar je het op een wereldkaart moest zoeken, en dat daar films en televisieseries vandaan kwamen en dat de mensen daar anders praatten dan hij en Becky en Inez en Keith. De acteurs in *De schat van 6th Avenue* waren Amerikanen; dat hoorde je aan hun stem. Wilde dat zeggen dat die straat in Amerika lag? Die sirenes hadden als die in Londen geklonken, maar hij wist het niet zeker. Hij kon het Becky vragen, maar ze zou vragen waarom, en dan zou het geen verrassing meer zijn. Als Becky, die slim was, wist dat er een schat in de tuin van een huis begraven lag en dat hij ernaar zocht, zou ze een heleboel dingen vermoeden en dan was het geen verrassing meer. In Abbey Road, waar hij matglansverf met een kleur die Beschaafd Parel heette op het raamkozijn van de eetkamer aanbracht, vroeg hij het aan Keith.

'Waar is 6th Avenue?'

Hoewel Keith waarschijnlijk van de film had gehoord, legde hij blijkbaar geen verband. 'Dat weet ik niet, jongen. Ik kan je wel vertellen waar 5th Avenue is. Die is in New York.'

'Nee, 6th Avenue,' zei Will teleurgesteld.

Ze gingen weer aan het werk. Will schilderde en Keith was de kastdeuren aan het politoeren. Na tien minuten zei Keith: 'Zie je mijn zus nog wel eens?'

Waarom vroeg iedereen hem toch steeds naar Keiths zus? 'Nee.'

Wat moest hij nu doen? Het soort eenvoudige research dat voor de meeste mensen de gewoonste zaak van de wereld was – namen opzoeken in het telefoonboek, kijken wanneer filmvoorstellingen beginnen, zelfs verkooppunten en prijzen opzoeken op internet – was voor Will veel te moeilijk. Inez zou hem kunnen helpen, maar om onduidelijke redenen durfde hij het haar niet te vragen. Of misschien waren die redenen niet zo onduidelijk; hij had het vage gevoel dat ze kwaad op hem zou worden. Ze was niet echt kwaad op hem geweest toen hij haar naar de straten vroeg in de film waar haar man in meespeelde, maar ze had gezegd dat hij stil moest zijn. Als hij nog een keer zoiets vroeg, zou ze misschien niet zo vriendelijk zijn.

Keith had achten op de deuren gepolitoerd. Toen hij klaar was met de laatste, legde hij zijn doek en watten weg en zei: 'We kunnen afnokken voor vandaag, jongen. Ben je bijna klaar?'

Will gaf met een hoofdknikje te kennen dat dit het laatste stukje kozijn was dat geverfd moest worden. Het zou hem niet meer dan een halfuur kosten. 'Dan zijn we vroeg thuis,' zei Keith. 'Zullen we vanmiddag vrij nemen? Morgen beginnen we met frisse moed aan die woningen in Ladbroke Grove.'

Met een zucht zei Will: 'Goed.'

'Ik pik je om precies acht uur in Star Street op. Goed?'

Hij kon het Becky niet vragen en hij kon het Inez niet vragen. Keith wist het niet. Will voelde zich nooit op zijn gemak bij Ludmila en Freddy. Hij praatte nooit tegen hen als ze niet eerst tegen hem praatten. En voor meneer Quick was hij bang. Die deed hem aan een dokter denken die eens met hem was komen praten en bloed had geprikt om iets uit te zoeken. Misschien kwam het door de klank van zijn stem, of misschien door zijn ogen, die paarsig blauw waren, de kleur, vond Will, van tulpen die doodgingen. Het leken geen menselijke ogen, maar ook geen dierlijke ogen, en als hij meneer Quick op de trap tegenkwam, zoals soms gebeurde, vermeed hij het om hem aan te kijken.

Monty wist misschien wel waar 6th Avenue was, maar het was alweer weken geleden dat Monty hem had gevraagd iets met hem te gaan drinken. Hoewel Will zijn telefoonnummer had, wilde hij hem niet bellen, want hij belde nooit iemand. Toen hij zoveel eerder dan anders thuiskwam, verzamelde hij moed om naar de kioskhouder in Edgware Road te gaan en het hem te vragen. Eerst kocht hij een Mars en toen vroeg hij: 'Waar is 6th Avenue?'

'6th Avenue?' De man was een paar jaar geleden uit Turkije naar Londen gekomen. Hij was getrouwd met een Libanese vrouw en had een woning in de Lilestone Estate. Afgezien van Antalya waren de straten tussen de kiosk en Baker Street het enige deel van de wereld dat hij goed kende. 'Dat weet ik niet.' Hij pakte een stratenboek van Londen en gaf het aan Will. 'Kijk maar,' zei hij.

Maar Will wist niet waar hij moest kijken of zelfs niet hoe hij moest zoeken. Hij bladerde hopeloos in het stratenboek en gaf het toen terug. Inmiddels verkocht de Turkse man een *Vogue* en de *Evening Standard* aan een andere klant. Will was van plan om via de buitendeur beneden aan de trap naar zijn appartement terug te gaan, maar daarvoor moest hij langs de etalage van de winkel lopen, en toen hij dat deed, zwaaide en glimlachte Inez naar hem. En dus ging hij aarzelend naar binnen. Zeinab stond bij de kassa met een enorme bos bloemen, verpakt in roze papier met roze linten eromheen.

'Je bent vroeg vandaag, Will,' zei Inez.

Will knikte en zei niets, al deden zulke opmerkingen hem goed. Ze waren waar en hij kon ze begrijpen. Zeinab las voor wat er op het kaartje bij de bloemen stond.

'Voor de enige vrouw ter wereld voor mij, gefeliciteerd met je verjaardag, liefste, met al mijn liefde voor altijd en altijd, Rowley.'

'Ik wist niet dat je jarig was,' zei Inez.

'Dat ben ik ook niet, maar hij denkt het,' zei Zeinab, en voor Inez de karakteranaliste was dat weer een indicatie dat Zeinab zich niet altijd stipt aan de waarheid hield. 'Wat moet ik ermee doen? Want stel je voor. Ik zie het gezicht van mijn vader al als ik met deze bloementuin thuiskom.' Zonder hem iets te vragen duwde ze de tulpen, anemonen, narcissen, hyacinten en veelkleurige fresia's in Wills armen. 'Hier, geef ze maar aan je vriendin.'

Ze leefde in een wereld waarin het ondenkbaar was dat een jong persoon geen partner had. Will bedankte haar stamelend en liep vlug naar de deur aan de achterkant van de winkel, voordat ze zich zou bedenken. Hij hield veel van bloemen, maar hij had ze nog nooit van iemand gekregen. Het volgende uur was hij opgewekt bezig de bloemen in vazen te zetten, en in alles wat verder nog maar water kon bevatten.

Om vijf uur verscheen het witte busje met het briefje van de vuilanalyse weer in Star Street. Er stapte een man uit die vlug door de straat liep voordat Inez meer dan een glimp van hem kon opvangen. Er liepen daar altijd parkeerwachters, maar die waren er nooit als dat busje daar stond. Achter het busje kwam een turquoise Jaguar tot stilstand.

'Daar heb je Morton,' zei Zeinab. 'Hij is vroeg. Ik zei "halfzes". Mannen!' Het afgelopen halfuur had ze op een kruk van mahoniehout en roze fluweel voor haar 'eigen' spiegel gezeten. Ze had de schade van de dag gerepareerd, haar haar geborsteld, haar gezicht weer opgemaakt met verfijnde hulpmiddelen als lippenpotlood, wenkbrauwgel en een krultangetje voor wimpers, en daarna had ze haar nagels iriserend paars geverfd. Ze trapte de sandalen uit die ze op haar werk droeg en schoof haar voeten in pumps met tien centimeter hoge hakken. Op die pumps trippelde ze naar buiten, naar de auto toe. Even later stak ze haar hoofd om de deur en zei tegen Inez: 'Mag ik gaan? Morton heeft champagne in het ijs staan en wil over een datum voor ons huwelijk praten.'

'Ga maar,' zei Inez lachend. 'Het is me een raadsel hoe je je hier ooit uit redt.'

Ze keek naar de hand die de deur op een kier hield en zag dat Zeinab de verlovingsring die ze van Rowley had gekregen had vervangen door Morton Phiblings diamant ter grootte van een nagel. Het was om je te bescheuren. Alleen achtergebleven, wachtte ze tot zes uur en toen sloot ze de winkel af. Het grootste deel van de dag waren er klanten binnengekomen, maar sinds elf uur 's morgens had niemand iets gekocht. Net toen ze het bordje met GESLOTEN had omgedraaid, zag ze tot haar grote voldoening Ludmila en Freddy de straat oversteken, naar het bord kijken en overleggen, terwijl Freddy vergeefs probeerde de deur open te maken. Ze gaven het op. Ludmila groef in haar roodfluwelen schoudertas en vond haar sleutel. Ze gingen door de bewonersdeur naar binnen.

De winkel zag er muf en verwaarloosd uit, vond Inez, al was Zeinab elke dag met de plumeau in de weer. Ze nam schone doeken en een spuitbus met poetsmiddel en ging aan het werk. Er moesten wel honderden, zo niet duizenden kleine voorwerpen, snuisterijen, binnen deze vier muren zijn, en het leek wel of ze allemaal stof aantrokken alsof het ijzervijlsel was en de muren magneten. Ze ging systematisch te werk, zette eerst elk vaasje en klokje en schilderijtje en wijnglas op een dienblad alvorens het oppervlak af te stoffen waar het had gestaan, en daarna zette ze alles terug en begon ze aan de volgende tafel of plantenbak of kast.

Zoals altijd wanneer ze dit werk deed, vond ze het vreemd dat er zoveel kleine voorwerpjes aan het licht kwamen waarvan ze zich niet kon herinneren dat ze ze ooit eerder had gezien. Ze moest ze hebben gezien, want er kwam niets de winkel binnen zonder dat ze het wist, en alles was genummerd en in een catalogus opgenomen. En inderdaad, er stond een getal op een etiketje op de onderkant van een parfumflesje van geslepen glas en ook op een Egyptische kat met ringen in zijn oren, maar ze wist niet waar die dingen vandaan kwamen of wie hun vorige eigenaar was geweest.

Het ergste bewaarde ze altijd tot het laatst. Ze zou de dingen in die donkere hoek kunnen reorganiseren, de hoek die nu door de jaguar werd bewaakt en waar het gipsen beeld van de godin dat ernaast stond veel van het licht wegnam. Op de ronde tafel daarachter stonden wel vijftig borden en kopjes en zilveren lepels en geëmailleerde doosjes en glazen vruchten en broches en Victoriaanse hoedenspelden. Geduldig begon ze ze een voor een naar het dienblad te verplaatsen.

Op dat moment zag ze het, een zilveren kruisje aan een gebroken ketting. Het kruis zelf vertoonde een minuscuul reliëfpatroon van bladeren. Op het televisienieuws van de vorige avond had ze dat kruis gezien, zo sterk vergroot dat het de hele beeldbuis vulde. Met haar hand voor haar mond deinsde ze naar achteren. Dit kon niet. Het kon niet Gaynor Rays kruisje zijn. Er moesten wel honderden van zulke kruisen zijn...

Ze draaide het om en zocht naar het essaaimerkje waaruit bleek dat het van zilver was. Het stond op de onderkant van het kruis, maar er was geen etiketje met een catalogusnummer. Was het mogclijk dat het kruis hier op een legitieme manier terecht was gekomen zonder dat het in de catalogus was opgenomen? Misschien had Zeinab het voor de winkel gekocht, maar dat gebeurde bijna nooit, en trouwens, Zeinab was ondanks haar gebrek aan punctualiteit zorgvuldig genoeg om alles te noteren. Inez herinnerde zich niet het kruisje ooit eerder te hebben gezien. Ze gaf haar schoonmaakwerk op en pakte de catalogi, drie dikke boeken, uit de la waarin ze werden bewaard. Drie uur later, drie uur waarin ze helemaal niet aan eten of drinken of videokijken had gedacht, had ze de drie delen zorgvuldig van begin tot eind doorgenomen.

Het zilveren kruisje stond er niet in. Het voorwerp dat er het dichtstbij kwam, was een gouden kruisje aan een lint van zwart fluweel geweest; ze herinnerde zich dat ze het minstens twee jaar geleden had gekocht. Het zilveren kruisje dat van Gaynor Ray kon zijn geweest, dat vast en zeker van haar was geweest, stond nergens in de lijsten. Inez, die het kruisje met de gebroken ketting in haar hand had gehouden, liet het vallen zodra ze besefte dat het hoogstwaarschijnlijk het moordwapen was geweest.

— 8 —

Omdat ze niet goed kon slapen, stond Inez vroeg op en ging ze al voor achten de trap af naar de winkel. Die lag nu, in april, al in het volle daglicht. Ze zag Keith Beatty's busje komen en hoorde hem op de claxon drukken. Dat zouden ze zelfs in Paddington Station kunnen horen, zo hard was het. Hij hoefde helemaal niet zoveel lawaai te maken, want Will was altijd al klaar, en voordat de laatste echo's waren weggestorven, stond hij al op straat en maakte hij het portier aan de passagierskant open. Inez zuchtte en zei weer tegen zichzelf dat ze eens moest ophouden met zuchten.

De vorige avond had ze het zilveren kruisje nog eens aangeraakt, voordat ze eraan dacht dat ze het helemaal niet moest aanraken, en daarna had ze het opgepakt aan de ketting. Maar als de ketting was gebruikt voor het doel waaraan ze bijna niet kon denken, moest ze die dan wel aanraken? Als Martin (of Forsyth) dit soort sporenmateriaal vond, deed hij het altijd in een steriel zakje om het forensisch te laten onderzoeken. Inez was naar de keuken gegaan en had een plastic zakje van een nieuwe rol getrokken. Het kruisje, in het zakje, had de nacht bij haar doorgebracht, op het nachtkastje. Hoewel ze anders niet paranoïde was, had ze het akelige gevoel dat, nu het kruisje op televisie was vertoond, degene die het in de winkel had gelegd 's nachts zou terugkomen om het weer op te halen.

Ze had het meegenomen naar beneden. Over een halfuur of zo zou ze de politie bellen en naar inspecteur Crippen vragen. Moest ze de rest van de winkel doorzoeken, het deel van de winkelruimte, bijna eenderde van de oppervlakte, dat ze de vorige avond niet had schoongemaakt? Voor het geval ze een zilveren aansteker met Nicole Nimms' initialen in granaat vond, of een sleutelring, zwart en verguld, met een Schotse terriër van onyx, of een gouden zakhorloge? Nee, dat moest de politie maar doen. Inez dacht aan de implicaties van haar vondst – de

rottweiler of een handlanger van hem moest in Star Antiques zijn geweest – toen er op de binnendeur werd geklopt. Het was Jeremy Quick,
die een kop thee kwam drinken. Inez zette vlug water op.

Hij droeg een nieuw pak. Zijn overhemd was hagelwit, zijn das effen
donker blauwgroen.

'Wat zie je er goed uit,' zei Inez.

'Dank je. Ik heb dit pak eigenlijk met het oog op mijn huwelijk gekocht, maar nu dat er voorlopig niet in zit, kan ik het net zo goed dragen.'

Moest ze het hem vertellen? Ze had dringend behoefte aan iemand die
ze in vertrouwen kon nemen, bij voorkeur voordat ze het aan de politie
vertelde. O, wat miste ze Martin! Maar zou ze het Jeremy ook kunnen
vertellen? 'Hoe gaat het met mevrouw Gildon?' zei ze.

'Ongeveer hetzelfde. Het is erg attent van je dat je dat vraagt. Belinda
slaapt nog vier nachten per week in het ziekenhuis. Ik ben niet vaak
met haar alleen.'

Terwijl hij zijn thee dronk, dacht Inez er weer over het hem te vertellen,
maar ze besloot het niet te doen. Ze moest eerst nog iets anders ophel-
deren. 'Ik neem aan dat ze erg aan haar moeder gehecht is?'

'Erg,' zei hij, en Inez vond dat zijn stem verdrietig klonk. 'Soms denk ik
dat geadopteerde kinderen een veel hechtere band met hun adoptief-
ouders hebben dan kinderen met hun natuurlijke ouders.'

Inez wist nauwelijks waarom ze zo opgelucht was. De leeftijden van
Belinda en haar moeder hadden door haar hoofd gespookt sinds ze in
haar appartement dat gesprek met Jeremy had gevoerd. De enige verklaring voor het leeftijdsverschil van 52 jaar was natuurlijk de juiste.
'O, is Belinda geadopteerd?'

'Ja, heb ik je dat nog niet verteld? Mevrouw Gildon heeft haar geadopteerd toen ze twee maanden was. Zij en haar man hadden vijf jaar eerder
al een jongen geadopteerd, maar daar heeft Belinda niet veel steun aan,
want hij woont in Nieuw-Zeeland.'

Moest ze het hem vertellen? Ze zat aan haar bureau en het zakje met het
kruisje lag in de la. Net toen ze die la wilde opentrekken, zei Jeremy: 'Ik
ga nu maar. Ik wil vroeg op mijn werk zijn. Ik heb om kwart over negen
een gesprek met de directie.'

Inez liep met hem mee naar de buitendeur. Ze voelde zich een beetje
schuldig omdat ze hem bijna van een leugen had verdacht, nou ja, van
een fantasie, een verzinsel. Erger dan dat was het niet geweest, maar ze

had toch het gevoel dat ze het goed moest maken. 'Welke avonden is Belinda deze week niet in het ziekenhuis?'

'Dat weet ik niet precies. Waarschijnlijk woensdag, donderdag en zondag.'

'Komen jullie woensdagavond iets bij me drinken, als ze dan vrij is?'

'Ik laat het je nog weten. Ik hoop dat we kunnen.'

Nu ze de winkeldeur had opengemaakt, had het geen zin om hem weer op slot te doen. Ze draaide het bordje naar OPEN. Meneer Khoury was buiten en trok zijn zonnescherm omlaag. Inez mocht dat graag zien, zoals ze ook graag naar terrasjes keek, al vond ze het erg om de stelletjes daar te zien zitten. Het betekende dat de zomer op komst was. Meneer Khoury zwaaide nooit, maar boog zijn hoofd in haar richting.

Ze ging de winkel weer in en belde de politie.

Voorzover Will zich kon herinneren, was hij hier nooit eerder geweest. Alles was onbekend. Het kindertehuis had in Crouch End gestaan, in de wijk Haringey, en Becky woonde in Primrose Hill en Inez in Paddington. Die drie locaties vormden de begrenzing van zijn Londen; de rest van de stad kende hij niet. Dit was iets nieuws voor Keith, die zijn werk eigenlijk altijd in St John's Wood, Maida Vale en de omgeving van Edgware Road had, al reden ze nu in de richting van zijn eigen huis. Maar ze sloegen af toen ze nog lang niet in Harlesden waren.

Het appartementengebouw waarin ze werkten, stond niet in Ladbroke Grove zelf maar in een zijstraat daarvan. Omdat Keith een parkeerpasje van de gemeente Kensington en Chelsea had, hoefden ze geen geld in meters te doen of steeds op een andere plek te gaan staan om parkeerwachters te slim af te zijn. Het werk, huiskamers en slaapkamers in drie tweekamerwoningen schilderen, deden ze voor een huisbaas, niet een eigenaar/bewoner, en die had Keith met een knipoog duidelijk gemaakt dat hij de kosten laag moest houden en niet al te precies te werk moest gaan.

'En dus zei ik tegen hem,' zei Keith terwijl ze hun spullen de trap op zeulden, 'ik zei tegen hem: "Het is niets voor mij om niet mijn best te doen. Als dat u niet aanstaat," zei ik, "kunt u beter op zoek gaan naar een of andere beunhaas. U moet het zelf weten," zei ik. Hij keek een beetje teleurgesteld, maar hij zei niets meer. Je zou toch denken dat ze in zo'n huis een lift hadden, hè?'

Het meeste van wat Keith had gezegd, was onbegrijpelijk voor Will. Dat van de lift begreep hij. 'Ja,' zei hij.

'Het is pure hebzucht. Dat is er mis met de mensen van tegenwoordig. Kijk maar om je heen. Iedereen is aan het graaien. Dat is de oorzaak van de criminaliteit, daardoor doen ze allemaal...' Keith zocht naar een eind van zijn zin, maar kon niets beters vinden dan: '... wat ze doen. Je kunt zeggen wat je wil...' Hij keek achterom; blijkbaar maakte hij zich op deze lege trap opeens zorgen over de vrijheid van meningsuiting. 'Maar er valt wel iets te zeggen voor de communisten.'

Will had niets voor de communisten te zeggen en hield dus maar zijn mond. Ze gingen met de sleutel van de huisbaas het eerste appartement binnen.

'Het ruikt alsof het een halfjaar potdicht is geweest,' zei Keith. 'Zet jij de ramen even open?'

Crippen en zijn hulpje waren er al toen Zeinab arriveerde. Hij had Zulueta meegebracht. De brigadier zat aan Inez' bureau. Hij had handschoenen aangetrokken en keek door een vergrootglas naar het kruisje en de ketting.

'Wat is er aan de hand?' zei Zeinab, terwijl ze haar schoenen met naaldhakken uittrapte.

'Ik heb dat gevonden.' Inez wees naar het bureau.

'Is dat hét kruisje?' Zeinab keek over Zulueta's schouder, met haar wangen dicht bij zijn haar, zodat hij op een vleugje *Tuberose* eau de toilette van Jo Malone werd getrakteerd.

'Daar ziet het naar uit,' zei Zulueta.

'Als je dat ziet, lopen de rillingen over je rug. Mijn... eh, een vriend van me denkt dat ze met die ketting is gewurgd. Is dat zo?'

Geen van beide politiemannen gaf antwoord, maar Zulueta keek geschokt, misschien omdat ze zo indiscreet was, misschien ook omdat ze zo dicht bij de waarheid kwam.

'Nou, mevrouw Ferry.' Misschien had Crippen het gevoel dat hij weer de leiding van het groepje moest nemen. 'We zullen dit pand moeten doorzoeken. Als u daar bezwaar tegen hebt, zal het me geen moeite kosten een huiszoekingsbevel te krijgen.'

Inez stond op. Ze had er genoeg van. Niemand bedankte haar voor het bellen van de politie; ze verweten haar alleen dat ze niet de vorige avond om negen uur had gebeld. De twee rechercheurs behandelden haar alsof ze de medeplichtige van de rottweiler was, vond ze, en daar was ze kwaad om.

'Ik heb helemaal geen bezwaar,' zei ze ijzig. 'Ik weet niet waarom u veronderstelt dat ik u wil tegenwerken. Dat zou ik absoluut niet willen.' Hun gedrag was mijlenver verwijderd van de hoffelijke manier waarop Forsyth met behulpzame getuigen omging. 'Als dit zo doorgaat, dien ik een klacht in.'

'En die onderteken ik ook,' zei Zeinab, altijd loyaal. 'Ze behandelen je alsof je een misdadiger bent.'

'Ik wilde u niet op stang jagen,' zei Crippen, en daarmee maakte hij het alleen maar erger. 'Bel even naar het bureau, Zulueta, en vraag of Osnabrook en Jones hierheen kunnen komen om het huis te doorzoeken. Nou, mevrouw Ferry, als u een beetje tot rust bent gekomen: wie komen er in uw winkel? Ik bedoel, ik wil weten wie dat halssnoer, dat sieraad, wat het ook is, daar kan hebben neergelegd.'

'Honderden mensen,' zei Inez.

'Minstens twintig per dag.' Zeinab richtte de volle kracht van haar glanzende zwarte ogen op Crippen. 'Op sommige dagen nog meer.'

'U verkoopt toch niet twintig keer per dag iets?' Het ongeloof in zijn stem was weer een belediging. 'Ze kopen toch niet allemaal iets?'

'De helft wel,' zei Zeinab, niet helemaal naar waarheid.

'Dan zijn er ook nog uw huurders. Ik heb sommigen van hen hier ontmoet.' Hij zei het op een toon alsof Inez een bordeel exploiteerde. De winkeldeur zwaaide open en Morton Phibling kwam binnen. 'Is dat ook een huurder of een klant?'

'Dit is mijn verloofde.' Zeinab had eraan gedacht deze ochtend de juiste verlovingsring om te doen. Ze hield hem onder Crippens neus. 'Meneer Phibling.'

Hoewel Morton er in zijn blonde alpacajas ongeveer zo uitzag als het grote publiek zich een gangsterbaas voorstelde, maakte de rijkdom die hij uitstraalde de nodige indruk op Crippen. 'Ik denk niet dat we u bij ons onderzoek hoeven te betrekken, meneer,' zei hij.

Morton negeerde hem. 'Wat is er zaterdag met je gebeurd, mijn roos van Sharon, mijn lelie van de dalen?'

'Goede vraag,' zei Zeinab. 'Mijn vader wilde me niet het huis uit laten. Je weet hoe hij is. Hij heeft me in mijn slaapkamer opgesloten.'

'En daar zat ik dan, eenzaam en alleen, aan mijn tafel in Claridges op je te wachten, te bedroefd om te eten, te teleurgesteld om iets anders te doen dan cognac drinken. Zijn er geen telefoons in het huis van je vader?'

Daar hoefde Zeinab geen antwoord op te geven, want op dat moment hoorden ze een politiesirene gillen. Het bericht dat aan Osnabrook en Jones was doorgegeven, was niet goed overgekomen, en ze dachten dat ze waren opgeroepen om naar een roofoverval te gaan. Eenmaal gearriveerd en op de hoogte gesteld, begonnen ze met hulp van Zulueta de winkel te doorzoeken.

'En nu de huurders,' zei Crippen. 'Wilt u me vertellen hoe ze heten?'

'Meneer Cobbett woont in een appartement op de tweede verdieping en mevrouw Gogol in het andere appartement daar, en meneer Quick helemaal boven.'

'Wie woont er dan op de eerste verdieping?' Crippen stelde zijn vraag op achterdochtige toon, alsof ze een misdrijf probeerde te verbergen.

'Nou, vreemd genoeg woon ik daar. Of dacht u dat ik hier beneden op de vloer sliep?'

Ze vonden het zakhorloge. Dat lag ook op een tafelblad in een donkere hoek, op een groen bord in de vorm van een koolblad en verborgen achter de rij bekers in de vorm van een man met een steek. Het liep nu tegen de middag. Crippen wilde weten hoe laat de huurders van hun werk kwamen en Inez zei dat Ludmila en Freddy nooit naar buiten gingen zonder door de winkel te gaan. Die moesten dus thuis zijn.

'Waarom hebt u dat niet eerder gezegd, mevrouw?'

'U hebt me er niet naar gevraagd. Meneer Quick zal om zes uur thuis zijn en meneer Cobbett al eerder, waarschijnlijk om ongeveer halfvijf.'

Inez vond het niet prettig om hem over Will te vertellen, maar als ze dat niet deed, zou hij het van iemand anders te horen krijgen. Will was kwetsbaar. Hij zou doodsbang zijn voor een man als Crippen, hij zou niet weten wat hij moest zeggen, hij zou het gewoon niet begrijpen. Moest ze proberen het uit te leggen? Beter van niet. Ze kon zich precies voorstellen hoe de inspecteur zou reageren als hij hoorde dat iemand... Tja, wat was Will? Autistisch? Niet echt. Geestelijk onvolwaardig? Zeker niet. Die politiek incorrecte term klonk tegenwoordig erg beledigend. Hij had alleen maar een licht chromosomaal probleem. Crippen zou dat vast wel begrijpen en hem vriendelijk behandelen...

Hoewel ze volhield dat ze hen niet tegenwerkte, vroeg ze hen om buiten bij Ludmila aan te bellen en niet via de binnendeur naar boven te gaan.

Osnabrook bleef achter. Hij was er in zijn koppigheid van overtuigd dat hij de sleutelring en de aansteker zou vinden als hij maar lang genoeg zocht. Het was niet goed voor de zaken om de politie over de vloer te hebben, dacht Inez, en zeker niet om een politieauto voor de deur te hebben staan. Zeinab was naar buiten gegaan om bij Morton in de auto te gaan zitten, en zo te zien hadden ze ruzie over iets. Even later kwam ze terug, haar gezicht rood van ergernis, en begon ze haar make-up bij te werken, want die had door hun verhitte woordenwisseling het smelt-punt bereikt.

'Ik had hem nooit over mijn vader moeten vertellen,' zei ze. 'Nu wil hij hem ontmoeten en hem om mijn hand vragen. Dat zegt hij. Het wordt van hem verwacht, zegt hij. Over mijn lijk, zei ik tegen hem. Als je dat probeert, is het helemaal uit tussen ons.'

'Het is je eigen schuld,' zei Inez energiek. Hoewel ze ervan overtuigd was dat Osnabrook buiten gehoorsafstand was, ging ze zachter praten. 'Je hebt je gepresenteerd als een ouderwets, om niet te zeggen middel-eeuws meisje. Ik bedoel, je hebt niet... Je bent toch niet naar bed ge-weest met hem of Rowley?'

Oprecht geschokt door die woorden, kreeg Zeinab een kleur onder de foundation. 'Absoluut niet.'

'Nou dan. Meisjes doen dat tegenwoordig, weet je. Zeker wanneer ze verloofd zijn. Je hebt zelf gezegd dat Rowley zei dat de verloving het moderne huwelijk was. Hij bedoelde daarmee vast wel wat meer dan dat je een ring draagt en een advertentie in de krant zet. Zetten ze je niet onder druk?'

'Wat dacht je? Ze doen niet anders.'

Inez lachte. Zeinab keek geërgerd en veranderde van onderwerp. 'Je be-seft toch zeker wel dat de rottweiler hier binnen geweest moet zijn, ver-momd als een normale klant? Misschien heeft hij iets gekocht. Hij heeft met ons gepráát. En al die tijd sloop hij hier rond en legde hij de dingen van die dode meisjes in je winkel.'

'O, ja, dat besef ik.' Inez veranderde de onvermijdelijke zucht in een kuchje.

Crippen en Jones kwamen om halfzes terug. Toen was Will al ongeveer een halfuur thuis. Inez ging naar boven zodra ze hen uit hun auto zag stappen. Ze liet de winkel aan Zeinab over tot ze om zes uur dichtgin-gen. Will, die al naar de televisie zat te kijken, zou niet op het idee zijn gekomen een bezoeker een kop thee aan te bieden, en dus vroeg Inez het hem direct. Zij zou de thee wel zetten, zei ze. Hij hoefde het niet erg te vinden, alles kwam goed, maar er kwamen twee politiemannen over de moord op die meisjes praten, wist hij waar ze het over had? Hij knikte, al wist hij het eigenlijk niet. Ze zou erbij blijven, zei ze, en ze voelde zich net de advocaat van een verdachte op het politiebureau, maar in elk geval zou ze in de keuken blijven tot ze er een paar minuten waren geweest.

Will legde zich er blijkbaar bij neer. Hij maakte geen nerveuze indruk. Op voorstel van Inez zette hij de televisie uit. Zodra het geluid was weggestorven, ging de buitenbel. Will kon daarmee omgaan. Hij pakte de intercom, zei hallo en drukte toen op een knop om de deur open te maken. De twee rechercheurs kwamen naar boven en Will zei wat Inez hem geluidloos met haar mond voorzei: 'Komt u binnen.'

'Meneer Cobbett?'

Will knikte, al noemde nooit iemand hem zo. Inez, in de keuken, zag dat het water aan de kook kwam.

'Hebt u dit ooit eerder gezien?' Jones haalde het zilveren kruisje, dat nog in het steriele zakje zat, tevoorschijn.

Will keek ernaar, schudde zijn hoofd en zei: 'Ik heb het nog nooit gezien.'

'Weet u wat het is?'

Tot de veel mooiere sieraden in *De schat van 6th Avenue* had een gouden kruisje behoord dat ongeveer even groot was. Will kon het zich goed herinneren, zoals hij de meeste details uit de film nog in zijn hoofd had zitten. 'Het is een kruisje.'

'Het was eigendom van Gaynor Ray, wier lichaam vorige week in Nottingham is gevonden. Dat herinnert u zich zeker wel?'

Dit was voor Inez een teken om blijk te geven van haar aanwezigheid. Ze liet de theekopjes kletteren en toen Crippen zei: 'Er is daar iemand', kwam ze met een onschuldige glimlach tevoorschijn.

'Wilt u een kopje thee, meneer Crippen?'

'Nee, dank u. Ik had de indruk dat we alleen waren.'

'O, ja? U thee, meneer Jones?'

Jones keek naar zijn chef, wendde zijn ogen af, liet zijn voorzichtigheid varen en zei dat hij wel wilde. 'Graag, dank u.' Inez glimlachte triomfantelijk. Luchtig zei ze: 'Ik drink mijn thee op en dan ga ik. Jammer genoeg kan ik geen hete thee drinken.'

'U weet zeker dat u dit nooit eerder hebt gezien, meneer Cobbett?'

'Hij heeft al gezegd van niet,' zei Inez in haar rol van advocaat.

'Dank u, mevrouw Ferry. Komt u veel in mevrouw Ferry's winkel?'

'Ik kom nooit in de winkel,' zei Will. 'Eén keer wel.' Hij probeerde zich de dag van de week te herinneren, maar dat lukte niet. 'Eén keer ben ik geweest, hè, Inez?'

'Dat was vorige week. En het was de enige keer dat je er ooit bent geweest.'

Toen ze dat zei, besefte Inez wat die woorden konden betekenen, maar wat had ze anders kunnen zeggen? Je kon altijd zo zien dat Will de waarheid sprak. Misschien was hij te onschuldig, te naïef om iets anders dan de waarheid te spreken. Hij glimlachte onzeker.

'Goed, meneer Cobbett. Dat is het voorlopig wel. We komen nog een keer met u praten. Kom, Jones, als je die thee niet kunt drinken, laat je hem maar staan.'

Inez zei tegen Will dat ze terug zou komen en ging met hen mee, haar kop en schotel in haar hand. Zonder omhaal zei Crippen op de trap: 'Wat is er met hem? Hij is een beetje lijp, hè? Heeft hij niet veel in zijn bovenkamer?'

Inez was woedend, maar dat liet ze niet blijken. 'Will Cobbett,' zei ze op waardige toon, 'is een normale jongeman die wat leermoeilijkheden heeft. Hij kan lezen, maar niet vlot. Ik denk niet dat hij ooit een krant inkijkt en ik kan u vertellen dat hij nooit naar het journaal kijkt.'

'Niet veel in zijn bovenkamer dus, zoals ik zei. Denkt u dat die Quick al terug is?'

'Dat weet ik niet.'

'Dan bellen we bij hem aan, Jones, en als hij niet thuis is, wachten we tot hij komt.'

Toen Inez weer boven was, zette ze Wills kop en schotel terug en waste ze ze af met de rest. Het was zes uur en Will keek naar een quiz op Channel Five. Zo te zien was hij niet van streek geraakt door het bezoek van de politie. Inez hoorde Jeremy Quicks voetstappen op de trap en toen de buitenbel. Ze ging weer naar beneden en kwam Crippen en Jones op de trap tegen.

'Al die trappen zouden mijn dood worden,' zei Crippen.

Jeremy Quick kwam op hen over als een fatsoenlijke, respectabele, volkomen normale burger. Hij had geen leermoeilijkheden; hij vluchtte niet in luiheid weg, hield zich niet opzettelijk afzijdig van wat het hele land in rep en roer bracht. Vreemd genoeg dwong hij Crippens respect af door hun niets te drinken aan te bieden. Als mensen de politie erg gastvrij ontvingen, deden ze dat volgens Crippen alleen maar om in de gunst te komen, om te camoufleren dat ze iets te verbergen hadden. En dan die onzin van Cobbett dat hij nooit in de winkel was geweest, behalve één keer! Die Cobbett stond blijkbaar op erg goede voet met Inez Ferry. Was het geloofwaardig dat hij maar één keer in de winkel was geweest? Eén keer, en dan ook nog op een cruciaal moment? Een paar dagen voordat het kruisje was gevonden en kort na de vondst van Gaynor Rays lichaam en de bekendmaking van wat er uit haar tas ontbrak.

Quick daarentegen sprak in alle eerlijkheid over zijn vriendschap met mevrouw Ferry. Elke morgen ging hij, op weg naar zijn werk, even bij haar langs en dan zette ze thee voor hem. Waarschijnlijk viel ze op hem. De meeste vrouwen zouden op hem vallen, dacht Crippen, zo'n lange, goedgebouwde, goedgeklede man als hij. Hij nam het Quick helemaal niet kwalijk dat die op zijn horloge keek en zei: 'Als u tevreden bent met wat ik heb gezegd... Ik moet nog wat doen...' En hij stoorde zich ook niet aan zijn korte afscheidswoorden: 'Tot ziens. Doet u de deur dicht op weg naar buiten.' Geen pluimstrijkerij, geen schuldgevoel waardoor hij bij de autoriteiten in een goed blaadje wilde staan.

'Misschien komen we bij u terug, meneer,' zei hij. Dat zei hij altijd. Hij betwijfelde of ze inderdaad terug zouden komen.

Toen ze weg waren, keek Jeremy hen door het raam na tot hij hun auto om de hoek van Norfolk Square zag verdwijnen. Hij kon erg goed ruiken, meer als een hond dan als een mens, had hij wel eens voor de grap gezegd, en nu rook hij met afkeer de citroenachtige geur 'met een zweem van aromatische kruiden' die Jones had achtergelaten. Een bekend mannengeurtje, dacht hij, goedkoop en scherp. Met een klein maatje wodka-tonic in zijn hand – ze zeiden altijd dat je wodka niet rook of proefde, maar hij wist wel beter – liep hij zijn dakterras op. De klok was vooruitgezet en het zou nog een uur duren voordat de zon onderging. De namiddagwarmte, goudgeel en weldadig, bracht zijn tulpen in hun groen geverfde bakken en zijn gele narcissen tot bloei. Een van de kleine laurierbomen had goudgele bloesems, voor het eerst sinds hij hem had gekocht. Op de tafel stond een blauw met witte aardewerken pot vol roze en gele en lila fresia's, mooie dingen met een verrukkelijke geur. Hij deed zijn ogen dicht en ademde die geur in.

Even later maakte hij, terwijl hij een slok uit zijn glas nam, de la onder de tafel open en pakte daaruit – tussen pennen en potloden, computer-schijfjes, rollen plakband en een kleine rekenmachine – een gouden sleutelring met een Schotse terriër van onyx, een zilveren aansteker met de initialen NN in rode steentjes, en twee zilveren oorhangers in de vorm van grote ringen met kleine briljantjes.

9

Hij had plannen gemaakt om van die kleine voorwerpen af te komen en ze stuk voor stuk verworpen. Eerst had Jeremy erover gedacht om zich op ongeveer dezelfde manier van die dingen te ontdoen als van het zilveren kruisje en het zakhorloge, namelijk door ze stiekem tussen de snuisterijen in een antiekwinkel te leggen. Alleen deze keer niet in Inez' winkel, maar in een andere. Zulke winkels waren er volop in Church Street en ook in Westbourne Grove. Het zou niet moeilijk zijn geweest. Maar hij had geen goede reden om die winkels binnen te gaan, behalve dan als mogelijke koper, en misschien zou een verkoper of de eigenaar zich hem herinneren, vooral wanneer de aansteker en de sleutelring gauw werden gevonden. De oorringen waren voorlopig een andere zaak. Hij had ook het idee gehad – eigenlijk was het meer een grap – om de voorwerpen achter te laten in de onmiddellijke nabijheid van de plaats waar de meisjes hadden gelegen. Ook daar zaten veel problemen aan vast. In Boston Place bijvoorbeeld, waar Caroline Dansk was gestorven, waren nogal veel mensen, zelfs als het donker was. Door de lange rij huizen aan de ene kant van de straat en de hoge muur aan de andere kant, zonder bomen of andere dekking, was het gevaarlijk om daarheen terug te keren.

De aansteker die hij van Nicole Nimms had afgenomen, was het tweede van deze voorwerpen, en hij had een eenvoudige reden gehad om hem mee te nemen. Hij had een sigaret willen opsteken. Tegenwoordig rookte Jeremy bijna nooit meer, dat paste niet bij zijn tweede persoonlijkheid, het andere imago dat hij wilde creëren. Hij wilde zich presenteren als een man die in de meeste opzichten sober leefde. Er waren al weken voorbijgegaan zonder dat hij rookte, maar die avond, toen Nicole zijn eerste slachtoffer in meer dan een jaar was geweest, het slachtoffer dat hij niet had verwacht, was de behoefte aan een sigaret hem te machtig geworden. En vervolgens had hij de sigaretten en de zilveren aansteker, met de initialen NN, in haar tasje gevonden en hierdoor was die aansteker de voorloper van zijn latere kleine diefstallen geworden. Over het algemeen had Jeremy een hekel aan stelen. Het was de Britse zonde, dacht hij vaak, die zich nu over het hele land verspreidde. Je kon in Star Street niets meer buiten laten staan zonder dat iemand het inpikte zodra je je even omdraaide. Die walgelijke kleine criminaliteit. Dat hij een klein voorwerp van de meisjes afpakte, was iets anders. Het was bijna poëtisch geworden, zijn teken, zijn kenmerk.

Na Nicole had hij deze tweede identiteit aangenomen en had hij besloten zich in de wijk te vestigen die het dichtst bij de plaats lag waar hij haar had gedood. Vanaf het begin had hij het gevoel gehad dat hij niet die man was die doodde, de wurger, de rottweiler, maar dat het iemand anders met een ander leven en een andere naam was. Hij was Alexander Gibbons, de conventionele man, de normále man, maar die moordenaar was heel iemand anders over wie hij geen macht uitoefende. Jeremy Quick zou zijn naam zijn en hij zou niet in een mooi huis in Kensington wonen maar in een appartement boven een winkel in Paddington.

Als hij weer doodde, zou hij het onder die naam doen. Alexander Gibbons, de zoon van zijn moeder, de computerexpert, de man die zich op eigen kracht omhoog had gewerkt, zou onschuldig zijn, zou er helemaal los van staan. Die man hoopte dat zijn alter ego niet opnieuw zou doden, dat wat het ook was dat hem aanzette om te doden genoegen nam met twee moorden en nu rust zou vinden. Jeremy Quick, die de voorwerpen in zijn handen had die hij niet van twee maar van drie van zijn vijf slachtoffers had afgenomen, wist dat niets hem kon tegenhouden. Hij wist dat zonder enige emotie, aanvaardde het als iets gruwelijks maar onvermijdelijks, iets wat hij deed terwijl hij die ander was die op dat andere adres woonde.

Jeremy Quick was arrogant zoals Alexander Gibbons dat nooit was. Hij wist het zelf en was er trots op. Hij was er bijvoorbeeld meesterlijk goed in om de gedachten van andere mensen te lezen, zoals hij die van Inez had gelezen toen hij op zo'n belachelijke manier de fout was ingegaan met de leeftijd van Belinda Gildons moeder. Zodra hij had gezegd dat ze 88 was, of beter gezegd, nadat hij dat had gezegd, zodra hij had gezegd dat Belinda 36 was, zag hij aan Inez' gezicht dat hij een fout had gemaakt. Een vrouw met ook maar een beetje intelligentie zou dat hebben ingezien. Het was geniaal van hem geweest dat hij op haar gedachten inspeelde en eventuele achterdochtige vragen vóór was door zijdelings op te merken dat Belinda als kind geadopteerd was. Hij had Belinda moeten uitvinden om de indruk te wekken dat hij iemand had, dat hij een normale man was, niet iemand die zijn avonden in sombere eenzaamheid doorbracht. Iemand met minder fantasie zou haar bijvoorbeeld Jane Venables of Anne Tremayne hebben genoemd, namen die romanschrijvers zouden kiezen, en dan nog schrijvers van het tweede garnituur. Het zou een interessante verhandeling kunnen worden, misschien zelfs een dissertatie: de namen die schrijvers voor hun personages kozen. Je kon ze in categorieën indelen, van Trollopes onomatopoëtische dr. Omicron Pie en Dickens' sir Leicester Dedlock tot de Carruthers en Winstanleys van de spionageromans, die altijd een vrouw hadden die Mary heette. Het was ook slim van hem geweest om tegen de politie te zeggen dat hij die rennende man of vrouw had gezien en geloofde dat hij of zij aan het joggen was. Ze vertrouwden hem, hadden zelfs bewondering voor hem. Dat kon hij merken.

Hij had zijn wodka op en zou geen tweede glas nemen. Evenmin zou hij een sigaret nemen. Alexander was degene die rookte, niet hij. Alles in Jeremy's leven was georganiseerd, tot in het kleinste detail geregeld. Alexander was slordiger. Om tien voor halfacht zou Jeremy naar beneden gaan en op Inez' deur kloppen. En hoewel hij in de verleiding kwam om na te denken over dramatische, veelbetekenende, schokkende manieren om zich van de sleutelring en de aansteker te ontdoen, zette hij al die gedachten uit zijn hoofd, ging in een fauteuil tussen de laurierbomen zitten en pakte *Kritiek van de zuivere rede* van Kant. Hij las verder op de plaats die hij met een boekenlegger van groen leer en goudblad had aangegeven. Het was moeilijker dan Nietzsche, maar schonk ook meer bevrediging. Lang geleden had hij zichzelf geleerd zich te concentreren op datgene waar hij mee bezig was, wat dat dan ook mocht zijn, en op dit punt kwamen zijn geest en die van Alexander samen.

Om acht minuten voor halfacht, een halfuur nadat hij de lichten had aangedaan, legde hij de boekenlegger terug, maar nu tien bladzijden verder. Hij ging met zijn glas naar de keuken en zette het op het afdruiprek, liet één lamp branden en ook een in het halletje, pakte zijn sleutels en ging naar beneden. Hij drukte op Inez' bel en even later deed ze de deur op de ketting open. Erg verstandig. Meestal tikte hij alleen even zachtjes op de deur. Ze had verwacht dat haar bezoeker een andere huurder zou zijn, iemand die ze niet zou binnenlaten maar met wie ze door de deuropening zou praten, en ze had de televisie aan gelaten. Ze deed de ketting van de deur af, keerde hem de rug toe en zette meteen het toestel uit.

Hij begreep onmiddellijk wat ze had gedaan. Op het scherm was alleen een soort autoachtervolging te zien geweest, enkele seconden daarvan, maar hij zag de videocassette op de plank, met op de rug een foto van wijlen haar man. Martin Ferry, Jeremy had nooit een van de producties gezien waarin hij meer dan vijf minuten meespeelde, maar hij herkende hem van de krantenfoto's. Inez bloosde. Wat moest ze toch dwaas zijn, pathetisch en sentimenteel, om nog zo te zwijmelen over een man die al drie jaar dood was.

'Het spijt me zo dat ik je kom storen, Inez,' zei hij met een stem waarin misschien te veel medegevoel doorklonk, want ze keek hem vaag argwanend aan.

'Dat geeft niet, Jeremy. Wat kan ik voor je doen?'

'Het is een beetje eigenaardig. Maar ik wilde het je uitleggen en dat zal ik doen.'

'Wil je iets drinken?'

Hij schudde zijn hoofd. 'Mag ik gaan zitten?'

'Natuurlijk. Jullie komen woensdag niet, is dat het? Belinda kan niet komen?'

Hij had zijn verhaal voorbereid, en dat was maar goed ook. Inez keek geërgerd, nou ja, gepikeerd. Dit was het juiste moment. 'Ik zal er maar niet omheen draaien. Belinda en ik zijn... nou, niet uit elkaar. Dat nog niet precies, al zal het er vast wel van komen. We zijn tot de conclusie gekomen dat we allebei behoefte hebben aan...' Hij mocht zich niet in die absurde frase vergissen. 'Aan ruimte. We hebben tijd nodig om over onze situatie na te denken. Het is namelijk zo – ik kan het je maar beter vertellen – dat ze zegt dat ik me stoor aan de tijd die ze bij haar moeder doorbrengt. En dat kon ik niet ontkennen. Ik zei dat ik niet getrouwd wilde zijn met iemand die altijd haar moeder voor haar man laat gaan.'

Inez knikte. 'Dus haar moeder blijft in leven?'

'Daar lijkt het wel op. Waarschijnlijk nog jaren. Wat betekent dat voor Belinda en mij? Ik geloof in absolute loyaliteit tussen huwelijkspartners. Jij toch ook?'

'Ja, ik geloof van wel.'

'Een vrouw moet haar man op de eerste plaats laten komen.'

'En een man zijn vrouw ook?'

'Dat spreekt vanzelf,' zei Jeremy.

'Nou, ik vind het jammer. Ik hoop dat jullie weer bij elkaar kunnen komen. Als ik moet afgaan op wat je me hebt verteld, denk ik dat jullie goed bij elkaar passen.'

Inez was overtuigd, of niet? Misschien gedroeg ze zich alleen maar zo omdat ze terug wilde naar haar sentimentele herhaling van het verleden of wat voor gevoel het haar ook gaf om naar een overleden man in een tweederangs televisieserie te kijken. 'Maar als ik woensdag in mijn eentje mag komen, zou ik dat erg leuk vinden.'

'Liever niet, Jeremy. Ik maak van de gelegenheid gebruik om mijn zus op te zoeken. Het gaat niet zo goed met haar gezondheid en ik heb haar in geen weken gezien.'

Ze glimlachte niet, keek hem niet eens aan. Misschien was ze alleen maar moe, of misschien was ze bang geworden door de gebeurtenissen van de afgelopen dag. Hij had verwacht dat ze met hem over die gebeurtenissen wilde praten, dat ze de implicaties wilde bespreken, hem wilde vragen wat de politie had gezegd en hem misschien ook wilde vertellen wat ze tegen Cobbett en dat meisje met die Indiase naam hadden gezegd. Maar ze stond op uit haar stoel, een gebaar bij uitstek om een gast te laten weten dat hij moet gaan. Hij had geen andere keuze dan te vertrekken, en 'geen keus' kwam niet in zijn levensprogramma voor. Het maken van keuzes had altijd een grote rol in de filosofie van zijn bestaan gespeeld. Had hij niet voor deze tweede identiteit als uitlaatklep gekozen, als middel om zijn verstand niet te verliezen? In maar één opzicht had hij geen keus...

Inmiddels was hij buiten. Het was al donker, maar nergens in de buurt was een onverlichte plaats. Jeremy hield van absolute duisternis. Zelfs in Hyde Park, dat niet al te ver weg was, brandden op dit uur lantaarns, maar de meeste Londense pleinen hadden een plantsoen in het midden dat onder een sluier van zwartheid lag. Niet Norfolk Square, dat was te klein, dacht hij toen hij daar aankwam. Hij ging naar het zuiden en stak Sussex Gardens over bij café Monkey Puzzle. Er stond geen maan die avond. De sterren waren altijd onzichtbaar aanwezig in die doffe, rossig zwarte hemel.

Sussex Street vormde een van de vier kanten van Gloucester Square. De verlichting was hier bepaald niet fel. De rijke bewoners van deze huizen maakten natuurlijk bezwaar tegen chemische verlichting op hoge be-

tonnen palen. Dat was iets voor de armen, voor de goedkope woonwijken. Jeremy liep langs het hek in het midden van het plein tot hij bij een
ingang kwam. Natuurlijk zat die op slot, dat was te verwachten, en alle
bewoners hadden een sleutel. Hij koos een hoek die het minst te zien
was vanuit de ramen in de hoge herenhuizen, legde zijn regenjas over
de punten op de bovenkant van het hek en klom eroverheen.

Achter het hek waren struiken en bomen, met een pad dat rond een
grasveldje liep. Die plantsoenen waren allemaal hetzelfde. Waarschijnlijk was er een bankje. Terwijl zijn ogen aan het donker gewend raakten,
liep hij over het pad, hij vond een bankje en ging zitten. De ijzige kou
van de natuursteen kroop omhoog door zijn billen en zijn rug, en hij
huiverde. Het was bijna pijn, maar het legde het af tegen het geweldige
gevoel dat hij hier was. Het was uiterst onwaarschijnlijk dat er nu
iemand naar het plantsoen zou komen. Alleen in deze stille plantsoenen, onder de bomen in de reukloze, geluidloze duisternis, had hij echt
het gevoel dat hij alleen was en rust vond.

Hij dacht aan de sleutelring en de aansteker. Hij kon ze gewoon naar de
politie sturen. Dat zou een man van minder kaliber doen. Met dunne
latexhandschoenen aan kon hij ze schoonvegen, ze in een luchtkussen-
envelop laten vallen die hij niet had aangeraakt, met een computer het
etiket maken, en ze naar het politiebureau Paddington Green sturen.
Vroeger zou dat gemakkelijk zijn geweest. Nu niet meer, met al die
nieuwe detectiemethoden. Tegenwoordig konden ze waarschijnlijk zien
waar hij die envelop had gekocht en dat label, wat voor handschoenen
hij had gedragen en in elk geval via welk postkantoor de envelop was
gegaan. Maar de computer nog niet. Als computeradviseur in zijn kantoor in Kensington werkte Alexander een groot deel van zijn tijd aan de
ontdekking van een methode waarmee forensische specialisten individuele IT-systemen konden identificeren, en dus ook degene die er gebruik van had gemaakt. Er lag een fortuin klaar voor de uitvinder, als
het kon worden uitgevonden. Het zou niet goed voor hem zijn als hij
het nu ontdekte...

Toch zou hij de voorwerpen niet naar de politie sturen en hij zou ze ook
niet in andere antiekwinkels achterlaten. Natuurlijk kon hij ze in een
rioolputje laten vallen of zelfs, zonder bang te hoeven zijn voor ontdekking, in een vuilnisbak. Maar dat sprak zijn artistieke kant niet aan, of
het was hem gewoon niet riskant genoeg. Hij huiverde, en niet van de
kou. Ze op iemand anders afschuiven? Die dwaas van een Freddy

Perfect of die idioot die naast Freddy woonde? Dat zou grappig zijn, maar het was ook veel te riskant. Hij zou de reservesleutels uit Inez' kantoortje achter de winkel moeten lenen en ze later terug moeten hangen. Het was te doen, maar was het niet veel te veel werk?

Jeremy stond op en liep tegen de klok in door het plantsoen. En toen liep hij met de klok mee terug. Het was hier erg stil. Aan de ene kant reed een auto voorbij, en een andere auto reed door Sussex Street; het waren grote, dure auto's en ze reden langzaam. Hij klom weer over het hek en liep terug met een omweg via Bryanston Square en door Seymour Place. In een zijstraatje van York Street had hij Nicole Nimms gewurgd en een sigaret en de aansteker uit haar tasje genomen. Ze was in dat straatje op weg geweest naar het kleine huis dat ze met twee andere meisjes bewoonde. Dit was de plaats, of beter gezegd, dát was de plaats, daar onder de stenen poort. Hij zag een in cellofaan verpakt boeket narcissen op de keistenen liggen. Natuurlijk! Gisteren was het precies een jaar geleden dat ze stierf. Hij was dat niet vergeten, maar het had niet veel betekenis voor hem gehad.

Het leek met de minuut kouder te worden. De lucht was opgeklaard en de maan was tevoorschijn gekomen. Er was nachtvorst op komst. Hij liep vlug door Seymour Place, sloeg links af en nam Old Marylebone Road. Een meisje alleen kwam uit Harcourt Place. Ze maakte geen nerveuze indruk maar liep vlug in de richting van Edgware Road. Hij zag haar lopen, glimlachte, zij het in zichzelf en niet tegen haar, toen ze twee keer achterom keek om te zien waar hij was. Ze had niets van hem te duchten, al kon ze dat niet weten. Wat het ook was dat hem naar zijn slachtoffers toe had getrokken, zij had het niet; zelfs dicht bij haar en in het donker wist hij dat. Het moest vreemd en lastig zijn om als vrouw bijna niet over straat te durven gaan als het donker werd. Maar hij kon zich niet voorstellen dat hij een vrouw zou zijn. Hij kon zichzelf eerder als een fraai dier voorstellen, een nobele hond of een roofvogel. De jaguar in Inez' winkel toen hij nog een levende jager was, trots op zijn kracht. Of zelfs een rottweiler?

Het liep tegen tien uur toen hij naar Sussex Gardens overstak en Southwick Street insloeg. Er was niemand op straat, geen sterveling. In Edgware Road was het nog levendig geweest, met veel lichten en overal groepjes tieners. Mannen uit het Midden-Oosten zaten in de kou voor de cafés hun waterpijp te roken, de Libanese restaurants zaten vol en de winkeltjes deden nog veel zaken. In Star Street was het net zo stil als hier. Hij was het liefst ergens waar het helemaal stil was. Hij had altijd van stilte en rust gehouden. Ga maar na wat er gebeurde toen hij, bij wijze van uitzondering, naar een nachtclub ging, een luidruchtiger gelegenheid kun je je niet voorstellen. Als hij dat niet had gedaan, zou de cyclus van moorden misschien nooit zijn begonnen...

Een jongen van een jaar of achttien liep Star Street in, een eindje voor hem uit maar aan de overkant. Hij kwam duidelijk ergens uit Azië, waarschijnlijk uit het zuiden daarvan, want zijn huid was donker gebronsd en zijn haar, dat op zijn schouders hing, was zwart. Hij droeg een pak met een krijtstreep, en dat was op zichzelf al vreemd. Net voordat hij de zijstraat bereikte die hem naar St Michael's Street zou brengen, stak hij de straat over en ging in het licht van de lantaarn op de hoek staan, alsof hij op iemand wachtte. Toen Jeremy bij de deur van Inez' huis kwam, keek hij nog even naar hem en zag dat hij een gezicht met fijne trekken had, Indo-Europees, met dunne lippen, hoge jukbeenderen en een lange, rechte, spitse neus. Ze keken elkaar even in de ogen, zwarte en licht purpergrijze ogen. Jeremy keek meteen een andere kant op en ging naar binnen.

Net als de twee jongemannen in het toneelstuk over Leopold en Loeb zei hij tegen zichzelf dat Jeremy uit nieuwsgierigheid doodde, om te onderzoeken wat voor gevoel het was. Maar *Rope* was geschreven voordat de psychoanalyse veel invloed op de literatuur had en het is de vraag of zo'n motief tegenwoordig nog overtuigend zou zijn. Alexander wist dat en hoewel hij dat argument in innerlijke dialogen naar voren bleef brengen, nam hij aan dat er ook nog iets anders meespeelde. Maar wat? Als hij een of ander syndroom had waardoor hij herinneringen verdrong, zou hij het natuurlijk nooit weten. Dan zou het uit hem gehaald moeten worden. Toch geloofde hij dat wanneer bijvoorbeeld een mannelijk familielid hem als klein kind had misbruikt (hetgeen hoogst onwaarschijnlijk was, want zijn moeder had hem nooit uit het oog verloren en was erin geslaagd hem van school te houden tot hij zeven was) of wanneer een kindermeisje hem stiekem had geslagen (hij had geen kindermeisje gehad), of zelfs wanneer zijn weduwe geworden moeder hem had verwaarloosd (ze had hem aanbeden, juist nog meer na de dood van zijn vader), hij alleen maar in zichzelf zou hoeven spitten om het te weten te komen. Hij had veel gespit en het had niets opgeleverd.

Van zijn eerste kinderjaren herinnerde hij zich niets, en omdat hij veel over psychiatrie had gelezen, wist hij dat zo'n trauma zich in de eerste jaren voordeed. Hij wist ook dat maar weinig mensen zich bewust iets herinnerden van gebeurtenissen die plaatsvonden voor hun derde. Maar wat kon er nu met hem zijn gebeurd als zijn moeder hem voortdurend in het oog hield? Toen hij uiteindelijk naar school was gegaan, hadden zijn andere leerlingen hem niet mishandeld en waren zijn leraren ook niet buitensporig streng geweest.

Moest hij de oorzaak in ongelukkige relaties met vrouwen zoeken? Er waren geen vrouwen in zijn leven geweest, tenzij je zijn huwelijk meerekende. Dat had plaatsgevonden toen hij en het meisje allebei tweedejaars waren aan de universiteit van Nottingham. Ze had gezegd dat ze zwanger was en in die tijd was het onder zulke omstandigheden nog verplicht om te trouwen. Er kwam geen baby. Na een paar maanden beweerde ze dat ze een miskraam had gehad. Alexander was zo naïef om haar te geloven, maar na een tijdje begon hij te twijfelen, want er was niets aan haar te zien geweest toen ze zwanger was en ook niet toen ze de miskraam had gehad. Voorzover hij kon nagaan, was hun seksuele relatie altijd bevredigend geweest, en hij zou het prima hebben gevonden als de dingen bleven zoals ze waren, al moest hij zichzelf toegeven dat hij niet erg op zijn vrouw gesteld was en ook niet graag in haar gezelschap was. Toen begon ze op een beledigende manier over de seks te klagen. Ze schreeuwde hem toe dat hij alleen maar op zijn eigen genot gericht was en dat haar gevoelens hem koud lieten. Ze kregen steeds vaker ruzie en na twee jaar gingen ze uit elkaar.

Alexander ging weer bij zijn moeder wonen. Hij had een aantal banen, steeds met computers, en beklom langzaam de carrièreladder. Op een cursus ontmoette hij een vrouw die zijn vriendin werd. Ze had een eigen woning, hij trok bij haar in, en een tijdlang was hij gelukkig. Zijn vriendin was ervarener dan zijn vrouw was geweest en stelde minder eisen. Maar toen hij bij haar was, ontdekte hij iets over zichzelf. Hij had er een hekel aan om anderen aan te raken en aangeraakt te worden. Ongetwijfeld was die fobie, dat gebrek, die eigenaardigheid, wat het ook was, een van de oorzaken van de mislukking van zijn huwelijk geweest. Hij zag ook nog iets anders onder ogen: hij had ontdekt dat het mogelijk was seks met een vrouw te hebben zonder haar met zijn handen aan te raken. Hij kon daar beslist niet met zijn vriendin over praten en het verbaasde hem dan ook niet dat ze besloot terug te keren naar de vriend die ze voor hem had verlaten. Toen was hij weer alleen. Hij bleek dat helemaal niet erg te vinden. Hij hield van de vrijheid en de rust van het alleenzijn, en als hij het huiselijk comfort miste dat zijn moeder hem had gegeven, besefte hij ook dat hij zich niet de rest van zijn leven in een dorp kon begraven. Hij was naar Londen verhuisd, naar een appartement in Hendon.

Hij bleek erg handig te zijn met computers en hun complexiteit. Op zijn dertigste ging hij weer naar de universiteit (niet in Nottingham) om informatica te studeren, een relatief nieuwe studie. Toen hij was afgestudeerd, lag er een veel betere baan op hem te wachten en begon hij geld te verdienen. Met zijn joviale, vriendelijke inslag maakte hij zich populair. Hij werd op feestjes uitgenodigd, kennissen belden hem op en vroegen hem om op recepties en evenementen voor een goed doel te komen. Onder zijn warme uiterlijk bleef hij koud en teruggetrokken, en dat was hij uit vrije wil, zei hij tegen zichzelf. Hij kocht een veel groter appartement, ditmaal in Chelsea.

Op een dag, toen hij bij zijn moeder was geweest, reed hij Nottingham in. Hij kwam daar voor het eerst sinds hij en zijn vriendin, jaren geleden, uit elkaar waren gegaan. Hij was gewoon nieuwsgierig naar de veranderingen die zich in de stad hadden voorgedaan. In Londen had hij nooit belangstelling gehad voor het uitgaansleven. Hij leidde een rustig, solitair leven, met als amusement het theater, de opera, een enkel zorgvuldig gekozen televisieprogramma, lezen, en winkelen om de dure dingen te kopen voor het stijlvolle huis dat hij niet ver ten zuiden van Kensington Gardens had gekocht. Maar zoals hij nieuwsgierig was geweest naar de stad die zijn metropool was geweest toen hij nog jong was, zo vervulden de felle lichten en het lawaai van het uitgaansleven hem niet alleen met weerzin maar oefenden ze ook een vreemde aantrekkingskracht op hem uit. Het zou geen kwaad kunnen als hij eens in een nachtclub ging kijken.

Dat was ongeveer twee jaar geleden. Hij kwam in een ondergrondse club terecht, een louche opzichtige tent waar stripdanseressen zich half uitkleedden en bij mannen op schoot gingen zitten. Hij maakte onomwonden duidelijk dat hij niet gesteld was op attenties van het meisje van wie hij later zou weten dat ze Gaynor Ray was. De nacht sleepte zich voort, hij verveelde zich, hij werd moe, maar toch bleef hij. Hij begreep niets meer van zijn eigen gedrag.

Om middernacht begon hij stevig te drinken, iets wat hij nooit had gedaan, zelfs niet als student. Even voor drie uur ging hij weg. Hij liep naar zijn Mercedes die hij op een geïmproviseerd parkeerterrein naast een bouwplaats had gezet en haalde een plaid uit de kofferbak om in de auto te gaan slapen. Hij bleef nog even buiten staan, want hij dacht dat de nachtlucht zijn opkomende duizeligheid en hoofdpijn zou wegnemen. Er kwamen drie meisjes uit de club. Het waren de danseressen, die naar huis gingen. Een van hen was het meisje voor hem, alleen zij. Waarom? Hoe wist hij dat? Ze waren alle drie jong en vrij knap. In de club hadden ze zich uitdagend gedragen; nu waren ze alleen nog maar moe. Het meisje dat het dichtst bij hem stond, was het meisje voor hem, de enige mogelijkheid, een meisje dat een onzichtbaar teken met zich mee moest dragen, een litteken of brandmerk of insigne, maar in elk geval een teken dat niemand kon zien. Zelfs hij dacht dat hij het niet kon zien, hij wist het niet zeker, maar hij wist dat hij het voelde.

Een verschrikkelijke opwinding maakte zich van hem meester. Zijn bloeddruk schoot omhoog, verwijdde zijn aderen, roffelde in zijn hoofd. Het zweet brak hem uit en maakte zijn borst en handen nat. Als een arts, een psychiater, hem had gevraagd te beschrijven hoe hij zich voelde, zou hij hebben gezegd dat het was of hij op springen stond. Hij keek naar de meisjes. Nee, hij keek naar háár.

Ze nam afscheid van de twee anderen en kwam in haar eentje naar hem toe. Ze bleef staan, glimlachte naar hem en zei: 'Logeer je in een goed hotel?'

'Zou kunnen,' zei hij.

'Dan wil je me zeker wel meenemen?'

'Stap in,' zei hij.

Ze ging nogal elegant en geoefend naast hem zitten en liet daarbij haar lange benen zien. Ze droeg schoenen met hoge hakken. Uit haar tasje had ze een zilveren kruisje aan een ketting gehaald en dat deed ze nu om haar hals, alsof het een amulet was, een beschermende mascotte. Hij schoof naar haar toe alsof hij het portier wilde sluiten, boog zich in plaats daarvan over haar heen, greep de ketting met beide handen vast en trok de twee einden naar elkaar toe, met zijn handen over elkaar. Hij trok zo hard als hij kon. Zelfs toen raakten zijn vingers haar huid niet aan. Het kwam geen moment bij hem op dat de ketting zou kunnen breken, en dat gebeurde pas toen ze al dood was en haar opvallende blauwe ogen, nu nog opvallender, hem hulpeloos aanstaarden. Haar gezicht was blauw geworden, zoals hij had gelezen. Hij stopte de gebroken ketting in zijn zak, trok het meisje uit de auto, gooide haar op de bouwplaats, vond een schop die de bouwvakkers hadden achtergelaten en begon bakstenen en puin en betonstof over haar heen te scheppen. Er was niemand in de buurt. Zijn auto was de laatste op het parkeerterrein geweest.

Waarschijnlijk had hij daar veilig de hele nacht kunnen blijven, maar dat deed hij niet. Dronken als hij was, reed hij ongeveer een kilometer, hij vond een stil straatje in een woonwijk en sliep daar tot acht uur in de morgen. Hij werd wakker van de voetstappen van een jongen die kranten bezorgde. Hij kocht een fles water in een winkeltje en reed naar de bouwplaats terug om te kijken hoe het daar ging. Bouwvakkers waren begonnen puin uit een truck op de door hem begonnen berg te dumpen. Dat was geluk hebben. Hij reed naar Londen terug. Pas toen hij in zijn appartement in Chelsea was, keek hij weer naar de ketting met het zilveren kruisje, maar hij kwam niet tot een besluit of een plan.

Nicole Nimms was het resultaat van net zo'n onverklaarbare impuls geweest, zo'n allesoverheersend tumult in zijn hele lichaam, Jeremy's lichaam. Zijn daad was op haar en haar alleen gericht. Als hij aan de twee meisjes dacht die hij had vermoord en zijn daden analyseerde, brak het zweet hem uit en moest hij zich inhouden om niet hard te gaan schreeuwen. Om daaraan te ontsnappen was hij Jeremy Quick geworden. Toen de kranten en daarna ook het publiek hem de rottweiler noemden, maakte hij zich daar kwaad om. Hij had nooit iemand gebeten. Hij betwijfelde of hij er fysiek toe in staat was om in menselijk vlees te bijten, want dat was aanraken van de ergste soort. Hij zou overgeven voordat hij het deed. Het idee dat hij een krankzinnige sadist zou zijn die zijn slachtoffers beet, was al erg genoeg, maar daar kwam nog bij dat hij niet had willen doden. Waarom had hij het dan gedaan? En een even moeilijke vraag: waarom was het pas betrekkelijk laat in zijn leven over hem gekomen? Waarom had 'het' gewacht tot hij in de veertig was?

Zolang hij niet wist waarom, zou hij verdergaan, want alleen het waarom zou hem kunnen tegenhouden.

10

'J Je kunt veel leren,' zei Freddy Perfect, 'door te doen wat ik doe. Ik bedoel, rondkijken in winkels als deze. Let wel, ik heb het nooit over "rommelwinkels", Inez. Antiekwinkels. Ja, zoals ik al zei, je kunt veel leren door gewoon naar allerlei kleine dingetjes te kijken. Deze vaas bijvoorbeeld, en dit doosje.'

'Ja?' Inez las in *The Guardian* over de speurtocht naar Jacky Miller of haar lichaam. 'Leg dat doosje neer, Freddy. Het is breekbaar.'

'Ik maak het niet stuk. Ik heb erg delicate vingers, zegt Ludo altijd. Ik denk erover om veilingmeester te worden. Volgens mij heb ik daar talent voor.'

'Misschien wel.'

De politie had een theorie en Jacky's ouders hadden er ook een. Blijkbaar had Jacky van internetten gehouden. Ze had e-mails, inclusief foto's, uitgewisseld met een man die de politie tot nu toe niet had kunnen vinden. Hij werd ook vermist. Was het mogelijk dat ze op eigen houtje was vertrokken en ergens heen was gegaan om die man te ontmoeten? Waarom, zei Jacky's vader, had ze het in dat geval niet aan haar moeder verteld, die niet zou hebben geprobeerd haar tegen te houden, want ze was boven de achttien en vrij om te gaan en staan waar ze wilde? Hij en zijn vrouw hadden de theorie dat ze op vakantie was in een of andere badplaats aan de Rode Zee. Dat was minder vergezocht dan het op het eerste gezicht leek. Een vriendin had gewild dat zij en twee anderen meegingen, maar Jacky's moeder had, in dit geval, haar best gedaan om haar tegen te houden. Gezien de huidige situatie in Israël was het te gevaarlijk om naar die regio te gaan. Jacky had daar nogal opstandig op gereageerd. Ze had zelfs gezegd dat ze evengoed zou gaan, al hadden haar ouders er daarna niets meer over gehoord.

Ondanks dat alles bevatte de krant een aantal artikelen over seriemoordenaars met jonge vrouwen als slachtoffer, en over overeenkomsten tussen de rottweiler, Jack the Ripper en de Yorkshire Ripper, 'Wat kunnen we ertegen doen?' en de mogelijkheid om de doodstraf weer in te voeren. Eerder had Jeremy Quick, toen hij thee kwam drinken, Inez nog meer over zijn karakter aan het twijfelen gebracht door te zeggen dat hij een groot voorstander was van de doodstraf voor moordenaars.

Net op het moment dat Zeinab binnen kwam, belde inspecteur Crippen. Hij vertelde haar dat ze Zulueta en Jones om tien uur die morgen kon verwachten. Ze wilden de volledige gegevens van haar assistente, de huurders die de politie nog niet had ondervraagd en eventuele andere vaste bezoekers van de winkel.

'Ik heb niets te verbergen,' zei Freddy toen ze het hem vertelde.

Zeinab had een nieuw neusknopje. Je kon heel goed zien dat het een echte diamant was. Als ze haar hoofd bewoog, haar lange zwarte haar naar achteren wierp, flitste de weerspiegeling van de diamant over de muren. 'Dat kan ik van Morton niet zeggen. Ik wil niet dat ze gaan rondsnuffelen in zijn huis aan Eaton Square.'

'Dat is het beste adres in Londen, zeggen ze. Ga je daar wonen als je mevrouw Phibling bent?'

'Dat weet ik nog zo net niet,' zei Zeinab. 'Kijk maar uit dat Inez je niet met dat Meissen-bord ziet zwaaien, want het is tweehonderd jaar oud.'

Inez legde de krant neer. 'Zo is het wel genoeg, Freddy. Zeg, ik ga morgenavond naar mijn zus, dus als jij en Ludmila uitgaan, zal ik jullie de code van het inbraakalarm geven. Ik zal het opschrijven.'

'Dat is wat nieuws,' zei Freddy met de houding van iemand die op het punt staat een interessant gesprek te beginnen. Hij nam het stukje papier met de code van Inez over. 'Ik heb nooit geweten dat je dat alarm aanzette, in al die jaren dat ik... ik bedoel, dat Ludo hier woont.'

'Dat is nog geen twee jaar. En nu wegwezen. Ludmila zal zich afvragen waar je bent.'

Freddy slenterde met tegenzin naar de achterkant van de winkel. Hij was daar nog lang niet toen Zulueta en Jones binnenkwamen. Als de minst respectabel uitziende aanwezige trok hij meteen de aandacht van Zulueta. 'En u bent?'

'Meneer Perfect,' zei Freddy. Hij pakte een stuk Japans porselein op en keek er dromerig naar.

'Probeert u grappig te zijn?'

Inez onderdrukte een lach en zei: 'Ik verzeker u dat hij echt zo heet.' Maar zodra ze dat had gezegd, vroeg ze zich af of ze dat wel zeker wist.

Hoe wist ze of haar huurders – behalve misschien Will – degenen waren die ze zeiden dat ze waren?

'Nou, meneer Perfect...' Zulueta sprak de naam met dik opgelegde ironie uit. 'Nou.' Hij knikte naar het notitieboekje in zijn hand. 'Wat is uw volledige naam?'

'Frederick James Windlesham Perfect.'

'U woont op de tweede verdieping? Heb ik dat goed?'

'Nee, dat hebt u niet,' zei Freddy. 'Daar woont mijn vriendin. Al ben ik wel een erg regelmatige bezoeker.'

'En waar woont u dan wél?'

'27 Roughton Road, Hackney, Londen. E9.'

Dat hoorde Inez voor het eerst. Misschien had hij dat adres ter plekke verzonnen. Er stond waarschijnlijk een straf op het verstrekken van een vals adres aan de politie. Nu was het Zeinab die onbehaaglijk keek. Jones bespoedigde Freddy's vertrek door de binnendeur voor hem open te doen. Freddy verliet langzaam de winkel.

'Uw volledige naam, alstublieft?'

'Zeinab Suzanne Munro Sharif.'

Waar komt dat 'Suzanne Munro' vandaan? dacht Inez. Misschien had ze het gewoon verzonnen. Maar toen Jones naar Zeinabs adres vroeg, keek ze hem opstandig aan.

'Ik snap niet waarvoor u dat wilt hebben. Ik heb niets met dit alles te maken. Ik heb geen meisjes met zilveren kettingen gewurgd.'

'U wordt nergens van beschuldigd, mevrouw Sharif. We vragen dit alleen voor routinedoeleinden.'

'Als ik het u vertel, gaat u daar toch niet heen om met mijn vader te praten? Hij vermoordt me, als u dat doet.'

'Het is alleen bestemd voor ons dossier en het blijft volkomen vertrouwelijk.'

Inez had al een adres van Zeinab in haar administratie. Voor het geval ze nu met een andere versie kwam, luisterde ze aandachtig toen Zeinab een adres aan Redington Road, Hampstead, opgaf. Het was hetzelfde adres dat ze haar had opgegeven toen ze in de winkel kwam werken. Een goed adres aan de westkant van Hampstead Heath, al was het nog wel wat minder dan Eaton Square.

'En nu die meneer van wie u zei dat hij uw verloofde was...'

'Hij ís mijn verloofde. En ik ga u niet vertellen waar hij woont. Dat moet u hem zelf maar vragen.'

Ze zag er opgewonden uit, en ook nogal ontredderd, want ze had met haar handen door haar haar gestreken. Terwijl Inez de namen van een paar vaste klanten aan Zulueta gaf, maar weigerde hem hun adres te geven, begon Zeinab voor de spiegel met de vergulde lijst haar haar te kammen en haar make-up weer in orde te maken. Het stond vast dat het meisje iets verborg, al zou Inez niet weten wat dat was. Deed iedereen die ze kende – altijd met uitzondering van Will, haar zus in Highgate en een paar kennissen – aan misleiding? Jeremy Quick waarschijnlijk, Zeinab en Freddy zeker. Ludmila hoogstwaarschijnlijk ook, met haar veranderlijke accent en haar bewering dat ze van Russische afkomst was. En Rowley Woodhouse? Zeinab had haar een keer een man aan de andere kant van de straat aangewezen en gezegd dat hij het was. Maar hij was niet overgestoken om met haar te praten en had ook niet op een andere manier laten blijken dat hij haar herkende. Wilde dat zeggen dat je... nou, dat je leermoeilijkheden moest hebben om echt eerlijk te zijn? Misleidde zijzelf ook andere mensen?

Zeer zeker niet, dacht ze toen ze de straatdeur dichtdeed die Zulueta en Jones bij hun vertrek open hadden laten staan. Toen dacht ze aan de video's die ze voor alle bezoekers verborgen hield, de televisie die ze uitzette als er iemand kwam, en die een of twee keer dat Jeremy of Becky langs was gekomen en ze had gelogen over het televisieprogramma waar ze naar keek. Alleen tegen Will was ze eerlijk geweest...

Hij had de vrijdagavond en de hele zondag bij Becky doorgebracht. Ze was zo gedemoraliseerd en zo moe geweest dat toen hij vrijdagavond met een bord op schoot voor de televisie zat en vroeg of hij zondag kon komen lunchen, ze niet de kracht had gehad om nee te zeggen. Het was altijd al onwaarschijnlijk geweest dat James haar zou bellen, dat hij haar ooit nog zou bellen, maar er was een sprankje hoop achtergebleven en daar klampte ze zich aan vast, terwijl ze tegelijk voorzag dat ze zich voor Will, haar uitvluchten en pretenties zou schamen. Als hij belde.

Ze voelde zich enigszins getroost door het plezier dat Will had. Het maakte hem blij dat hij bij haar mocht zijn en vooral dat hij twee dagen later terug mocht komen. In de loop van de zondagmiddag was ze naar de keuken gegaan om thee te zetten, en toen ze daar stond te wachten tot het water kookte, zag ze dat Will uit de huiskamer kwam en op weg naar de wc in de hal bleef staan. Hij maakte de deur van de studeerkamer open en keek naar binnen. Natuurlijk was hij al vaak in de studeerkamer geweest, maar toch had ze de indruk dat hij deze keer op een andere manier in het rond keek. Ze was er zeker van dat hij de situatie beoordeelde, dat hij tegen zichzelf zei dat daar gemakkelijk een eenpersoonsbed kon staan zonder dat de rest van het meubilair tegen elkaar aan gezet moest worden. Waarom kon dit niet zijn slaapkamer worden? Terwijl ze water op de theezakjes goot en de grote chocoladecake uit de koelkast pakte, repeteerde ze in stilte wat ze zou zeggen als hij het haar vroeg. Ik moet daar werken, Will, soms moet ik daar tot middernacht zitten werken. Je weet dat ik mijn geld moet verdienen, Will, net als jij, dat weet je. Het klonk zwak. Het klonk als wat het in werkelijkheid ook was: een uitvlucht.

Inderdaad had Will iets in die trant gedacht. Maar Becky vergiste zich als ze dacht dat hij haar om de kamer zou vragen of zelfs dat hij aan die mogelijkheid zou denken. Wat hem betrof, maakte de aanwezigheid van het bureau, de stoelen, de computer met bijbehorende apparatuur, het kopieerapparaat en de papiervernietiger het volkomen duidelijk dat er geen ruimte voor hem was. Trouwens, ze had hem dat verteld, en als Becky het zei, dan was dat voor hem genoeg. Die arme Becky had niet genoeg geld om een groter huis te kopen.

Een paar weken eerder had hij gedacht dat daar verandering in zou komen als hij de schat had. Dan gaf hij haar de helft van het geld en konden ze een huis voor hen samen kopen en daar altijd blijven wonen. Hij had '6th Avenue' op de achterkant van een envelop geschreven waarop reclame voor een pizzeria was afgedrukt. Om dat te kunnen doen had hij Inez gevraagd hoe je het spelde, en daarna had hij de woorden met veel moeite met een balpen op het papier gezet. Die envelop kon hij aan mensen laten zien, als ze niet begrepen wat hij bedoelde.

Maar nu had hij bijna de hoop opgegeven dat hij die straat zou vinden. Hij had iedereen die hij kende ernaar gevraagd en hun de envelop laten zien, en ze zeiden allemaal dat 6th Avenue in New York lag of 'ergens anders in Amerika'. In het begin had hij dat niet geaccepteerd. Eigenlijk was Will niet tot redeneren in staat. De werking van oorzaak en gevolg ontging hem en hij had zich nooit in het mysterie van deductieve processen begeven. Wanneer iemand als Jeremy Quick tegen hem had gezegd, dat alle genummerde avenues in Amerika waren, en dat 6th Avenue een genummerde avenue is, dus 6th Avenue is in Amerika, zou hij waarschijnlijk hebben gelachen en Jeremy gelijk hebben gegeven, maar hij zou er niets van hebben begrepen. Zo langzamerhand begon hij het te accepteren, al ging dat niet van harte. Eén ding hield zijn twijfel in stand. Dat was het geluid van die politiesirenes. Het móést hier ergens zijn, want hij had die sirenes gehoord als hij 's nachts in bed lag. Hij hoorde dat ze dat geluid maakten, dat loeien en jodelen, als politieauto's of ambulances of brandweerwagens met grote snelheid door Edgware Road of langs Sussex Gardens reden.

Er was wel het probleem dat niemand die hij ernaar had gevraagd de film had gezien. Hij had geprobeerd Keith over te halen naar die film te gaan. Op maandag, toen ze op de vloer van de woning in Ladbroke Grove zaten te lunchen, probeerde hij het opnieuw.

'Ik kan 's avonds niet weg, Will. Ik kan mijn vrouw niet bij de kinderen achterlaten. Ze heeft ze de hele dag al om zich heen.'

'Zij kunnen ook gaan,' zei Will.

'Nee, dat kan niet. Jij weet niet hoe jongens van twee en drie zijn. En we kunnen Kim niet steeds vragen om te babysitten.' Hij wachtte even of Will gegeneerd keek zodra de naam van zijn zus viel, maar hij zag geen reactie. 'Ik denk dat ze een beetje teleurgesteld is, omdat ze niets meer van je heeft gehoord sinds jullie twee naar de film zijn geweest.'

Keith zag in Wills stilzwijgen, in het feit dat Will zich op de KitKat concentreerde die hij in zijn lunchtrommeltje had, een teken van schaamte en verlegenheid. Hij overschatte de geestesvermogens van zijn medewerker steeds weer. Keith had een bijna bijgelovige angst voor alles wat in de buurt van hersenletsel kwam, en als hij echt had geweten welke beperkingen Will had, zou hij zijn zus nooit hebben aangemoedigd om met hem uit te gaan.

'Nou, als je bang bent dat je haar van streek hebt gemaakt, hoef je haar alleen maar te bellen. Je zult verrast zijn.'

Om vier uur nokten ze af. Het regende inmiddels en zodra Keith de motor startte, spatte het water tegen de voorruit. In Harrow Road herinnerde hij zich iets wat hij moest doen. 'Ik heb mijn vrouw beloofd dat ik een gesneden brood en een pond tomaten zou meebrengen. Als ik het busje daar tussen pers, kun jij het verplaatsen als er een parkeerwachter aankomt. Het is een dubbele gele streep.'

Will was vijf jaar eerder zonder problemen voor zijn rijexamen geslaagd. Even daarna was het schriftelijk examen ingevoerd, een maatregel die voor hem een onoverkomelijke barrière zou zijn geweest. Hij kon vrij goed rijden en wilde dat hij vaker de gelegenheid kreeg om achter het stuur te zitten. Hij hoopte eigenlijk dat er een parkeerwachter zou aankomen, want dan kon hij blokjes omrijden tot Keith weer naar buiten kwam.

Het busje stond op de hoek van Harrow Road en een straat met woonhuizen. Het regende niet zo hard meer en toen Will daar een tijdje had gezeten, stapte hij uit en begon met een doek de zijspiegels af te vegen. Toen hij opkeek, zag hij een bord met de naam van de zijstraat: 6th Avenue. Hij wendde zijn ogen even af, want hij moest het hebben gedroomd, maar toen hij zijn blik weer opsloeg, stond de naam er nog, 6th Avenue, gemakkelijk te herkennen van de letters op de envelop. 6th Avenue. Het bordje hing niet aan een lantaarnpaal, zoals in de film, maar zat op de muur, en nog tamelijk hoog ook. Ze hadden het natuurlijk verplaatst nadat de film was gemaakt. Dat moest het zijn.

Will had het bord graag van dichterbij willen bekijken, maar op dat moment kwam Keith met het brood en de tomaten de winkel uit.

'Ik was de spiegels aan het poetsen.'

'Goed zo. Mijn vrouw zegt altijd dat de prijzen de pan uit rijzen, maar je gelooft dat niet, hè, totdat je het zelf ziet.'

'Je moet het zelf zien,' zei Will. Hij knikte, maar dacht helemaal niet aan broden en tomaten.

Omdat hij er zeker van was dat hij een goede indruk op de politie had gemaakt, vond Jeremy het geen punt dat ze misschien terug zouden komen om het huis te doorzoeken. Als ze dat deden, kon hij natuurlijk om een huiszoekingsbevel vragen, maar hij wist welk effect dat op een man als Crippen of een andere rechercheur zou hebben. Die zou meteen denken dat hij iets te verbergen had. Zoals ook inderdaad het geval was. In elk geval moest hij de belastende voorwerpen niet in die la laten liggen. In de kast van de huiskamer had hij een geldkistje, een klein soort kluisje zoals hotels in hun kamers hebben, erg gemakkelijk te bedienen en open te krijgen door een code van vier cijfers in te toetsen. Hij had hem nog nooit gebruikt, maar hij had al besloten dat als hij hem gebruikte hij niet het soort code zou nemen dat de meeste mensen kozen, hun verjaardag of een afkorting daarvan, dus in zijn geval 4755, aangezien Alexander op vier juli jarig was. Dat lag te veel voor de hand. Een politieman, zelfs een met een laag IQ, zou dat gauw genoeg doorhebben. Zou Jeremy dezelfde verjaardag hebben als Alexander? Misschien niet. In zijn huis in Kensington had hij zijn geboortejaar, 1955, als code van het inbraakalarm gebruikt, maar daar was hetzelfde van toepassing geweest, en daarom had hij de datum waarop Gaynor Ray, het eerste slachtoffer, door Jeremy was gedood als nieuwe code genomen. 14 april 2000. 1440. Moest hij die code opnieuw gebruiken? Nee. Misschien konden ze die datum vaststellen, al zou hij niet weten hoe.

Hij pakte de aansteker, het zakhorloge en de oorringen uit de la van de tafel op het dakterras en deed ze in het geldkistje. Het duurde even voordat hij het deksel sloot. Was het niet roekeloos om die dingen te bewaren? Maar hij moest enig risico lopen, zei hij tegen zichzelf. Het moest hem iets opleveren. Het zou belachelijk zijn om van een 'kick' te spreken, en dat zou zijn gevoelens ook niet goed verwoorden. Omdat hij nu eenmaal vastzat aan die dwangmatige neigingen, die bijna een ziekte waren, moest hij daarin een spelelement, een puzzel, een raadsel introduceren. Anders kon hij net zo goed meteen zichzelf van kant maken, dacht hij soms grimmig. Hij had dat vaak genoeg overwogen. In zijn somberste ogenblikken had hij erbij stilgestaan dat hij, als hij zelfmoord pleegde, de wereld en de vrouwen van een dodelijke bedreiging verloste. Maar Alexander wilde niet sterven, nog niet, al dacht hij vaak dat zijn dood misschien de enige uitweg was. Het enige wat hij wilde, was dat Jeremy stierf.

Een getal voor het geldkistje, een cijfercode. Niet de verjaardag van zijn moeder; niet haar huisnummer plus haar postcode. Hij kon zich de verjaardag van zijn vrouw of zijn vriendin niet herinneren. Hij kon beter op zoek gaan naar een datum die alleen voor hem iets betekende, of anders een willekeurige datum. 1986 was een goed jaar voor hem geweest, het jaar dat hij afstudeerde en van Hendon naar zijn eerste adres in Chelsea aan King's Road verhuisde, het jaar ook waarin hij zijn oude Austin wegdeed en zijn eerste nieuwe auto kocht, een blauwe Volkswagen. Dat was in maart geweest, dat wist hij nog, maar hij wist niet meer op welke dag. Dat was ook niet belangrijk. Hij deed gewoon alsof het de derde was. Hij toetste 3386 in en sloeg toen zijn adressenboek open op de tweede bladzijde. Daar noteerde hij 'King, Austin' en een cijferreeks die op een telefoonnummer leek: 0207 636 3386. Om het overtuigender te maken voegde hij er een fictief e-mailadres aan toe: kinga@fitzroy.co.uk.

Met het geld dat Alexander in die tijd begon te verdienen, kon hij alles doen, overal heen gaan, bijna alles kopen wat hij wilde. En dat had hij gedaan. Geweldige vakanties in het buitenland, dure theaterplaatsen, zijn appartementen prachtig ingericht, de beste kleren, het begin van een mooie verzameling eerste drukken. Toen had hij Jeremy 'geprojecteerd', en die vermoordde meisjes. Juist in die tijd van weelde en tevredenheid was hij begonnen meisjes te doden. Hij had er vijf gedood. De enormiteit daarvan trof hem diep, zoals wel vaker gebeurde. Het was zo gevaarlijk, zo groot. Het stond zo volkomen buiten de normale gang van zaken dat er vroeger mensen voor werden opgehangen. In de Verenigde Staten werden mannen en vrouwen nog steeds daarvoor opgehangen, vergast, geëlektrocuteerd, gefusilleerd. Maar als hij aan het doden van die meisjes dacht, als hij elk afzonderlijk geval door zijn hoofd liet gaan, voelde hij zich net zomin opgewonden als ervoor, tijdens en erna. Het was gewoon iets geweest wat Jeremy moest doen, en hij besefte nu iets wat nog niet eerder in hem opgekomen was, namelijk dat het gevoel dat hij na de daad had precies hetzelfde was als het gevoel dat hij na seks had gehad: opluchting. Niet meer dan dat: gewoon opluchting. En hij had het contact met de realiteit nooit zo zeer verloren dat hij geloofde dat hij echt twee mensen was, een die doodde en een die onschuldig was. Er was er maar één.

Finlay Zulueta was ambitieus. Hij had tot nu toe succes met zijn carrière gehad en het was zijn doel om inspecteur te zijn voordat hij dertig was. Het was een kwestie van hard werken, zei Crippen altijd, en altijd maar blijven piekeren wanneer je aan iets twijfelde, zoals een Sealyham met een bot. De vrouw van de inspecteur fokte namelijk Sealyhams; Zulueta, die van Goa kwam, had inmiddels gehoord dat het kleine witte terriërs waren. Zeinab Sharif zag er geweldig goed uit, vond hij, en dat zou iedere normale man beamen, maar toch loog ze. Het ging verder dan dat ze twijfel wekte: ze loog dat ze barstte. Dat had hij aan haar houding kunnen zien. Waarom zou ze tegen de politie liegen, tenzij ze iets in haar schild voerde? Het was duidelijk dat ze ook tegen haar werkgeefster had gelogen.
Zulueta begon trouwens het gevoel te krijgen dat er iets verdachts aan het hele huis was, Star Antiques niet uitgezonderd. Die Perfect bijvoorbeeld, die steeds zijn neus in dingen stak die hem niet aangingen, die bouwvakker die deed alsof hij niet goed snik was, Inez Ferry zelf. Zulueta vond het heel onwaarschijnlijk dat ze dat zilveren kruisje en die sleutelring toevallig had gevonden toen ze aan het afstoffen was. Het was waarschijnlijker dat iemand die dingen aan haar had verkocht

en dat ze ze had willen doorverkopen maar nu niet meer durfde. En wat deed die bouwvakker daar? Hij, Crippen en hun superieuren waren er allemaal van overtuigd dat iemand in dat huis, of iemand die iets met die winkel te maken had, nauw betrokken was bij die moorden. Wat het meisje betrof... Hij zou zich als een Sealyham met een bot gedragen. Hij zou naar Redington Road gaan en vragen of ze daar echt woonde. Met bellen kwam hij niet verder. Hij kreeg alleen die onpersoonlijke antwoorddienst van British Telecom.

Het huis was kolossaal, een paleis op zijn eigen terrein, een van die huizen die voor vijf of zes miljoen pond op de markt komen. Zulueta vermoedde dat hij bij de ingang met iets ingewikkelds te maken zou krijgen, dat hij een code moest intoetsen om het hek open te maken of zijn naam en het doel van zijn komst moest bekendmaken aan een anonieme stem, maar een klein duwtje bleek genoeg te zijn. Er zaten tralies voor de ramen op de benedenverdieping, maar verder waren er geen beveiligingsmaatregelen genomen, geen gesloten televisiecircuit, geen honden en geen bordjes om te kennen te geven dat er honden waren. Zulueta, die een hekel had aan honden die groter waren dan Sealyhams, was opgelucht. Hij drukte op de bel van de voordeur.

Als er een geüniformeerd dienstmeisje had opengedaan, zou hij niet verbaasd zijn geweest, maar de man die naar de deur kwam, was duidelijk de eigenaar. Hij was erg groot, lang en gezet, met een rood gezicht. Hij droeg een spijkerbroek en een overhemd met open kraag.

'Meneer Sharif?' zei Zulueta en hij liet zijn legitimatiebewijs zien.

'Zie ik eruit als een meneer Sharif?'

Zulueta vond dat een racistische opmerking en vroeg zich af of hij daar iets aan kon doen. Maar hij moest toegeven dat deze huiseigenaar met een rood gezicht, stompe neus, lichtblauwe ogen en een laatste restje blond haar niet redelijkerwijs kon worden aangezien voor iemand die ten oosten van Athene was geboren.

'Er is niemand in dit huis die zo heet?'

Misschien werd de man wat milder gestemd omdat hij al in zijn vraag liet doorklinken dat hij een negatief antwoord verwachtte. 'Beslist niet,' zei de man. 'Ik heet Jennings en afgezien van mij wonen hier alleen mijn vrouw en zoon. Ze heten Margaret en Michael Jennings. Mag ik vragen waarom u dacht dat hier een meneer Sharif woonde?'

Hij mocht het vragen, maar hij zou geen antwoord krijgen. 'Informatie die ons is verstrekt, meneer. Blijkbaar onjuiste informatie.'

'Blijkbaar. Goedenavond.'

'Goedenavond,' zei Zulueta.

Crippen was blij, al merkte hij wel op dat hij het ook bij het bevolkingsregister aan de weet had kunnen komen.

'Ik wilde absolute zekerheid hebben.'

'Gelijk heb je.'

De volgende morgen gingen ze met zijn tweeën naar Star Street. Het was tien voor halftien, maar Zeinab was er niet.

'Ze is er toch niet vandoor?' zei Crippen tegen Inez.

'Dit is niet erg laat voor haar,' zei Inez geduldig. 'Als ze hier om tien uur nog niet is, kunt u zich zorgen gaan maken.'

Inez was alleen. Jeremy Quick was al geweest en Freddy en Ludmila waren een halfuur eerder door de winkel gekomen, op weg naar de bus die hen naar de St Paul zou brengen, vanwaar ze over de pas geopende Millennium Bridge naar Shakespeare's Globe zouden lopen. Hoewel ze allebei al jaren in Londen woonden, gedroegen ze zich nog steeds als toeristen, altijd op weg naar de nieuwste bezienswaardigheden.

Crippen ging in de grijs fluwelen fauteuil zitten, maar Zulueta liep door de winkel en gedroeg zich dus als Freddy, behalve in één opzicht. Hij pakte een erg lelijk Victoriaans halssnoer van barnsteen en pinsbek op waar Inez altijd een hekel aan had gehad en vroeg haar niet naar de prijs maar hoeveel ze ervoor wilde hebben. Het subtiele verschil ontging haar niet.

'Achtenveertig pond,' zei ze.

'Veertig,' zei Zulueta.

'Het spijt me, maar ik onderhandel daar niet over. Het is een vaste prijs.'

Zulueta maakte aanstalten om haar tegen te spreken, maar op dat moment arriveerde Zeinab. Ze bleef net binnen de deur staan en kon niet verborgen houden dat ze van hen was geschrokken. Crippen stond op en keek ongelovig naar haar oorhangers.

'Heb ik iets van u aan?' zei Zeinab op de geijkte toon van de jonge caféklant die best een robbertje wil vechten.

'Waar hebt u die oorhangers vandaan, mevrouw Sharif?'

'Dat gaat je niks aan, maar ik heb ze van mijn verloofde gekregen.'

Welke? wilde Inez vragen, maar ze zei niets. 'Die oorhangers,' zei Zulueta, die het halssnoer vergeten was, 'lijken sterk op het paar dat Jacky Miller droeg toen ze werd vermist.'

'Dat meent u niet. Dit zijn echte diamanten.'

'Nou, mevrouw Sharif,' zei Crippen, 'misschien wilt u zo goed zijn ze af te doen, dan kunnen we ze vergelijken met een foto die we van de vermiste oorhangers hebben. En dan kunt u misschien ook uitleggen waarom u ons een vals adres hebt opgegeven.'

Zeinab, die om de een of andere reden plotseling veel opgewekter was, liep door de winkel, trapte haar schoenen uit en schoof haar voeten in smalle sandalen met hoge hakken. 'Goed. Mijn vader woonde daar vroeger, maar hij is verhuisd. Hij en mijn moeder wonen nu op 22 Minicom House, Lisson Grove.' Wat haar moeder betrof, was dat waar. Crippen keek alsof hij wilde opmerken dat haar ouders wel erg aan lager wal waren geraakt, maar hij zei niets. 'Als u wilt weten waar mijn oorhangers vandaan komen, kunt u het aan meneer Khoury hiernaast vragen. Daar heeft mijn verloofde ze gekocht.'

Crippen knikte en ze gingen met zijn drieën de winkel uit. Het moest een geschenk van Rowley Woodhouse zijn geweest, dacht Inez. Morton Phibling zou nooit iets kopen bij een relatief eenvoudige juwelier als meneer Khoury. Terwijl ze weg waren, stopte Keith Beatty's busje voor de deur en stapte Will uit. Zeker iets vergeten, dacht Inez. Zoals gewoonlijk ging hij door de zijdeur naar binnen. Even later kwam hij weer naar buiten met een pakje waar waarschijnlijk zijn lunchpakket in zat, net op het moment dat Crippen, Zulueta en Zeinab de juwelierszaak uit kwamen. Zonder te weten waarom maakte Inez de buitendeur open en bleef daar staan. Zeinab, triomfantelijk omdat het haar gelukt was de herkomst van de oorhangers te bewijzen en misschien ook hun superioriteit ten opzichte van het verdwenen paar, zei opgewekt: 'Hallo, Will. Hoe gaat het? Ik heb je in geen tijden gezien.'

Will keek bang. Dat deed hij altijd als Zeinab tegen hem sprak. Hij mompelde iets, keek achterom en liep bijna op een draf om het busje heen naar de passagierskant. Zulueta keek hem achterdochtig na en Inez moest toegeven dat Will zich gedroeg alsof hij zich schuldig had gemaakt aan een of ander misdrijf, het allerlaatste wat je van de simpele, onschuldige Will zou verwachten. Het busje reed weg.

Tot Inez' opluchting, al had ze het halssnoer niet verkocht, gingen de twee rechercheurs niet naar de winkel terug maar liepen ze naar hun auto. Zeinab begon te lachen zodra ze binnen was. Ze ging voor 'haar' spiegel staan en bracht haar make-up in orde, in afwachting van de komst van Morton Phibling.

11

Will, die een hekel aan stiekem gedrag had, wilde Keith niet vragen hem bij 6th Avenue af te zetten toen ze om kwart over vier op de terugweg waren van Ladbroke Grove. Hij had niet kunnen zeggen waarom hij daar wilde zijn, want Keith zou misschien iets gaan vermoeden, en dus had hij dan iets moeten verzinnen, iets zeggen wat onwaar was. Dat was te gecompliceerd en te moeilijk, en het was ook nog verkeerd. Will mocht dan geen eersteklas of zelfs vierdeklas brein hebben, net als een serieus kind had hij een tamelijk goed ontwikkeld moreel besef. Hij kende het verschil tussen leugens en waarheid en wist dat hij beleefd en vriendelijk moest zijn, maar hij vroeg zich niet af van wie de schat nu eigenlijk was, van de mensen die hem hadden begraven, van de samenleving, of van de juweliers van wie hij gestolen was. Zo'n vraagstuk was veel te moeilijk voor hem. Trouwens, hoewel hij het niet onder woorden had gebracht, de schat hoorde thuis in de sprookjeswereld, waar regels over eigendom en het verbod op diefstal niet van toepassing waren.

En dus zei hij niets tegen Keith, behalve dat hij hem de volgende morgen weer zou zien, als ze aan een nieuwe klus zouden beginnen. Toen hij die ochtend thuis was geweest omdat hij zijn boterhammen was vergeten, was hij geschrokken, want hij had die politiemannen gezien die hij niet aardig vond, en ook Zeinab, bij wie hij zich altijd verlegen voelde. Maar ze waren nu allemaal weg. Zonder dat iemand hem zag, ging hij naar boven, hij zette een kop thee en at een gebakje. Nu de klok was verzet – Will wist niet hoe, vooruit of achteruit, want Inez had zijn twee klokken en zijn horloge verzet – zou het om halfacht nog licht zijn. Moest het donker zijn voor wat hij moest doen? Niet echt, al was het in de film wel donker geweest.

Hij besloot te gaan eten voordat hij wegging. Om ongeveer halfzes kwamen Freddy en Ludmila terug van een dag rondslenteren op de South

Bank. Ze zetten de cd-speler aan voor wat muziek. Ludmila draaide bijna altijd Sjostakovitsj, al wist Will dat niet. Maar hij wist wel dat het erg harde muziek was. Dat vond hij niet erg, al had hij liever een mooi deuntje of een zangstem. Hij hoorde Jeremy Quick niet binnen komen, want die liep altijd zachtjes, en trouwens, elk geluid verdronk in de Slag om Leningrad. Will klutste drie eieren met een vork, en omdat het niet genoeg leek, deed hij er nog een bij. Hij roosterde brood en smeerde er boter op, maakte een zak chips en een nieuwe fles ketchup open en ging zitten eten. Becky had hem een Bakewell-cake als toetje gegeven, en daar at hij twee plakken van met veel slagroom. Het begon een beetje te schemeren en de schaduw kroop over zijn vensterbanken.

Toen hij de afwas had gedaan en één lamp had aangelaten, zoals Becky had gezegd dat hij moest doen om inbrekers buiten de deur te houden, trok Will zijn dikke duffelse jas aan. Hij deed de deur op het nachtslot en ging naar beneden. Hij nam niets mee. Dat zou later komen. Toen hij de zwartharige politieman met die rare naam in zijn auto zag zitten, schrok hij even. Maar hij herinnerde zich dat hij hem en de belangrijke politieman die ochtend uit meneer Khoury's winkel had zien komen en leidde daaruit af dat meneer Khoury inbrekers had gehad. Hij was trots op zichzelf omdat hij dat kon denken. Die met de rare naam moest ervoor zorgen dat de inbrekers niet terugkwamen.

Will liep door Star Street naar Norfolk Square en langs Paddington Station naar Eastbourne Terrace. Hij liep over Bishop's Bridge boven de Great Western-lijn, en onder het viaduct door naar Harrow Road. De nieuwe gebouwen van Paddington Basin, halfvoltooide torens, kolossen van beton en glas, fantastische vormen en rondingen en bogen, dat alles verhief zich naast het oude kanaal dat glanzend donker in de diepte lag. Toen hij het bordje van 6th Avenue zag, beleefde hij daar net zoveel plezier aan als de eerste keer, al was het nu geen verrassing meer. In de film was het nummer van het huis waarachter de schat was begraven niet te zien geweest, maar Will wist dat het dicht bij het parkeerterrein was en dacht dat hij de plaats zou herkennen.

6th Avenue was een lange straat met huizen die dicht opeen stonden. In de meeste gevallen kon je niet zien wat er achter de huizen was. Maar tussen de huizenrijen door waren er openingen waardoor hij een glimp kon opvangen van gras, een boomstam, een deel van een schuurtje. In de film was een schuurtje te zien geweest, maar geen gras en zeker geen bomen. Sommige hoekwoningen hadden een hekje aan de zijkant. Will wist dat als hij dichterbij ging hij die hekjes kon openmaken en meer van de achtertuinen kon zien, maar er woonden mensen in die huizen – er brandde licht achter de gesloten gordijnen en sommige gordijnen waren niet eens dicht – en ze zouden denken dat hij een inbreker was. Er was geen parkeerterrein. Dat begreep hij niet. Hij wist dat er dingen in het leven waren die hij niet kon begrijpen en ook nooit zou begrijpen. Hij had Becky nodig om hem dingen uit te leggen, en hij vroeg zich af wat Becky ervan zou zeggen dat er geen parkeerterrein was. Die tactiek kostte hem altijd moeite. Als hij tegen zichzelf zou kunnen zeggen wat zij zou hebben gezegd, zou hij haar niet nodig hebben, en op dit moment had hij haar heel erg nodig. Hij kon zich alleen maar voorstellen dat ze bij hem zou zijn, dat ze hem dingen uitlegde en alles duidelijk maakte, maar hij kon zich niet voorstellen wat ze zou hebben gezegd.

Hij schudde machteloos zijn hoofd en liep helemaal naar het eind van de straat en bleef zich afvragen hoe hij in de achtertuinen kon kijken zonder dat de mensen hem zagen. Hij was al een eindje op de terugweg, aan de overkant van de straat, toen hij bij een huis kwam dat hem op de heenweg niet was opgevallen. Er brandde geen licht. Het had ook geen gordijnen en zo te zien stonden er geen meubelen in. Maar wat Will vooral interesseerde, wat hem vooral zo bekend voorkwam, waren de stapels bouwmaterialen in de voortuin en op het zijpad, waar het hekje was weggehaald. Er werkten bouwvakkers in dat lege huis. Misschien maakten ze een aanbouw, maar om deze tijd waren ze natuurlijk al naar huis. Ze hadden stapels bakstenen en bergen zand en hun betonmolen achtergelaten.

Will was, toen hij de straat doorliep en weer terugliep, niemand tegengekomen. Voorzover hij wist, was er niemand in de buurt. De man die hem volgde, was erg goed in dit soort dingen en te voorzichtig om zich te laten zien. Maar toen Will over de berg zand stapte en zich langs de betonmolen wurmde, glipte hij achter hem aan en dook in de diepe schaduw weg. Will, die was vergeten dat er geen parkeerterrein was, was inmiddels zo opgewonden dat hij alleen nog maar oog had voor het terrein achter het zijpad. In het donker was het moeilijk te zien, maar het gebarsten beton, de stroken kale aarde waar onkruid groeide, het vervallen schuurtje, het zag er allemaal hetzelfde uit. Er brandde licht achter het raam van de buren, maar dat viel op een grasveldje en drong niet door tot waar hij was. De andere kant was in duisternis gehuld, afgezien van een zwak licht, als van een kaars die in een bovenkamer brandde.

Will ging naar het eind van de verwaarloosde tuin. Hij keek of de deur van het schuurtje open was, maar die zat op slot en er was geen sleutel. In schuurtjes waren schoppen, en hij had gehoopt er een te vinden. Toen hij door het kapotte ruitje tuurde, zag hij alleen maar twee plastic zakken met iets massiefs, en daarnaast een berg oude kleren of zoiets. Hij besloot de volgende dag terug te komen.

Toen hij langzaam naar Harrow Road terugliep, bedacht hij dat hij iets zou moeten hebben om mee te graven. Keith had schoppen, maar die gebruikten ze natuurlijk alleen voor buitenklussen, en hij kon er niet een lenen, want Keith zou willen weten waarom. Will had geen tuin en Becky had geen tuin, en Keith wist dat. Hij zou een schop moeten kopen. Morgen, na het werk.

In Zulueta's ogen had Will Cobbett zijn eigen schuld bewezen door naar dat huis in 6th Avenue te gaan en pogingen te doen om in dat schuurtje te komen. Toen Will weg was, probeerde Zulueta zelf in het schuurtje te komen, maar hoe handig hij ook was in andere aspecten van het politiewerk – bijvoorbeeld, iemand schaduwen zonder opgemerkt te worden – hij was er nooit goed in geweest om zonder sleutel een slot open te maken en ook deze keer lukte hem dat niet. Het raampje zou zelfs voor een magere man te klein zijn. Hoewel Zulueta een zaklantaarn had, kon hij niet veel zien. Hij zou erg graag willen weten wat er in die zakken zat en wat er onder die berg oude en vuile overalls, jassen en onduidelijke kledingstukken lag. Jacky Millers lichaam? Ander bewijsmateriaal, zoals Jacky's oorhangers of een kledingstuk? Een ander meisje van wie de politie niet eens wist dat ze vermist werd omdat ze helemaal alleen op de wereld had gestaan?

Toen hij er zeker van was dat Will niet meer in 6th Avenue was en op weg naar huis was, liep Zulueta naar zijn auto, die hij in Star Street had achtergelaten. Hij liep door de bijna lege straten, de duisternis en het spookachtige chemische licht van de straatlantaarns, kwam bij Paddington Green en liep onder het viaduct door. Will was verdwenen. Misschien had hij een andere route naar huis genomen. Wat nu, vroeg Zulueta zich af.

Hij had al verdenkingen tegen Will gekoesterd vanaf het moment dat Gaynor Rays zilveren kruisje in Star Antiques was opgedoken. Dat was trouwens niet het enige. De man had zich ook erg schuw gedragen en op een nogal klungelige manier geprobeerd zich als simpel voor te doen. Zulueta, die een psychologiestudie had gevolgd, kon daar doorheen kijken. En dan was er de blik die hij en dat meisje Sharif die ochtend voor Khoury's winkel hadden gewisseld. Cobbett was nogal geschrokken toen Sharif hem vroeg hoe het met hem ging en tegen hem zei dat ze hem een hele tijd niet had gezien. Een onwaarschijnlijk verhaal, ze klonk niet eens oprecht. Als ze Finlay Zulueta in de maling wilden nemen, moesten ze vroeger opstaan.

Dus zaten ze op de een of andere manier samen in het complot? Crippen verdacht vooral Sharif, omdat ze dat valse adres had opgegeven. Die middag was Osnabrook naar Minicom House geweest, een van die goedkope veelkleurige huizenblokken in Lisson Grove. Hij had geconstateerd dat ze de waarheid had gesproken toen ze zei dat haar ouders op nummer 22 woonden. Tenminste, de halve waarheid. Haar moeder woonde daar, maar toen Osnabrook naar de vader van het meisje vroeg, had ze lachend gezegd: 'Die is er 25 jaar geleden vandoor gegaan.' Maar zelfs Crippen zou van gedachten veranderen, als hij van dat huis in 6th Avenue en dat schuurtje hoorde.

Als Cobbett en Sharif samen in het complot zaten, was Cobbett het brein. Dat ze allebei erg aantrekkelijk waren, maakte de zaak alleen maar verdachter. Zulueta had een theorie die hij ooit naar voren had gebracht in een opstel over psychologie en Hollywood-films: mooie mensen voelden zich tot elkaar aangetrokken. Er waren ook aanwijzingen dat de rottweiler in de bouw werkte. Cobbett werkte in de bouw en had ongetwijfeld op dat adres gewerkt. Zo was hij op het idee gekomen Jacky Millers lichaam daar te verbergen. Hij had Gaynor Rays lichaam onder een berg puin verborgen, dus waarom dit lichaam niet ook?

Hij was intelligent. Alleen iemand die intelligent was, kon zich zo dom en naïef voordoen en dat ook nog lang volhouden. Zulueta vroeg zich af waar Jacky Millers lichaam was. Zijn hoofd zat vol ideeën over plaatsen waar Cobbett het kon hebben verborgen. Zo begon hij aan de lange saaie terugweg naar de plaats waar hij zijn auto had achtergelaten.

Toevallig kwam Jeremy Quick hen beiden tegen. Hij had de laatste tijd de gewoonte om 's avonds een wandeling te maken. In het begin, toen hij Nicole Nimms had gedood en wist dat hij het, omdat hij het al twee keer had gedaan, misschien opnieuw zou doen, had hij tegen zichzelf gezegd dat hij nooit in het donker de straat op moest gaan, want dan kon hij elk moment weer die aandrang krijgen. Die gedachte werd gevolgd door een andere, die precies het tegenovergestelde was. Hij moest zich niet aan een levenslange avondklok onderwerpen, maar juist naar buiten gaan en gewoon weerstand bieden aan de verleiding, als die zich aandiende. De volgende keer vocht hij in het halfduister tegen zichzelf om de aandrang te beheersen, en hij slaagde daar ook in, al beefde en zweette hij ervan en moest hij ten slotte zelfs overgeven in de goot. Daarna voerde hij de avondklok weer in. Daar kwam een eind aan toen hij Rebecca Milsom in Regent's Park had vermoord. Dat was misschien niet in het volle daglicht gebeurd, maar toch zeker lang voordat het donker werd. Hij kon dus op elk uur doden, het hoefde niet in het donker te gebeuren, en daarom maakte hij nu weer wandelingen wanneer hij daar zin in had.

Die avond was hij naar het Paddington Basin en de bouwprojecten daar gegaan. Zelfs zonder de gefantaseerde Belinda Gildon als verloofde dacht hij er serieus over na om dit jaar nog te verhuizen. Het werd daar tijd voor. De flats in het Basin die te koop kwamen, zagen er goed uit, en ze zouden nieuw zijn. De twee huizen waar hij nu woonde, waren oud. Het kostte hem veel tijd en geld om ze schoon te maken en te onderhouden.

Maar hij kon het Basin niet in. Het was nog afgesloten voor iedereen behalve de mensen die op het bouwterrein werkten. Jeremy was teleurgesteld. Waarschijnlijk zou hij een afspraak moeten maken met een makelaar die toegang had en die hem een modelwoning kon laten zien. Of zou het verstandiger zijn een heel eind weg te gaan, misschien zelfs naar Zuid-Londen? Toen hij probeerde tussen Paddington Station en Bishop's Bridge door te komen, botste hij in een straatje bijna tegen die halvegare op, die Will Cobbett.

Cobbett keek Jeremy aan alsof hij hem nooit eerder had gezien en helemaal niet blij was met wat hij zag. Hij keek zelfs bang. Geamuseerd dacht Jeremy dat hij eens moest weten: hij was van het verkeerde geslacht en het verkeerde formaat om op een donkere avond bang voor hem, Jeremy, te moeten zijn. Toch was het niet prettig als iemand op die manier naar je keek, en Jeremy voelde dat de woede in hem opsteeg. Scherp, bijna vermanend, zei hij: 'Goedenavond.'

Cobbett gaf geen antwoord. Hij liet Jeremy bij de bushalte achter en begon in de richting van Edgware Road te rennen, waarbij hij één keer achterom keek. Jeremy was woedend. De man had hem behandeld zoals een welopgevoede jongen van tien een kinderlokker zou behandelen. Langzaam draaide hij zich om en liep hij door, richting viaduct. Zo kwam hij op het punt waar Warwick Avenue op Harrow Road uitkomt. En daar kwam een andere kennis uit Star Street in zijn richting: rechercheur Zulueta.

Ze zeiden elkaar goedenavond. Als Jeremy zich had verontschuldigd voor het feit dat hij na donker op deze verlaten, nogal eenzame plaats was, zou Zulueta misschien argwaan hebben gekoesterd, maar Jeremy, altijd even saai en conventioneel, zei alleen: 'Een milde avond voor april.'

Zulueta, die helemaal in beslag werd genomen door de mysterieuze en ongetwijfeld criminele activiteiten van Will Cobbett, knikte en zei dat hij verder moest. Ze gingen op de hoek uit elkaar en Jeremy nam de kortste weg terug naar Edgware Road. Hij was van plan geweest om door te lopen naar Maida Vale, maar hij wilde zo kort mogelijk in het gezelschap van Zulueta verkeren. Hij zag de politieman de brug over het kanaal nemen en Blomfield Road in lopen.

12

Nog nooit in zijn leven was Jeremy Quick of zijn alter ego Alexander Gibbons naar een winkel gegaan om dameskleding of sieraden te kopen. Toen hij trouwde, was hij zelfs te arm geweest om een verlovingsring te kopen, gesteld al dat hij op het idee zou zijn gekomen, en hij had geen reden gehad om van gedachten te veranderen toen hij met zijn vriendin samenwoonde. Daarna was er geen gelegenheid meer geweest om naar een vrouwenwinkel te gaan. Nu was dat moment aangebroken.

Aanvankelijk was hij van plan geweest Jacky Millers eigen oorringen voor zijn spel te gebruiken, maar vreemd genoeg bleek hij daartoe niet in staat te zijn. 's Morgens vroeg haalde hij ze uit het geldkistje, samen met de sleutelring en de aansteker, en toen bleek dat hij er absoluut geen afstand van kon doen. Plotseling waren die dingen van enorme waarde, het soort sieraden waarvan iemand die ze bezat kopieën van zilver en similidiamant liet maken om ze te kunnen dragen. Hoogstwaarschijnlijk waren ze maar verzilverd en op zijn hoogst vijftien pond waard. Gekopieerd, dacht hij, dat was het! Hij zou ze niet laten kopiëren, hij zou kopieën kópen. Dat zou gemakkelijk zijn, want ze waren blijkbaar in de mode. Dat meisje Zeinab had bijna precies dezelfde hangers gedragen, zij het dan van goud.

Hij had niet te veel krantenknipsels over de zaak in huis willen hebben, maar had toch twee of drie knipsels bewaard die hem van essentieel belang leken. Een daarvan was een tekening op ware grootte van de oorringen die Jacky had gedragen toen ze verdween. Jeremy keek aandachtig naar die tekening. De oorringen hadden een middellijn van ongeveer tweeënhalve centimeter en ze waren van zilver of van iets wat op zilver leek, en bezet met... hoeveel briljantjes? Ongeveer twintig, zo te zien.

Waar moest hij naar een winkel gaan? In elk geval niet in deze buurt.

Een grapje was leuk, maar dat zou te riskant zijn. Als het op goedkope sieraden aankwam, wist hij de weg niet. Hij kende vooral de dure winkelwijken, met name Saville Row en de Burlington Arcade, waar hij zijn eigen kleren kocht. Knightsbridge was niet geschikt en Bond Street ook niet. Uiteindelijk prentte hij de vormgeving en afmetingen van de oorringen in zijn geheugen en besloot naar Kensington High Street te gaan. Eerst ging hij nog even bij Inez langs. Omdat het een zonnige morgen was en het warm voor de tijd van het jaar beloofde te worden, had hij zijn nieuwe donkergrijze pak met een discreet, nog net zichtbaar, blauw streepje aangetrokken, dat net van de stomerij in Star Street kwam, en verder een blauwe das met purperen chevrons. Alexander kleedde zich altijd veel informeler, zij het wel in Armani.

Inez keek goedkeurend naar hem. Tenminste, dat dacht hij eerst, misschien omdat hij het gewend was om in zulke termen aan haar te denken. Een hele tijd had hij, met een stille voldoening maar ook met een zekere mate van minachting, gedacht dat ze zich tot hem aangetrokken voelde. Alsof hij haar een tweede blik waardig zou keuren! Maar toen ze naar het keukentje ging om water op te zetten, dacht hij nog eens aan die blik waarmee ze hem had aangekeken. Die blik was er al een paar dagen, net als de nogal norse ondertoon in haar stem en haar niet bepaald gastvrije manier van doen als hij een kop thee kwam drinken. Hij wist ook wanneer dat allemaal begonnen was. Die blik, die stem en die manier van doen, het was allemaal begonnen op de dag dat hij haar over zijn breuk met Belinda vertelde. Blijkbaar had hij niet helemaal zijn gebruikelijke fijnzinnigheid aan de dag gelegd toen hij haar dat bekendmaakte.

Het was onaanvaardbaar voor hem om dat toe te geven, zelfs aan zichzelf, zoals alle kritiek op hem, van hemzelf of van anderen, onaanvaardbaar was. Toen hij haar vertelde dat hij geduldig wachtte tot Belinda tussen hem en haar moeder zou kiezen, had hij dat met zijn gebruikelijke artistieke raffinement gedaan, misschien nog wel meer dan anders, want hij had zich er echt op toegelegd het perfect te laten overkomen. Waarschijnlijk voelde Inez zich gewoon beledigd omdat hij haar uitnodiging twee keer van de hand had gewezen. Wat moest ze ijdel zijn als ze dacht dat een man als hij een hele avond aan haar gezelschap zou verspillen!

De jaguar keek hem met zijn onheilspellende goudgele ogen aan. Voor het eerst zag hij de snorharen die zo hard waren als de haren van een boender. Hij huiverde ervan. Ze kwam met de thee terug maar bleef nors kijken. De laatste tijd had ze de gewoonte gehad hem over het nieuwste bezoek van de politie te vertellen, of over de speculaties van mensen die ze had ontmoet over het lot van Jacky Miller. Maar vanmorgen deed ze dat niet. Het bleef stil tussen hen tot ze hem, opkijkend van een kasboek dat ze aan het bestuderen was, opeens vroeg welke plannen hij had voor de komende *Bank Holiday.*

Jeremy was vergeten dat het maandag over een week zou zijn. Hij had geen plannen voor die dag, maar toen ze op zijn antwoord wachtte en weer een slokje thee nam, kwam hij op het idee om naar zijn moeder te gaan. In de hele bevolking van Groot-Brittannië, ja van de hele wereld, was er maar één persoon van wie Alexander Gibbons hield, en dat was Dorothy Margaret Gibbons. Het moest al weken geleden zijn dat hij haar voor het laatst had gezien. Niet dat hij nu last van zijn geweten kreeg, maar hij was toch wel verbaasd toen hij uitrekende dat hij sinds maart niet meer bij haar in Oxton was geweest.

'Ik ga naar mijn moeder,' zei hij.

'O, ja, die woont ergens in de Midlands, nietwaar?'

'In Market Hayborough,' zei Jeremy. Dat was een leugen, maar geen grote leugen. Zijn moeder woonde in het aangrenzende graafschap Nottinghamshire. Laat haar maar denken dat Jeremy Quicks moeder ergens anders woonde. Ze zou er nooit achter komen. 'En jij?'

'Ik ga op die maandag altijd naar mijn zus en haar man. Die wonen niet ver weg, in Highgate.'

Er was niet veel meer te zeggen, of hij zou moeten informeren naar de vakantieplannen van Zeinab Sharif, Will Cobbett en zijn tante, Ludmila Gogol en Freddy Perfect, Morton Phibling, Rowley Woodhouse en meneer Khoury. Jeremy dronk zijn thee op, bedankte Inez en ging op weg naar Paddington Station, de Circle Line die hem naar Kensington High Street zou brengen.

Zijn eerste inschatting van Inez' veranderde houding ten opzichte van hem was juist geweest. Niet dat ze hem van de dingen verdacht die hij had gedaan. Zoiets stond zo ver van haar af als maar kon, maar ze was er wel zeker van dat hij tegen haar had gelogen over Belinda en Belinda's moeder. Ze was bang dat hij net zo'n fantast was als Zeinab, en veel erger dan Ludmila. Zeker, in het begin had ze vage romantische gevoelens voor hem gekoesterd. Ze had gedacht, en dacht nog steeds, dat hij hartelijker met haar omging dan met andere mensen, en ze herinnerde zich zijn belangstelling voor haar ongewone voornaam. Misschien had ze de tekenen verkeerd geïnterpreteerd. Hoe dan ook, ze had gedacht dat hij een eerlijk mens was en daarin was ze teleurgesteld.

Het was nergens voor nodig dat ze zichzelf verwijten ging maken. Ze bracht de kopjes naar de keuken, waste ze af en droeg daarna het boekenrek naar buiten. Ze hadden gisteren maar liefst vier boeken verkocht, een record? Ze hoopte dat de politie vandaag niet zou komen, ze had genoeg van die lui, van Zulueta's arrogantie, van Crippens botheid.

Er kwam niemand, zelfs Zeinab niet. Inez zag Freddy op straat. Hij liep daar samen met die vriend van hem, Anwar Huppeldepup. Het was een vreemde combinatie. Ze twijfelde er niet aan dat het allemaal heel onschuldig was en dat Freddy de vaderrol speelde voor Anwar, die vijftien of zestien leek. Hoe hadden ze elkaar ontmoet en hoe was het tot vriendschap tussen hen gekomen? Ze behoorden natuurlijk allebei tot wat omslachtig een 'etnische minderheid' werd genoemd, maar in een stadswijk waar de meeste mensen ouders hadden die uit Azië, het Caribisch gebied of het Midden-Oosten waren gekomen, was dat eigenlijk niet genoeg om twee mensen bij elkaar te brengen. Zulke dingen waren vaak een mysterie.

Toen Zeinab om tien uur nog niet was komen opdagen, belde Inez naar haar mobiele nummer. Het was uitgezet. Ze wachtte een paar minuten. Toen herinnerde ze zich het adres dat Zeinab de politie had opgegeven en zocht ze de familie Sharif in het telefoonboek op. Een vrouw nam op. Inez nam terecht aan dat ze Zeinabs moeder was en vroeg waar haar dochter was.

Reem Sharif lag nog in bed. 'Ze zeggen dat het een virus is,' zei ze, haar mond vol chocolade met crème, nog over van Pasen.

'U bedoelt dat ze ziek is en niet op haar werk komt?'

'Zo is het. Ik ga later naar haar toe. Is dat alles?'

'Misschien kunt u haar vragen Inez te bellen.'

'Ja. Goedemorgen.'

Wat betekende dat: 'Ik ga later naar haar toe?' Waar dan? Was het mogelijk dat in de twee dagen sinds Zeinab tegen Crippen zei dat haar ouders in Minicom House woonden ze uit huis was gegaan en bij Rowley Woodhouse of Morton Phibling was ingetrokken? Inez dacht erover om Morton thuis in Eaton Place te bellen, tenminste als hij in het telefoonboek stond, maar op dat moment kwam hij net aanrijden in zijn limoenkleurige Peugeot met chauffeur. Omdat het zulk warm weer was – Inez had de buitendeur wijd open laten staan – droeg hij een wit pak met een zwart linnen overhemd, met open kraag, zodat je zijn kippenborst kon zien.

'Waar is zij die mijn ziel bemint?'

'Wist ik het maar, waarschijnlijk in bed met een virus,' zei Inez, die met opzet een beetje laatdunkend over Zeinabs omstandigheden sprak. Ze was anders niet zo scherp, maar de gebeurtenissen van deze ochtend stelden haar humeur zwaar op de proef. Toch ging ze nog niet zover dat ze Morton aanraadde mevrouw Sharif te bellen.

'Ze neemt vast wel weer contact op.' En een beetje spijtig voegde hij eraan toe: 'Ik had me erop verheugd met haar naar Knightsbridge te gaan voor het passen van haar trouwjapon.'

In míjn tijd, dacht Inez verontwaardigd, onder werktijd. 'Nou, dat moet dan maar uitgesteld worden.' Hij keek zo sip dat Inez medelijden met hem kreeg. 'Haar ziekte is vast niets ernstigs,' zei ze.

'U bent erg aardig,' zei Morton en waarschijnlijk voor het eerst in zijn leven zei hij: 'Ik zal u niet langer ophouden.'

Toen de limoengroene auto wegreed, kwam Will Cobbett, die misschien ook een dag vrij nam, naar de zijdeur. Hij droeg iets wat in twee plastic zakken was verpakt. Het leek op een schop. Inez hoorde hem naar boven gaan. Het kon toch geen schop zijn, waar zou hij die voor nodig hebben? Hij wilde toch niet proberen in die keiharde klei van haar armzalige tuintje te gaan spitten? Misschien had Becky een tuin...

Terwijl Inez zich begon af te vragen wat voor nut het had dat ze daar maar wat zat te peinzen, kwam er een potentiële klant. De klant kocht niets, maar de volgende deed een aanbetaling voor een grootvadersklok en zei dat hij hem later met een busje zou komen halen.

Freddy kwam terug zonder Anwar Ghosh. Zoals gewoonlijk wanneer hij rond deze tijd binnen kwam, begon hij zonder enige begroeting of inleiding te vertellen wat hij die ochtend had gedaan, vanaf het moment waarop hij wakker werd en de zon in de kamer zag schijnen en daardoor aan gelukkige tijden in Bridgetown, Barbados, werd herinnerd, tot aan het glas vruchtensap dat hij met Anwar in de Ranoush Juice had gedronken.

Toen zag hij het label met VERKOCHT aan de grootvadersklok hangen. Hij maakte meteen het deurtje open om naar de pendule te kijken.

'Waar is Zeinab?' vroeg hij.

'Toe, raak dat niet aan, Freddy. Ze is ziek thuis. Een soort virus.'

'Lieve help. Dus je bent helemaal in je uppie?'

Inez kon het zien aankomen. Hulpeloos liet ze het komen.

'Weet je wat, dan help ik je een handje. Ik neem gewoon haar plaats in.'

Hij zag haar blijkbaar ontzet kijken, maar gaf daar een verkeerde uitleg aan. 'Maak je geen zorgen. Ik hoef er geen geld voor te hebben.' Hij keek achterom voor het geval dat er spionnen van Sociale Zaken op het trottoir lagen, met hun oor bij de kier onder de deur. 'Onder ons gezegd, mag ik ook niets betaald krijgen, want dan zou ik mijn uitkering kwijtraken.' Hoopvol voegde hij eraan toe: 'Tenzij jij en ik een manier bedenken om ze te slim af te zijn.'

'Ik kan me heel goed in mijn eentje redden, Freddy,' zei Inez zwakjes.

'Nee, dat kun je niet.'

Zo'n woordenwisseling kon alleen maar ontaarden in een welles-nietes-discussie, en Inez gaf toe. 'Ik ga vlug even naar boven om het Ludo te vertellen,' zei Freddy en hij sprak zijn woorden met zijn daden tegen door uiterst langzaam naar de binnendeur te slenteren en onderweg allerlei kleine voorwerpen te bekijken.

Omdat ze behoefte had aan frisse lucht, ging Inez een tijdje buiten in de zon staan. Meneer Khoury, die op hetzelfde idee was gekomen, stond er al. Hij rookte een grote sigaar die de geur van oosterse kruiden verspreidde. Tuberoos en nardus, dacht Inez hoestend, kardemom en koriander. Mortons manier van praten was aanstekelijk.

'U ziet, mevrouw, dat het ooit witte busje terug is,' zei meneer Khoury. 'Het busje dat vuil is en vanwege een wetenschappelijk experiment niet mag worden schoongemaakt.'

Inmiddels was het zo vuil dat Inez niet zou hebben geweten dat het wit was als ze het niet eerder had gezien. 'Van wie is het?'

Meneer Khoury haalde zijn schouders op en blies tuberoosdampen uit. 'Hij heeft een PV, maar legt hij het bewijs daarvan achter zijn voorruit? Nee. Het is een rare man. Toen de parkeerwachter kwam, liet hij hem de vergunning zien en verscheurde de PB. Dat heb ik zelf gezien.'

Inez nam aan dat een PV een parkeervergunning en een PB een parkeerbekeuring was en zei dat de eigenaar blijkbaar gek was.

'Veel, veel mensen zijn gek,' zei meneer Khoury somber en hij wees. 'Daar heb je er weer een.'

Weer een wit busje, bedoelde hij, niet weer een gek. De koper van de grootvadersklok was teruggekomen, een en al glimlach. Terwijl ze hem verwelkomde, hoopte Inez dat Freddy de pendule niet had beschadigd.

Will had geen vrije dag genomen maar ging laat naar zijn werk, want Keith had hem naar een materialenhandel gestuurd. Toen hij daar toch was, had hij een schop gekocht. Hij had hem mee naar huis genomen en was daarna lopend naar hun nieuwe klus in Kendal Street gegaan. Die avond zou hij beginnen met graven.

Natuurlijk stond de radio aan, Keiths onmisbare achtergrond bij het repareren en pleisteren van de muren, een dof gestamp en gebonk en soms een menselijke stem die een doodongelukkig of juist manisch gelukzalig gejengel uitstootte. Will hoorde het niet eens; hij was er helemaal aan gewend. Maar om twaalf uur hoorde hij wel het weerbericht en hij zette de radio harder. Niet alles wat werd gezegd, was begrijpelijk voor hem.

'Bedoelt hij dat het hier gaat regenen?' zei hij tegen Keith.

'Weet ik veel. Het zuidoosten is hier, denk ik. Ze zeggen nooit Londen, hè? Ze hebben het over Norwich en Kent en Bristol en wat dan ook, maar ze noemen nooit de stad waar de meeste mensen wonen. Hij zegt dat het vanavond in het zuidoosten gaat regenen.'

'Veel regen of niet veel?'

'Waar wil je dat eigenlijk voor weten? Ga je naar iets opwindends?'

Will hoopte dat hij naar iets erg opwindends zou gaan, het opwindendste van zijn hele leven. Maar hij zou Keith niet vertellen waar hij heen ging of wat hij ging doen. Het moest voor iedereen een verrassing zijn. Hij gaf geen antwoord op de vraag, maar at zijn boterhammen in stilte op, en terwijl Keith zijn dagelijkse langdurige telefoongesprek met zijn vrouw voerde, ging hij verder met het schuren van deuren.

Zoals gewoonlijk gingen ze om vier uur naar huis. Omdat hij van die kant kwam, moest Will langs de etalage van Inez' winkel lopen. Inez en Zeinab waren nergens te bekennen en Freddy Perfect zat, gekleed in een bruine stofjas, achter het bureau. Will vroeg zich niet af waarom hij daar zat; hij dacht er nauwelijks over na. Veel gedragingen van degenen die hij in gedachten nog steeds de 'volwassenen' noemde, waren een raadsel voor hem. Hij accepteerde die dingen zoals kinderen ze accepteren, zonder zich er druk om te maken.

Toen hij weer in zijn eigen domein was, zette hij thee en maakte een pakje citroencakes open. Eten, vooral zoete dingen, was een van de grote geneugten in zijn leven en eten in Becky's gezelschap was het hoogste genot. Hoewel hij zich volwaardige voeding kon permitteren, wist hij dat hij dingen tekortkwam, maar als hij de schat vond, zou dat voorbij zijn. Momenteel kon hij geen Belgische bonbons of echte slagroomtaarten kopen (tenminste, niet elke dag), of hele kwarktaarten en geglazuurde aardbeientaarten zoals hij ze in de etalages van dure patisserieën zag liggen. Het kostte Will altijd moeite om langs die winkels te lopen zonder te blijven staan en zijn neus tegen de ruit te drukken. Als hij de schat had, zou hij dat niet hoeven doen. Dan zou hij naar binnen kunnen gaan om te kopen wat hij wilde hebben.

Niet álles zou opgaan aan Becky's huis. Hij zag het nu als 'Becky's huis'. Er zou zoveel overblijven dat hij de dingen kon eten die hij lekker vond. Terwijl hij dat dacht en zorgvuldig zijn kopje en bord afwaste, ging de telefoon. Bijna niemand belde hem, behalve Becky. Als hij had gedacht dat het iemand anders kon zijn, zou hij angstig naar de telefoon zijn gelopen, maar hij dacht dat het Becky zou zijn, dat ze hem wilde vertellen op welke dag hij in het weekend kon komen, of zelfs op beide dagen, als hij erg veel geluk had. Hij nam op en zei: 'Hallo, Becky.'

Een vrouwenstem zei: 'Ik ben Becky niet, wie dat ook mag zijn. Ik ben Kim. Weet je nog wel?'

Hij wist het nog. Ze was Keiths zus. Ze was bij hem geweest toen hij voor het eerst over de schat hoorde. 'Ja,' zei hij.

'Nou, ik dacht...' Bijna ieder ander zou hebben gemerkt hoeveel moeite dit haar kostte en dat ze wel een beetje aanmoediging kon gebruiken. 'Ik dacht... sorry, ik vind dit nogal moeilijk, maar zou je... nou, zou je mee willen naar een feestje waar ik heen ga? Ik bedoel, het is een vriendin van me, ze wordt 21 en ze zei dat ik iemand mocht meebrengen, en ik dacht, waarom niet jou? Het is zaterdagavond.'

'Ik ben zaterdagavond bij Becky.' Misschien was hij dat niet, misschien was hij zondag of zelfs vrijdag bij haar, maar als hij zou zeggen dat hij op zaterdag ergens heen ging, zou hij een veel te groot risico nemen. 'Ik kan niet op zaterdag.'

Kim moest meteen aan haar kinderjaren denken. Hij klonk zoals haar vriendinnetje en buurmeisje had geklonken, jaren en jaren geleden, als ze zei dat ze niet buiten kon komen spelen. Wat was er toch met hem? 'Een andere keer dan,' zei ze en nu drong haar teleurstelling wel tot hem door.

'Ik vind je echt aardig,' zei Will oprecht, want hij kon horen dat hij haar had gekwetst. 'Maar ik kan niet op zaterdag.'

Hij herinnerde zich die verschrikkelijke dag toen Becky hem helemaal niet had uitgenodigd, omdat hij op een zaterdag uit was geweest. Dat kon opnieuw gebeuren. Hij nam nogal bedroefd afscheid van Kim, want hij was haar dankbaar. Als zij het niet had voorgesteld, zou hij nooit naar de bioscoop zijn gegaan en had hij nooit gezien waar de schat lag. Bijna meteen nadat hij de hoorn op de haak had gelegd, ging de telefoon opnieuw. Ditmaal was het Monty. Hij vroeg of Will op een avond in de komende week een biertje met hem in de Monkey Puzzle wilde drinken.

'Ik kan deze week niet,' zei Will. 'Ik heb het druk.'

'Een andere keer dan,' zei Monty, dezelfde woorden die Kim had gezegd. Ieder ander dan Will zou de opluchting in zijn stem hebben gehoord.

Toen Becky belde, ongeveer een uur later, was hij zijn nieuwe schop aan het bestuderen en keek hij door het raam naar de regen, die was begonnen te vallen.

'Heb je zin om vrijdagavond te komen, Will?'

Hij ging liever niet op vrijdag, want dan kon hij niet erg lang blijven en was er geen middageten, maar hij zei ja, want hij wilde geen kans voorbij laten gaan. Toen vatte hij moed en zei: 'Mag ik zondag ook komen?' Het werd stil. Hij hoorde een lichte zucht en dacht meteen dat Becky wel erg moe moest zijn. 'Ja, natuurlijk kun je dan komen.'

Dus dat was goed. Beter zelfs. Hij zou drie keer naar 6th Avenue kunnen gaan om de schat op te graven, als die diep begraven lag of als hij hem niet meteen kon vinden. Deze avond en woensdag- en donderdagavond. Dat betekende dat hij er Becky vrijdag alles over kon vertellen. Will liep naar het raam. Het regende nog.

Met dit weer kon hij niet beginnen. Hij en Keith hadden eens een buitenklus gedaan, iemands afvoerbuis uitgraven, maar toen het hard ging regenen, moesten ze stoppen. Waar je groef, ontstonden waterplassen, en de aarde veranderde in zo'n zware modder dat je er met je schop geen beweging in kon krijgen. Toch ging hij naar beneden om te kijken. Hij nam de schop mee, maakte de bewonersdeur open en stak zijn hand naar buiten om te voelen hoe hard het regende.

Dat alles werd gadegeslagen door Finlay Zulueta, die aan de overkant van Star Street in zijn auto zat. Hij zat daar in opdracht van Crippen. Crippen, een en al grijns en goedkeuring, had hem gezegd dat hij dit moest doen, met enige assistentie van Osnabrook. Hij had Will

Cobbett de schop zien kopen en naar Kendal Street zien lopen. Toen hij Keiths busje daar zag staan, wist hij dat Cobbett daar niets illegaals ging doen. Maar met die schop had hij vast snode plannen. Keith Beatty had schoppen genoeg voor alles wat legaal was. En nu stond Cobbett daar buiten in de regen, met de schop in zijn hand. Vanavond kon hij trouwens niet veel met die schop doen, niet met die regen. Zulueta kon bijna niets meer door de ruiten van zijn auto zien; binnen waren ze beslagen en buiten liepen waterstraaltjes omlaag.

En Will zelf moest zich er tot zijn grote teleurstelling bij neerleggen dat het in de korte tijd dat hij in de deuropening had gestaan nog harder was gaan regenen. Het water kwam nu recht omlaag, als staafjes glas. Het sloeg tegen het wegdek en deed verwoede pogingen de goot te laten overstromen. Een voorbijrijdende auto liet het zo hoog opspatten dat hij vlug weer naar binnen ging. Hij zou niet vanavond beginnen met graven, maar morgen. Toen hij nog even naar buiten bleef kijken, zag hij Zulueta in zijn auto zitten, maar hij vond het niet bijzonder dat die daar zat. Will ging naar boven en begon het avondeten klaar te maken.

Het gebeurde niet vaak, maar het was zeker niet de eerste keer dat Jeremy Quick door de winkel ging toen hij thuiskwam van zijn werk. Hij was dat die avond niet van plan geweest, ook al niet omdat hij later was dan gewoonlijk, want hij had een uur langer doorgewerkt om de tijd in te halen die hij 's morgens had besteed aan het kopen van de oorringen. Maar Inez was nog in de winkel en de lampen waren nog aan. Jeremy ging naar binnen. Hij wist dat het verstandig zou zijn om weer bij haar in een goed blaadje te komen, maar hij had ook nog een ander doel. Misschien zou hij zijn weggebleven en zou hij de bewonersdeur hebben gebruikt als hij had geweten dat Freddy Perfect in de winkel was. Freddy was druk in de weer, en hij was niet eens bezig de voorwerpen te betasten of er met een plumeau overheen te gaan. Hij droeg een bruine stofjas, zoals ouderwetse ijzerhandelaren droegen.

Inez kon zich niet voorstellen waar die stofjas vandaan was gekomen. Had Freddy hem bij de hand gehouden voor het geval hij de kans kreeg om in de winkel te werken? Zou hij ook een uniform hebben als hem ergens een baan als portier werd aangeboden, of een jacquet voor als er een butler werd gevraagd? Ze was niet erg blij met Jeremy's komst en zei tegen zichzelf dat hij niet hoefde te denken dat ze op dit uur thee voor hem zou zetten. Het liefst had ze in haar eentje naar Zulueta gekeken, die blijkbaar het huis in de gaten hield. Waarom? Als Zeinab nou niet zo dom was geweest om een vals adres op te geven...

'Weet je, ik heb een baan, Jeremy,' zei Freddy. 'Ondermanager. Daar zit ik niet mee. Ik ben niet trots.'

Jeremy had er een hekel aan om bij zijn voornaam – of zijn alternatieve voornaam – genoemd te worden door uitschot als Freddy Perfect, maar hij zou zich niet belachelijk maken door dat te zeggen. 'Je bent nog laat open.'

'We zijn niet echt open,' zei Inez, met een van die zuchten die ze net niet kon bedwingen. 'Ik heb je minstens een halfuur geleden gevraagd het bordje naar GESLOTEN te draaien, Freddy.'

'Dat weet ik, Inez, maar we hadden hier net die twee leuke dames die het stolpje met de Big Ben in een sneeuwstorm en dat glazen vaasje hebben gekocht. In deze moeilijke tijden wil ik de klandizie niet wegjagen.'

De tijden waren nooit gemakkelijker geweest, maar Inez had geen zin om hem tegen te spreken. 'Wil je het nu doen? En dan kun je beter... eh, naar boven gaan.' Ze kon er nu niet meer aan toevoegen dat Ludmila zich zou afvragen waar hij bleef.

Jeremy, die inmiddels wanhopig zocht naar iets vriendelijks om te zeggen, bood aan een Crown Derby-bord te kopen. Het zou goed tot zijn recht komen aan de muur van zijn huiskamer. 'Je hoeft het niet in te pakken.'

Terwijl Inez zich omdraaide om de bon uit te schrijven en Freddy met tegenzin naar de binnendeur slenterde, haalde hij de oorringen uit zijn achterzak en liet ze geluidloos op het groene laken van de sieradentafel vallen.

– 13 –

De volgende morgen vond Freddy de oorringen. Hij was veel eerder naar de winkel gekomen dan nodig was, even na acht uur en lang voordat Jeremy Quick thee kwam drinken, ongeveer op het moment dat Will in Keith Beatty's busje vertrok. Inez moest later toegeven dat het ook voordelen had dat Freddy voor haar werkte. Als Zeinab er was geweest, zou het weken hebben geduurd voordat iemand ze zag. Aan de andere kant was het verschrikkelijk om Crippen en Zulueta weer in de winkel te hebben.

'Het begint er heel ernstig uit te zien,' zei Crippen somber.

'Daar ben ik het mee eens,' zei Inez. De blik waarmee hij haar aankeek, stond haar helemaal niet aan.

'Er zijn nu drie van de vermiste voorwerpen in uw pand aangetroffen, mevrouw Ferry.'

'Wat kan ik daaraan doen? Ik heb ze daar niet neergelegd.'

'Of eigenlijk vier,' zei Freddy. 'Omdat het twee oorringen zijn.'

Niemand lette op hem. Osnabrook arriveerde en hij en Zulueta begonnen de winkel weer te doorzoeken.

'Misschien moeten we uw winkel sluiten.' Crippen schudde zijn hoofd, iets wat hij al had gedaan sinds hij vijf minuten geleden was komen binnenlopen. 'Misschien moeten we om een rechterlijk bevel vragen.'

Hij vertelde niet precies welk bevel. 'Wat zou u daarmee opschieten?' vroeg Inez. 'Degene die dit doet, gaat dan gewoon met de spullen naar een andere winkel.'

'Dat is waar.' Zulueta, die achter in de winkel de laden met sieraden had doorzocht, fluisterde Crippen iets toe.

'Ik begrijp wat u bedoelt,' zei Crippen, die plotseling opgewekter keek. 'Laten we afwachten wat er verder gebeurt.'

Ze gingen plotseling weg, zonder de zoekactie af te maken.

'Wat was dat nou weer?' Dat was een retorische vraag van Inez, maar Freddy gaf evengoed antwoord.

'Ze zijn iemand op het spoor. Het zal wel iemand zijn die hier in de buurt woont. Het is iemand die het op jou heeft voorzien, Inez. Het zou me niet verbazen als het Jeremy was.'

'Doe niet zo belachelijk.'

'Ik zou helemaal niet verbaasd zijn.'

'Waarom zeg je dan niets tegen inspecteur Crippen?'

'Een medehuurder verraden? Zo diep ben ik nog niet gezonken, hoop ik.'

Inez zag dat ze hem had gekwetst, waarschijnlijk voor het eerst. Ze had niet gedacht dat het haar ooit zou lukken. Maar Freddy was naar buiten geglipt om Anwar Ghosh gedag te zeggen, die net voorbijkwam. Ze stonden te praten en Freddy rookte een sigaret om van de schrik te bekomen. Je stond ervan te kijken hoe sommige mensen door de onwaarschijnlijkste dingen van streek raakten, dacht Inez. Ze wist niet hoe vaak ze al tegen hem had gezegd dat hij niet zo belachelijk moest doen, dat hij geen dingen in de winkel moest oppakken, en minstens één keer had het niet veel gescheeld of ze had hem van diefstal beschuldigd. Niets van dat alles had hem echt getroffen, maar nu wel de suggestie dat hij Jeremy Quick zou kunnen verlinken, een man die hij nauwelijks kende en die nooit zelfs maar gewoon beleefd tegen hem geweest was. Nou ja, het was allemaal volslagen belachelijk, de suggestie en het feit dat Freddy op zijn tenen getrapt was.

Het was een droge, heldere dag, en waar gras en bladeren te zien waren, had de urenlange gestage regen ze frisser groen gemaakt. Kendal Street, dicht bij Hyde Park, had veel meer gras en bomen dan de zijstraten van Edgware Road die verderop lagen. Will, die van frisse lucht hield en graag buiten de stad zou hebben gewoond, ging in zijn halfuur lunchpauze naar het park, helemaal tot aan het beeld van Peter Pan in Kensington Gardens. Hij hield van dat beeld met zijn dieren en sprookjesachtige mensen en bleef er een volle vijf minuten voor staan. Toen moest hij vlug terug, anders kwam hij te laat. Al die tijd, behalve toen hij naar Peter Pan keek, had hij aan Becky's huis gedacht, dat misschien buiten de stad zou moeten staan, alleen zou ze dan niet naar haar werk kunnen. Maar ze zou niet meer hoeven te werken, als hij de schat had. Je kon zien dat het vandaag niet ging regenen, de lucht was daar helemaal verkeerd voor, en dus zou hij om acht uur, zodra de zon was ondergegaan, in 6th Avenue zijn.

Hij dacht helemaal niet meer aan Kim Beatty, tot Keith hem aan haar herinnerde.

'Dus je hebt mijn zus opgegeven?' Keith keek niet erg blij. Hij was de hele morgen al stiller dan anders geweest. 'Ik bedoel, je gaat niet meer met haar uit?'

'Dat weet ik niet.' Will wist niet wat hij anders kon zeggen.

'Dat is stom van je, Will. Echt stom en dat zeg ik niet alleen omdat Kim mijn zus is.' Keith zette de radio zachter. 'Ik ben veel ouder dan jij en nog getrouwd ook, en zo, dus je zult begrijpen dat ik dit alleen voor je eigen bestwil zeg, anders zou ik het niet zeggen. Je ziet er goed uit, maar niet iedere meid zal op je vallen, dat zul je wel weten, maar Kim mag je echt graag en ze is een beste meid. Ze is niet een van die types die met alles meegaan wat een broek aanheeft, of een broek uit heeft, kan ik beter zeggen.' Hij glimlachte om zijn eigen humor en eigenlijk ook om zijn eigen wereldwijsheid. 'Hé, als je er nu nog eens over nadenkt, ja? Een kans als deze krijg je niet gauw meer.'

Will begreep daar nauwelijks een woord van. De zinspeling op de broek ontging hem volkomen, zoals zinspelingen hem altijd ontgingen. Hij wist niet wat hij moest zeggen en zei dus maar: 'Goed.'

'Mooi. Dat wilde ik graag horen. Ik zou het niet hebben gezegd, weet je, als het niet voor je eigen bestwil was geweest. En nu ik dit heb uitgesproken, wordt het tijd dat ik moeder de vrouw ga bellen. Kijk toch eens hoe laat het al is.'

Will dacht er nauwelijks nog over na. Hij begreep vaag dat Keith wist dat hij tegen Kim had gezegd dat hij op zaterdag niet met haar kon uitgaan omdat hij naar Becky ging. Om de een of andere reden vond hij dat niet prettig, en hij begreep ook dat hij eigenlijk best had kunnen gaan, want hij had inmiddels met Becky afgesproken dat hij vrijdag en zondag bij haar zou komen. Het zat hem een beetje dwars dat hij iets onwaars had gezegd. Had het daarom eerst geleken of Keith boos op hem was? Hij piekerde er niet lang over, want hij had andere, belangrijker dingen aan zijn hoofd.

Toen hij thuiskwam, was het heel ander weer dan de vorige dag. De zon scheen, het was zo windstil en warm als midden in de zomer, en je kon merken dat er rustig weer op komst was. Will popelde om naar buiten te gaan en verder te gaan met het werk dat hem te doen stond. Maar het

146

was nu nog te vroeg om in een tuin te gaan graven. Er zouden overal mensen zijn. Ze zouden buiten aan het werk zijn, op tuinstoelen of portiektrappen zitten, en niemand mocht zijn geheim weten tot hij het aan Becky vertelde. Hij moest wachten tot minstens acht uur. Terwijl hij thee zette en een chocoladecroissant en een plakje amandelcake op een bord legde, droomde hij van het komende weekend. Als het dan nog mooi weer was, konden hij en Becky misschien naar Primrose Hill gaan, of zelfs naar de Heath, zoals ze al eerder op een zomerdag hadden gedaan. Ze konden van Kenwood naar Highgate wandelen, en als ze daar waren, zou hij haar over de schat en haar huis vertellen, en dat ze haar baan kon opgeven en dat ze buiten de stad konden gaan wonen, zij tweeën, voor altijd.

Hij was te opgewonden om veel te eten, alleen wat roerei op geroosterd brood. De zon ging onder en zette de westelijke hemel boven het park in een zacht oranjeroze schijnsel. Hij verpakte de schop in draagtassen en maakte ze met elastiek vast. Zulueta's auto stond er niet, maar een andere, die hij herkende omdat Crippen op de passagiersplaats zat, stond verderop in de straat. Will stond er nauwelijks bij stil. Hij ging lopend op weg naar 6th Avenue en genoot van de rustige avond en van de warmte die was blijven hangen.

Twee draagtassen zouden genoeg zijn voor de schat; misschien was één al genoeg. Hij zou de schop niet meer nodig hebben, en als hij er ooit weer een wilde, bijvoorbeeld om in de tuin van hun buitenhuis te werken, zou hij genoeg geld hebben om al het gereedschap te kopen dat hij wilde hebben. Maar hij moest niet op de dingen vooruitlopen. Misschien had hij meer dan één avond nodig om de schat te vinden en op te graven. Hij probeerde zijn opwinding te onderdrukken, maar slaagde daar niet in. Zelfdiscipline was voor hem net zo'n onmogelijke opgave als voor een kind, en toen hij bij het huis aankwam waar de bouwvakkers bezig waren geweest, was hij helemaal gespannen. Zijn handen beefden en toen hij in de achtertuin was, begon hij op en neer te springen.

Er was werk te doen. Hij moest proberen zich precies te herinneren waar de schat begraven was en speelde daarom de film nog eens voor zijn geestesoog af. Daar stond het schuurtje – iemand had het een beetje opgeknapt sinds de film was gemaakt – en daarvoor lagen veel stoeptegels, al zaten er meer barsten in deze tegels hier, en links van het schuurtje was de strook aarde, net als hier, en een beetje verderop, dichter bij de zijmuur, was de plaats waar ze het gat hadden gegraven. Toen

147

zag hij iets wat hij de eerste keer niet had gezien. Op de aarde lagen een plank en een stuk of vijf bakstenen, meer bakstenen dan in de film, dacht hij, maar dat was niet belangrijk.

Het liep tegen negenen en er was niet veel daglicht meer. Will had een stormlantaarn meegebracht, en toen hij er zeker van was dat er niemand in het huis was die hem kon zien en dat er blijkbaar ook niemand vanuit de andere huizen naar hem keek, deed hij hem aan en zette hem, omlaag gericht, op de dakrand van het schuurtje. Toen pakte hij de schop uit, streek glimlachend twee van de plastic draagtassen plat en legde ze neer. Daarin zou hij de schat naar huis dragen. Na nog even een blik op het huis en de huizen aan weerskanten te hebben geworpen zette hij de schop in de zware klei en begon te graven.

Inmiddels waren Crippen en Zulueta in het huis. Om binnen te komen hadden ze alleen maar een dun balkje hoeven te verwijderen dat losjes over de achterdeur gespijkerd zat. Ze hadden geen licht aangedaan. Dat kon ook niet. De stroom was afgesloten. Ze wilden ook geen zaklantaarns gebruiken en konden in het begin geen hand voor ogen zien, maar na een minuut of twee waren hun ogen aan het donker gewend. Dankzij Wills stormlantaarn hadden ze een perfect zicht op wat hij aan het doen was. Jong en sterk als hij was, had hij algauw een loopgraaf van een meter lang en dertig centimeter diep gegraven. Hij draaide zich nu naar het schuurtje toe, nam de lantaarn, ging op zijn knieën zitten en scheen in de kuil die hij had gemaakt. Op dat moment keek Crippen zijn collega aan en knikte. Ze gingen naar de achterdeur, deden hun krachtige zaklantaarns aan en gingen op Will af.

Will werd helemaal in beslag genomen door zijn gedachten. Hij vroeg zich af waarom hij, terwijl hij al zoveel had gegraven, nog niets van de schat kon zien, geen edelsteen of glinsterend goud. Opeens doken er twee oogverblindende lichtstralen uit het niets op. Ze waren eerst op de kuil gericht, en toen op zijn gezicht. Hij draaide zich om en kwam langzaam overeind.

'William Charles Cobbett,' zei Crippen met harde, angstaanjagende stem. 'Ik arresteer u wegens het betreden van dit perceel met onwettige doeleinden en het verbergen van een lijk.' Als hij het lijk van het meisje had gezien, of zelfs als hij had geweten waar het was, zou hij hem gewoon van moord hebben beschuldigd. 'U bent niet verplicht iets te zeggen...'

Hij liet er nog meer onheilspellende woorden op volgen. Will zei niets. Hij kon ook niets zeggen, want hij begreep niet wat er aan de hand was. Verbijsterd keek hij van de ene naar de andere politieman en toen besloot hij, met de schop nog in zijn handen, om hard weg te lopen. Het was eigenlijk nauwelijks een beslissing, meer een automatische reactie, het enige wat hij kon doen. Op de een of andere manier, wist hij, wilden deze mannen hem straffen, en je moest altijd proberen aan bestraffing te ontkomen. Je rende weg. Hij rende naar de zijkant van het huis, wrong zich langs de betonmolen en liep recht in de armen van Crippens assistentie, drie geüniformeerde agenten die net uit hun auto waren gestapt.

Hij bood geen verzet meer. Ze werkten hem in een van de auto's, tussen Zulueta en een agent in het uniform van de Londense politie, dat hem altijd al, vanaf zijn kinderjaren, een groot ontzag had ingeboezemd. Een van de dames in het tehuis zei altijd, als ze met een groepje kinderen op straat was, dat als ze niet braaf waren die agent daar aan de overkant ze zou grijpen. In alle onschuld vertelde Will dat op een dag aan Monty. Daarna hadden ze, om de een of andere reden, die dame nooit meer gezien, maar het kwaad was geschied en hij was nog altijd bang voor mannen in een donkerblauw uniform met zilveren knopen en een blauw-wit geruite pet. De man die naast hem in de auto zat, had ook zo'n uniform aan en Will was algauw verstijfd van angst.

In een naargeestige kamer op het politiebureau lieten ze hem aan een metalen tafel zitten. De man die Zulueta heette en die geen politieman kon zijn want hij droeg geen uniform, bood hem een sigaret aan. Will had nog nooit gerookt en wilde 'nee, dank u' zeggen, maar hij kon de woorden er niet uit krijgen. Crippen kwam binnen, Zulueta drukte op een knop van iets wat een beetje op Keiths radio leek en zei: 'Ondervraging begonnen om 22.30 uur. Aanwezig zijn William Charles Cobbett, inspecteur Brian Crippen, rechercheur Finlay Zulueta en agent Mark Heneghan.'

Will vond het niet zo angstaanjagend, omdat er verder niemand bij was, maar toen hij achterom keek, zag hij een politieman bij de deur staan. Die droeg geen helm, maar had wel het uniform aan en droeg een riem waar een soort zware stok aan hing. Will beefde toen hij die stok zag, al was zijn lichaam stijf en gespannen.

'Waar is ze?' vroeg Crippen hem. Hij zei het met een zucht, alsof hij erg moe was.

Will wist niet wie 'ze' was. Toen hij ernaar probeerde te vragen, wilden de woorden niet komen. De man in het uniform gaf hem een glas water en Will dronk er wat van, maar zijn stem kwam niet terug.

Crippen stelde hem de vraag opnieuw, met dezelfde woorden, en zei toen: 'Waar is Jacky Miller? Wat heb je met haar gedaan?'

Will kon alleen maar met zijn hoofd schudden. Zulueta vroeg hem wat hij met het lichaam van een meisje had gedaan en wilde toen weten waar het meisje was geweest, levend of dood, toen hij de oorringen pakte. Wanneer had hij de oorringen in de winkel gelegd? Lag haar lichaam in het schuurtje in 6th Avenue? (Ze wisten dat dat niet waar was, want ze hadden het doorzocht voordat Will daar kwam.) Hij kon geen van die vragen beantwoorden, niet alleen omdat hij geen stem had maar ook omdat hij niet wist waar ze het over hadden. Hij zat er zwijgend bij. Hij keek hen niet aan maar hield zijn blik strak op een gaatje in de plint gericht. Het leek hem precies het soort gaatje dat een muis zou maken. Will hield van muizen, al had hij ze bijna nooit ergens anders dan op televisie gezien, en hij zou het leuk hebben gevonden als eentje zijn kop naar buiten stak terwijl hij naar dat gaatje keek. Als hij maar bleef kijken en aan die muis dacht, zouden ze hem misschien naar huis laten gaan.

'Als je koppig je mond houdt,' zei Crippen, 'schiet je daar niets mee op, weet je.' Waarom had die vent niet op zijn minst om een advocaat gevraagd? Nou, als hij er niet naar vroeg, zou hij hem niet vertellen dat hij daar recht op had, én op één telefoongesprek. 'Je maakt het alleen maar erger voor jezelf.'

Zulueta wilde weten of Will een graf had gegraven. Voor wie was het graf? Als het niet voor Jacky Miller was, waarom was hij dan aan het graven geweest?

Als Will had kunnen spreken, zou hij hun over de schat hebben verteld. Zelfs wanneer dat zou hebben betekend dat hij de schat met hen moest delen. Maar hij kon geen woord uitbrengen. Misschien was dat wel goed ook. Misschien was het de veiligste manier om de schat voor hemzelf en Becky te houden. Hij bleef naar het muizengaatje kijken, maar dacht niet meer aan de muis. Hij dacht aan de schat. Waarom had hij hem niet gevonden? Waar was de schat? Was er misschien iemand anders geweest die hem had opgegraven? Hij dacht van niet, de grond was keihard geweest, er was in geen jaren in gespit...

Twee uren gingen voorbij. Ze hadden thee en koekjes. Terwijl ze aten en dronken, bombardeerden ze hem met vragen. Hij kon niets eten of drinken. Het was al één uur in de nacht geweest toen Zulueta in het radioachtige apparaat zei dat de ondervraging was beëindigd. Bevend omdat hij aan een echte politieman was overgedragen, de man die bij de deur had gestaan, werd Will naar een cel met een bed en een tafel en een afgedekte emmer gebracht. Blij dat hij alleen was, ging hij op het bed zitten. Even later ging hij liggen.

Het was nogal koud. Hij trok de dunne deken over zich heen. De tranen liepen uit zijn gesloten ogen en hij kneep ze nog stijver dicht. Hij was te groot om te huilen. Dat zeiden ze in het tehuis altijd. Een grote jongen als jij die zit te huilen, dat kunnen we niet hebben, zeiden ze altijd. De tranen droogden op zijn wangen op toen hij in slaap viel. Hij dacht aan Becky. Hij wist dat Becky zou komen, o, laat haar gauw komen. Laat me wakker worden en laat Becky er dan zijn om me mee naar haar huis te nemen, en alsjeblieft, alsjeblieft, laat die politieagent niet terugkomen.

– 14 –

Ze zaten met zijn vieren in Anwars kamer in St Michael's Street. Ze praatten over de voorgenomen inbraak en lieten een joint rondgaan die Keefer Latouche had gedraaid. Ze vonden dat Keefer het handigst was in het maken en draaien van joints, omdat hij ouder was en eens door rechercheur Jones met gevangenisstraf wegens het bezit van wit poeder bedreigd was, 'als het nog een keer gebeurt'. Vijf minuten lang had Jones gedacht dat het poeder cocaïne was, maar het bleek een stof te zijn die je in water moest oplossen om gebarsten nagels te behandelen, eigendom van Keefers toenmalige vriendin. De twee anderen waren een zwarte jongen die Flint Edwards heette, en de amateurmanicure die vroeger Keefers vriendin was geweest en nu Flints vriendin was. Ze heette Julitta O'Managhan, uit te spreken als O'Moin. Keefer, achttien jaar, was de oudste en werd door de anderen Opa genoemd.

'Dus 6 mei is I-Day,' zei Anwar, die nooit iets rookte.

Keefer en Flint keken hem verbaasd aan, maar Julitta zei: 'Wat een goed idee!'

High als ze waren, schudden Keefer en Flint van het lachen. Julitta volgde hun voorbeeld en rolde over de vloer. Keefer begon haar onder haar armen en in haar zij te kietelen.

'Blijf met je vuile witte handen van haar af,' zei Flint, die niet meer lachte.

Anwar keek wanhopig naar hen, maar hij was niet van plan hen hun gang te laten gaan. 'Willen jullie nou even je bek houden? Of moet ik jullie dwingen?'

'Jij en wie z'n netwerk?' zei Flint, maar hij zei het halfslachtig en ging weer zitten, waarna hij een diepe trek van de joint nam.

'Ik noem het I-Day,' begon Anwar, die op zijn zestiende al een volleerde voorzitter was, 'omdat het de dag is waarop we het karwei gaan doen, de inbraak. De I van inbraak, snap je, want er is vast niet een van jullie die kan spellen. Die mensen zijn de hele dag weg. Het is een vrije dag voor iedereen. Kom eens hier.' Hij was naar het raam gegaan. Toen hij het openzette en de milde avondlucht binnenliet, klapte Keefer bijna dubbel van het hoesten. 'We gaan achterom, tenminste, als Opa het zo lang kan volhouden. Ik heb een plattegrond getekend. Die laat ik straks aan jullie zien. De code van het inbraakalarm is 2647 en ik wil dat jullie dat onthouden, als Opa's shit jullie hersenen niet week heeft gemaakt.'

Ze keken allemaal naar de huizen in de evenwijdig lopende straat. Er stonden grote oude platanen tussen, die grote vlekken van duisternis vormden tussen dit raam en de helder verlichte gele rechthoeken van het huizenblok. Mensen die konden interpreteren wat ze zagen, zouden de tweetallen felle gele puntjes in de bladermassa beneden hebben opgemerkt: meer dan tien katten die keken en wachtten.

'We gaan door een van die ramen?' vroeg Flint.

'Tegen die tijd heb ik een sleutel van de achterdeur.' Anwar vertelde niet hoe hij aan die sleutel zou komen en niemand vroeg ernaar. Ze wisten dat als hij zei dat hij een sleutel zou hebben, hij er een zou hebben. 'Ju en ik doen de bovenste verdieping, Flint kan de middelste doen – en let wel, niets uit appartement 2 – en Opa en ik doen appartement 1. Ik help hem een handje als ik boven klaar ben.' Hij keek Julitta aan en blafte haar toe: 'Wat is het nummer van het alarm?'

'Dat dondert geen fuck, want het alarm is stuk,' zei Julitta, een antwoord dat weer tot grote hilariteit leidde, zoals dat met haar grappen en rijmelarijen altijd het geval was.

'O, wat maakt het ook uit?' Anwar liet het raam met een klap dichtvallen; de katten stoven uiteen. 'Snertkatten,' zei hij. 'Misschien is het beter als jullie het niet onthouden. Het is genoeg dat ik het weet. De zesde is pas over een week. Bivakmutsen of zwarte kousen. En natuurlijk sportschoenen.' Hij keek afkeurend naar de tien centimeter hoge hakken van Julitta's cowboylaarzen en richtte zijn blik toen met evenveel walging op Keefers handen, die met een nieuwe joint bezig waren. 'We komen hier op zondagavond weer bij elkaar. Op de zesde gaan we om precies twaalf uur 's middags naar binnen, dus misschien kunnen jullie die ochtend van de wiet afblijven. En van de drank.' Dat laatste was voor Flint bestemd, die bekendstond om zijn voorliefde voor wodka. 'En rot nou maar op. Ik ga naar bed.'

Julitta schrok daar zo van dat ze vergat de comédienne uit te hangen. 'Wat is er toch met jou, An? Het is nog geen twaalf uur.'

'Ik ben jonger dan jij, weet je nog wel? Ik ben in de groei en ik heb mijn slaap nodig.' Hij gaapte om zijn woorden kracht bij te zetten en manoeuvreerde hen naar de deur door met zijn handen tegen de lucht te duwen als iemand die een stel kippen wegjaagt. Ze stampten over de kale, door houtworm aangetaste trap omlaag, schreeuwend en krijsend, zodat de bewoners van de andere kamers er wakker van werden. Ze bliezen ook nog wietdampen onder deuren door, tuimelden toen de straat op en lieten zich in Keefers vuile witte busje vallen, met het briefje over de vuilanalyse achter de ruit. Voordat ze wegreden, zette Keefer de radio zo hard als hij kon op een *garage*-station en zette hij alle ramen open.

Anwar deed zijn deur erg zachtjes dicht. Eerst zette hij een kop chocolademelk, zijn lievelingsdrank. Die liet hij even staan afkoelen, en intussen trok hij het pak uit dat hij droeg, donkergrijs met een wit streepje, en hing het aan een hanger in de kast. Zijn witte overhemd liet hij op de vloer vallen; dat moest de volgende dag naar de stomerij. Hij bezat geen spijkerbroeken, T-shirts, leren jasjes of hoge schoenen.

Hij was zestien maar zag er jonger uit. Hij was de enige zoon van een arts die van Bombay naar Londen was gekomen toen hij nog een kind was, en een lerares. Ze hadden ook drie dochters, waren redelijk welgesteld en woonden in een groot vrijstaand huis in Brondesbury Park, niet ver van de groepspraktijk waarvan dokter Ghosh deel uitmaakte. Anwar, was zijn ouders verteld, had een fenomenaal hoog IQ. Hij zou vast en zeker in Oxford worden toegelaten en zou hoogstwaarschijnlijk een jaar eerder eindexamen kunnen doen.

Maar dat was anderhalf jaar geleden en hij had nog steeds geen eindexamen gedaan. Het was niet zeker of de vrienden met wie Anwar omging slecht waren of dat hij slecht was. Zijn ouders informeerden daar niet naar, want ze wisten nauwelijks wat voor leven hij leidde. Natuurlijk wisten ze wel dat hij spijbelde, want dat kregen ze van zijn school te horen, en ze wisten ook dat ze niet konden nagaan of hij achter was met zijn schoolwerk, want hij was zelden thuis om dat te doen. In elk geval wisten ze niets van de kamer die hij in St Michael's Street, Paddington, huurde, en van de succesvolle misdrijven die hij en zijn vrienden hadden gepleegd. Hij was zo beleefd tegen hen, en altijd zo netjes, zo intelligent en getalenteerd, dat ze afgezien van zijn spijbelgedrag, waarover ze hem voortdurend de les lazen, eigenlijk niets op hem aan te merken hadden.

Hij moest naar een universiteit. Het zou absurd zijn als van al zijn leeftijdgenoten uitgerekend hij, die voorbestemd was voor Oxford of

Cambridge, dat belangrijke stadium van zijn opvoeding zou mislopen, terwijl zelfs de zwakste scholieren een universitaire studie vonden die ze konden volgen. Dokter Ghosh reed hem zelfs een tijd naar school en bleef dan bij de ingang geparkeerd staan om er zeker van te zijn dat hij niet meer naar buiten kwam. Natuurlijk ging Anwar naar buiten via de gymzaal, over het parkeerterrein en, diep voorovergebogen, door iemands achtertuin. Dat alles was een jaar geleden. Zodra hij zestien was geworden, kon niemand hem meer dwingen naar school te gaan. Hij hoefde niet eens thuis te wonen en zou kunnen trouwen, als hij dat wilde, maar natuurlijk wilde hij dat niet. Zo ongeveer het enige wat hij niet mocht, was stemmen, en wie kon dat nou wat schelen?

In het begin had hij zijn nachtelijke afwezigheid verklaard door te zeggen dat hij bij een vriend bleef slapen. Misschien geloofden ze dat alleen omdat ze het wilden geloven. Ze wilden denken dat hij iets normaals deed, iets wat andere jongens ook deden. Niet dat hij nooit thuiskwam. Hij bleef vaak een nacht of twee thuis slapen, een tamelijk lange jongen, erg mager, onberispelijk gekleed in een van zijn donkere pakken, ruikend naar de kokosnootzeep die hij onder de douche gebruikte. Mena Ghosh zou met alle plezier zijn overhemden en ondergoed wassen, als hij ze naar haar toe bracht, maar hij ging ermee naar een stomerij in Edgware Road. Zijn ouders waren prettig in de omgang, en als ze naar een feest of een etentje gingen, ging hij vaak met hen mee en sprak hij oudere familieleden beleefd met 'tante' en 'oom' aan. Hij hielp zijn zussen met hun huiswerk en ging met hen mee naar huizen van vriendinnen, als het donker was. Hij had altijd veel geld.

Dokter Ghosh zei tegen zichzelf dat zijn zoon goed kon omgaan met de bescheiden toelage die hij hem gaf. Maar die met de hand gemaakte schoenen brachten hem aan het twijfelen, evenals de ring met zo te zien een echte diamant. Nu Oxford uit beeld was geraakt, praatte hij, als Anwar thuis was, steeds meer op hem in om op zijn minst 'een of andere beroepsopleiding' te volgen. Als hij loodgieter of elektricien werd, zou hij in elk geval de kost kunnen verdienen. Anwar ging na een paar dagen altijd weer weg. Hij had 'vrienden' in Bayswater, zei hij. Dat was waar, want Julitta en Flint hadden een kamer aan het Sussex Gardens eind van Spring Street. Zelf huurde hij zijn kamer, net als zes anderen die in hetzelfde huis woonden, van een Turk, Sheket, die een illegaal atelier in het souterrain had, waar vijftien vrouwen twaalf uur per dag in het halfduister achter naaimachines zaten.

James had niets van zich laten horen. In de eerste paar dagen nadat hij was weggegaan en haar met Will op de stoep had achtergelaten, had Becky alleen maar een bittere afkeer gevoeld. Wat moest hij een oppervlakkige, conventionele man zijn, als hij haar in de steek liet omdat ze, zonder dat het haar schuld was, een familielid had dat op een dakloze leek! Hoe kon hij zomaar weglopen, zonder zelfs maar op een verklaring te wachten en zonder te beloven dat hij contact zou opnemen? Hij was bang voor Will geweest, dacht ze. En dat niet alleen. Hij had ook niet langer met haar willen omgaan omdat hij bang was dat hij dan op de een of andere manier voor Will zou moeten zorgen, hem zou moeten helpen, misschien zelfs geld aan hem zou moeten uitgeven. Het lukte haar om een tijdje minachting te voelen voor iemand die zo egoïstisch en laf was.

Toen de dagen verstreken zonder dat ze iets van hem hoorde, hadden haar gevoelens moeten verharden, tot ze hem helemaal uit haar hoofd kon zetten. Per slot van rekening was het geen echte liefdesverhouding geweest. Ze had een paar keer met hem gebeld en ze was twee keer met hem uit geweest. Ze zou zich gekwetst kunnen voelen, maar dat was dan ook alles, en inmiddels zou ze hard op weg moeten zijn om hem te vergeten. Maar dat kon ze niet. Die twee keer dat ze bij hem was geweest, was hij zo aardig geweest, zo charmant, zo grappig, zo begrijpend, met zoveel belangstelling en duidelijk ook bewondering voor haar. En ze had zich eerst enigszins en toen sterk tot hem aangetrokken gevoeld. Ze had geen intieme band met hem gehad, maar toch zou ze zeggen – bijvoorbeeld, toen ze op de terugweg van het feest waren – dat hij de laatste man ter wereld was die zich zo zou gedragen. Blijkbaar kende ze hem helemaal niet. Of had ze gewoon iets niet begrepen? Was zijn snelle aftocht niet een teken van onbegrip maar juist van veel begrip geweest? Had hij geweten dat ze er niemand bij wilde hebben terwijl ze Will verzorgde, en was hij zo tactvol geweest om weg te gaan?

Maar waarom had hij haar die avond of de volgende dag dan niet gebeld? Zo draaiden haar gedachten in een kringetje rond. Ze veroordeelde hem, verzon excuses voor hem en kwam uiteindelijk tot de conclusie dat ze alleen een eind aan die speculaties kon maken door hem te bellen. Ze had niets te verliezen. Hij kon ophangen als hij haar stem hoorde, hij kon tegen haar zeggen dat hij haar niet meer wilde zien, en in dat geval zouden haar gevoelens bevestigd zijn en zou ze weten dat het geen zin had om achter hem aan te lopen. Of hij kon haar nog een kans geven, bereid zijn naar haar toe te komen om over Will te praten. Toen dacht ze aan het komende weekend. Omdat ze moe was van het probleem dat Will vormde en ze te veel van hem hield om voet bij stuk te houden, had ze goedgevonden dat hij zowel vrijdagavond als zondag kwam. Zondag de hele dag. Als ze James belde en het klikte, dan wilde hij haar ontmoeten en dan zou ze moeten zeggen dat het alleen op zaterdag kon. Waarom niet? Ze hoefde 's morgens niet meer van winkel tot winkel te gaan. Ze begon toch al last van haar geweten te krijgen omdat ze zoveel tijd besteedde aan zo'n onbenullige, bijna gênante bezigheid. Ze zou hem bellen. Toen ze op woensdagavond van haar werk naar huis reed, nam ze het besluit. Toch was het gemakkelijker gezegd dan gedaan. Ze deinsde terug voor het idee dat ze die man zou bellen die ze maar zo kort had gekend en dat ze hem om een afspraakje zou vragen, want daar kwam het op neer. Een aantal keren liep ze naar de telefoon, stak haar hand ernaar uit, trok zich terug. Ten slotte, toen het bijna negen uur was, schonk ze zich een stevige gin in, liet de alcohol op zich inwerken en nam toen de hoorn van de haak en draaide vlug zijn nummer.

Natuurlijk was hij er niet. Toen ze zijn stem op het antwoordapparaat hoorde, stond hij haar meteen weer voor ogen, zijn knappe uiterlijk, zijn prettige, ongedwongen manier van doen. Ze sprak geen boodschap in, maar probeerde het vijf minuten later opnieuw. Had ze hem ooit haar mobiele nummer of haar nummer op kantoor gegeven? Ze kon het zich niet herinneren. Hoe dan ook, de kans was klein dat hij het nog had. Stel je voor dat hij haar vergeten was, zelfs haar naam...

Na de lange pieptoon zei ze in de telefoon: 'James, met Becky Cobbett. Wil je me bellen? Ik zou graag met je willen praten.' Ze gaf haar nummer thuis op en toen ook haar mobiele nummer en kantoornummer. De gin had zo'n stimulerend effect, gaf haar zoveel zelfvertrouwen dat ze er nog een nam, al wilde ze meteen dat ze dat niet had gedaan.

De volgende morgen werd ze vroeg wakker met hoofdpijn. Twee aspirientjes brachten verlichting, maar ze verdoofden haar ook een beetje. Ze had zin om zich in haar bed terug te laten vallen en uren te slapen, maar dat kon niet, want ze moest vroeg op kantoor zijn. Er stonden geen boodschappen voor haar op haar eigen antwoordapparaat. Wat had ze zich ook verbeeld? Dat hij haar zo graag wilde spreken dat hij in de kleine uurtjes had gebeld?

Om halfnegen zat ze achter haar bureau en om kwart voor negen ging ze naar de ochtendbespreking die de reden was waarom ze zo vroeg was opgestaan. Becky was te goed in haar werk om zich van het belangrijke onderwerp van de bespreking te laten afleiden door gedachten aan een wellicht mogelijke maar onwaarschijnlijke liefdesverhouding. Daar dacht ze niet meer aan totdat de bespreking om halfelf was afgelopen. Weer in haar eigen kantoor, bedwong ze de neiging om naar haar eigen huis te bellen en naar eventuele ingesproken boodschappen te luisteren. Ze dronk de koffie die haar secretaresse haar bracht, voerde een stuk of vijf belangrijke telefoongesprekken en nam twee keer zoveel gesprekken aan, elke keer in de hoop dat het James was. Verder richtte ze haar aandacht op de eerste versie van het marketingplan dat ze aan het opstellen was. Om één uur ging ze naar een kleine bistro in de buurt om te lunchen. Ze kon niet eten. Eigenlijk was het belachelijk dat je van de zenuwen niet kon eten omdat je je afvroeg of je iemand moest bellen of niet. En dan nog wel op haar leeftijd. Ze zou toch beter moeten weten. Ze had zin in een stevige borrel, maar wist dat ze op een hellend vlak dreigde te komen. Haar hele leven had Becky zich tegen de verlokking van de sterkedrank moeten verzetten, en soms had ze eraan toegegeven. Ze was nooit aan de drank geraakt en had zich er ook nooit helemaal van onthouden, maar elke dag dronk ze een beetje of tamelijk veel. Lang geleden was ze in de gevaarlijke situatie terechtgekomen dat ze iets moest drinken voordat ze aan een grote onderneming begon, een uitdaging aanging of verontrustende afwijkingen van de norm onder ogen moest zien. Vaak weigerde ze aan die verleiding toe te geven, maar die strijd maakte haar erg moe. Ze was nu ook van plan om ertegen te vechten, maar omdat ze zo moe was en haar hoofdpijn ook nog niet helemaal was weggetrokken, merkte ze dat de strijd te veel voor haar werd en gaf ze zich gewonnen.

Ze had de flessen gin, wodka en whisky in de kast van haar kantoor nooit geheimgehouden. Ze serveerde ze met tonic en mineraalwater als een bezoeker of collega iets kwam bespreken, zolang het maar na halfzes was. Haar secretaresse wist ervan en Becky nam zelf soms ook iets aan het eind van een zware dag. Becky haalde nu de cognac tevoorschijn en schonk zo'n drie centimeter in. Dat zou goed zijn tegen de kater en haar tegelijk nieuwe moed geven. Ze dronk het vlug op en schonk zich nog een glas in dat ze op haar gemak leegdronk. Terwijl ze probeerde alle emotie van zich af te zetten, belde ze naar haar eigen huis om te horen of er boodschappen waren ingesproken.

Er was maar één boodschap, niet van James maar van Inez Ferry. In tegenstelling tot de meeste mensen vertelde Inez hoe laat ze belde, dat was nog geen halfuur geleden geweest. Toen Becky ernaar luisterde, moest ze gaan zitten, zo groot was de schok.

'Becky, met Inez. Dit is dringend. Het is donderdag 25 april, kwart voor twee in de middag. Ik wist dat je niet thuis zou zijn, maar ik heb je kantoornummer of je mobiele nummer niet. Becky, Will is gearresteerd. Ze houden hem sinds gisteravond vast. De politie is hier geweest en de inspecteur heeft het me verteld. Bel me terug zodra je kunt.'

Inez had geprobeerd inspecteur Crippen uit te leggen dat Will niet helemaal... nou, hij was natuurlijk niet achterlijk, dat woord gebruikte je niet meer. Dat zou hij moeten weten, zei ze verontwaardigd, en ze keek hem bestraffend aan.

'Goed, goed, rustig maar,' zei Crippen. 'Hij lijkt mij trouwens heel normaal. Hij praat niet, maar dat is niets nieuws. Hij is zeker niet de enige die het stilzwijgen tot een kunst heeft verheven.'

'Will is niet in staat om iets, wat dan ook, tot een kunst te verheffen, zoals u het noemt. Waar wordt hij van beschuldigd? Heeft hij al een advocaat?'

'U hoeft u niet zo op te winden, mevrouw Ferry. Ik begrijp niet waar u zich zo druk om maakt. Cobbett heeft niet om een advocaat gevraagd en hij heeft ook niet gevraagd of hij mocht telefoneren. U zou er prijs op moeten stellen dat wij van onze kant erg... eh, erg, wat is het woord dat ik zoek?'

'Stom?' merkte Freddy op. 'Onwetend? Hypocriet?'

Ondanks de vreselijke situatie moest Inez onwillekeurig lachen. Ze vond Freddy opeens een beetje sympathieker. 'Ik denk dat u grootmoedig bedoelt,' zei ze. 'Hoe dan ook, ik ben het er niet mee eens. U schijnt niet te beseffen dat u een man met de geestelijke vermogens van een kleine jongen vasthoudt en hem behandelt als een... een doorgewinterde bajesklant. Waar verdenkt u hem trouwens van?'

'Dat kunnen we u niet vertellen,' zei rechercheur Jones, die zich bij Crippen had gevoegd. 'We kunnen alleen zeggen dat we momenteel in de omgeving van Queen's Park en Harrow Road naar bewijsmateriaal zoeken.'

'Wat voor bewijsmateriaal?'

Geen van beide rechercheurs gaf antwoord en Freddy zei luguber: 'Het lijk van een meisje, denk ik.'

159

Ze hoefden niet op zijn woorden te reageren, want op dat moment ging de telefoon. Het was Becky Cobbett. Inez sprak met haar en hield toen haar hand over het mondstuk en zei tegen Crippen: 'Zijn tante wil naar het politiebureau komen. Ze wil dat ik met haar meekom. Daar hebt u geen bezwaar tegen?'

Jones trok zijn schouders op en liet ze weer zakken. Crippen zei cryptisch: 'Als het moet.'

Het had geen enkele zin dat ze naar het politiebureau gingen. Ze mochten niet met Will praten, kregen niets te horen en werden bijna volkomen genegeerd. Een vriendelijke brigadier in uniform kreeg uiteindelijk medelijden met hen en voorzag hen van thee en chocoladekoekjes. Inez zat op hete kolen, want ze kon de drank in Becky's adem al op een meter afstand ruiken. Becky had haar bij de winkel opgepikt om hierheen te rijden, en al die tijd was Inez bang geweest dat ze werden aangehouden en dat ze Becky een alcoholtest zouden afnemen. Op een gegeven moment, misschien pas 's avonds, zou Becky hen terug moeten rijden – hopelijk met Will – en dan zou de politie vast merken wat zij meteen al had gemerkt. Hoewel Becky volgens Inez stevig onder invloed verkeerde van iets wat naar cognac rook, had ze al minstens vijf keer met haar mobiele telefoon naar kantoor gebeld.

Inez dacht aan Freddy, die op haar winkel paste. Dat ging waarschijnlijk wel goed, al zou ze zich meer op haar gemak hebben gevoeld als het Zeinab was geweest. Freddy was eerlijk, daar was ze van overtuigd, en hij was niet dom, maar wel erg dwaas. Als ze het had moeten uitleggen – per slot van rekening betekenden die twee woorden grotendeels hetzelfde – zou ze dat niet kunnen. Misschien bedoelde ze dat hij te veel vertrouwen in mensen had en het wereldbeeld had van een naïeveling die denkt dat hij een grote wijsheid bezit, wat een gevaarlijke illusie is. Becky was naar de brigadier achter de balie gegaan om te vragen of ze al een antwoord hadden op haar vraag of Will een advocaat mocht hebben. Kon ze er niet een voor hem bellen? Even later verscheen Zulueta. Hij kwam bij hen zitten en zei dat Will, omdat hij geen woord had gezegd, geen advocaat nodig had. Toen vroeg hij hun wat Wills connectie met 6th Avenue, Queens Park, was. Waarom had hij een schop gekocht? Waarom was hij in de tuin van een leegstaand huis aan het graven geweest?

Becky begreep er niets van. Voorzover zij wist, had Will nog nooit een voet in Queens Park gezet, tenzij hij daar met Keith Beatty aan het werk was.

'Zeg, hoelang kunt u hem vasthouden?' vroeg ze. 'Hij moet hier nu al 24 uur zitten. Dit is schandalig.'

'Eigenlijk,' zei Zulueta met een blik op zijn horloge, 'zijn het er nog maar twintig. We mogen hem 36 uur in hechtenis houden en daarna – dat kan ik u verzekeren – kunnen we een verlenging krijgen. In dit geval zonder enig probleem.'

Omdat ze zich in haar eentje verveelde en niet het soort vrouw was dat graag ergens zonder mannelijke begeleiding naartoe ging, was Ludmila even na Inez' vertrek naar de winkel gegaan. Ze was er trots op dat ze nog steeds zo blond was en hield bij hoog en laag vol dat ze er niets aan deed. Ze was ook trots op haar magere lichaam, en meestal deed ze haar best om die twee voordelen goed tot hun recht te laten komen. In een jurk van donkergroene zijde die haar huid (of haar botten) nauw omsloot en tot de vloer reikte, met een mauve pashmina-shawl over haar armen, leunde ze in de fauteuil van grijs fluweel achterover, haar benen over elkaar en haar haar als een antimakassar over de rugleuning uitgespreid. De pashmina had ze net gestreken, waarbij er een brandplek op de rand was ontstaan, maar die bruine vlek had ze kunstig over haar elleboog weggevouwen. Ze had met deze pose niet de bedoeling een man te strikken, want Freddy was al gestrikt, maar toen Anwar Ghosh kwam binnenslenteren om een praatje te maken met zijn vriend, rekte ze zich nog wat sensueler uit. Anwar sloeg geen acht op haar.

'Waar is de oude vrouw?' Hij keek om zich heen alsof Inez zich misschien achter een van de kasten verstopte.

'Die is naar de politie,' zei Freddy gewichtig. 'Ik heb de leiding.'

'Wat doet ze bij de politie?' Dat stond Anwar helemaal niet aan. Het zou niet in zijn belang zijn als de politie zich voor Star Antiques interesseerde.

'Het gaat over de achterlijke jongen die naast me woont,' zei Ludmila met een eigenaardig Oost-Europees accent.

Omdat hij zijn aanwezigheid in de winkel graag wilde rechtvaardigen door iets te verkopen terwijl Inez er niet was, zei Freddy: 'Het heeft niets met ons te maken. Ga je nog iets kopen terwijl je hier bent, An? Het loopt niet echt storm vanmiddag.'

Anwar keek allesbehalve enthousiast. 'Wat bijvoorbeeld?'

'Wat zou je zeggen van die mooie buste van koningin Victoria? Al weet ik niet waarom ze het een "buste" noemen. Het is hoofd en hals, zou ik

161

zeggen. Of die prachtige glazen kat? Die zou goed tot zijn recht komen in je kamer.'

'Ik ben minimalist,' zei Anwar hoofdschuddend. 'Ik kom zo terug. Ik moet een wc zien te vinden, want ik moet pissen.'

Hij liep weg in de richting van Edgware Road. 'Hij gaat naar de plee in het Metropole Hotel,' zei Freddy bewonderend. 'Voor die jongeman is alleen het beste goed genoeg.'

'Is hij homo?' Ludmila vroeg het alleen omdat ze bijna niet kon geloven dat een heteroseksuele man immuun zou zijn voor haar charmes.

'Daar is hij te jong voor,' zei Freddy raadselachtig, maar hij zei wel vaker dingen die op geen enkele logica of ervaring gebaseerd leken te zijn. 'Waarom was je eigenlijk bij hem thuis?'

'Ik ben daar nooit geweest, Ludo.' Omdat hij iets dreigends op haar gezicht zag, zei hij: 'Ik zweer het op het hoofd van mijn moeder!'

'Jij hebt geen moeder, idioot.'

Freddy wilde net zeggen dat hij, net als ieder ander, ooit een moeder had gehad en dat hij dat van die buste en die kat alleen maar had gezegd omdat die dingen overal goed zouden staan, toen Ludmila nogal ijzig vroeg: 'Heb je de tickets al opgehaald?'

'Ik ga nu meteen naar het reisbureau. Jij past wel even op de winkel, hè, liefste?'

'Nou, ik ben er nu toch, hè?'

Het reisbureau waar ze hun weekendvakantie hadden geboekt, bevond zich net om de hoek in Edgware Road. Toen hij ongeveer een minuut weg was, stond Ludmila op en rekte zich uit. De pashmina viel van haar arm weg, zodat de brandvlek te zien was. Dat deed haar eraan denken dat ze de strijkbout aan had laten staan. Ze keek vlug even naar links en rechts de straat op om er zeker van te zijn dat niemand op weg was naar de winkel, en ging toen via de binnendeur naar de trap.

Anwar, die niet bij het Metropole was geweest maar vanaf het steegje aan de overkant naar de winkel had gekeken, slenterde naar binnen en ging, veel vlugger, naar de achterkant van het perceel. Hij haalde de sleutel uit de achterdeur en ging via de deur van de bewoners naar buiten. Het beste en snelste adres voor wat hij wilde, bevond zich in het viaduct onder Edgware Road, waar die straat de snelweg kruiste. Voor de mensen uit de buurt, vooral vrouwen, was dat viaduct tegelijk veilig en gevaarlijk, veilig, omdat ze beschermd werden tegen het onverbiddelijke onophoudelijke verkeer dat over de snelweg raasde, maar gevaarlijk omdat louche types zich daar ophielden. Eigenlijk was het gemakkelijker om bovengronds over te steken, bij de verkeerslichten. Maar Anwar was niet bang voor het viaduct. Mensen waren bang voor hém.

De man van de hakkenbar, die ook naamplaatjes voor hondenhalsbanden graveerde en sleutels kopieerde, was altijd vriendelijk en spraakzaam, maar Anwar verdacht hem van totale eerlijkheid. Dat was genoeg om hem achterdochtig te maken. Aan de andere kant vroeg de man nooit waarom iemand een sleutel wilde laten kopiëren, en hij vroeg dat nu ook niet.

'Een halfuur?' zei Anwar terwijl hij Inez' achterdeursleutel op de toonbank legde.

'O, kom nou, jongen. Ik heb een uur nodig.'

'Drie kwartier?'

'Goed. Maar geen minuut minder.'

Even na zes uur kwam Crippen. Op norse toon zei hij tegen Becky: 'We laten Cobbett gaan.'

Ze sprong op. 'Waar is hij?'

'Hij komt eraan. Ik heb een arts naar hem laten kijken.' Crippen sprak als een verantwoordelijk persoon die er trots op was dat hij zijn plicht deed. 'Die arts kan niet verklaren waarom hij niet wil praten.'

Becky wendde zich af. Forsyth zou zich onder zulke omstandigheden heel anders hebben gedragen, dacht Inez. Martins gezicht stond haar even levendig voor ogen, Martin die alle begrip toonde en meevoelde met de tante van de arme jongen die ten onrechte door zijn mannen was gearresteerd. Vanavond, als ze eindelijk thuis was, zou ze dit alles uit haar hoofd zetten en naar *Forsyth en de vervlogen hoop* kijken. Ze zou Will en Becky en Freddy en Zeinab vergeten en zich helemaal overgeven aan haar therapie...

Ze brachten Will naar haar toe. Hij liep als een zombie, zijn benen stram, zijn hoofd naar voren bungelend. Becky vloog op hem af en sloeg haar armen om hem heen. Hij liet zich omarmen en staarde dof over haar hoofd naar het raam en de lange, schuin invallende stralen van de namiddagzon. Toen bracht hij, met een verwonderde traagheid, alsof hij die beweging voor het eerst maakte, zijn handen omhoog en legde ze op haar rug.

Hij sprak geen woord, zelfs niet toen ze in de auto zaten, Inez achterin, hij voorin naast Becky. Eén ding was tenminste goed, dacht Inez:

Becky's lichaam zou de alcohol in haar bloed inmiddels hebben verwerkt. De politie had er blijkbaar niets van gemerkt. Het was druk in de stad, met files van Maida Vale tot Marble Arch en niet veel beter als je de andere kant op ging. 'Donderdagavond,' zei Inez. 'Koopavond in Oxford Street.'

'Ik neem Will natuurlijk mee naar huis,' zei Becky. 'Hij moet nu niet alleen zijn.'

Inez was enorm opgelucht en schaamde zich daar meteen voor. Ze had zich al voorgesteld dat ze, in plaats van een paar genoeglijke uren in Martins gezelschap door te brengen, steeds weer de trap op en neer moest lopen om bij Will te kijken, om Will te eten te geven, waarna ze steeds weer naar Becky moest bellen.

'Ik neem aan dat hij vrij moet nemen van zijn werk?'

'Híj? Dat lijkt me niet ons grootste probleem. Hoe zit het met mij?'

'Becky, ik vind dit verschrikkelijk. Ben je er nog achter gekomen waar ze hem van verdachten? Waarom hij in – waar was het ook weer – Queens Park was?'

'Ze zeiden dat ze hem nog een keer willen spreken, maar ik denk dat ze dat altijd zeggen. Hij was daar in een tuin aan het graven en toen ze hem daarnaar vroegen, wilde hij geen antwoord geven. Natuurlijk kón hij geen antwoord geven. Hij kan niet praten. Dat lijkt me duidelijk genoeg, zou ik zeggen. Hij is zijn spraakvermogen kwijt. Ze zijn daar met een heleboel mensen in de tuinen gaan graven en hebben schuren en garages doorzocht. Dat hebben ze me verteld, maar ze wilden niet zeggen waarom. Ze zullen wel op zoek zijn naar Jacky Millers lichaam.'

Will bleef zwijgen. Zijn gezicht was niet zozeer ondoorgrondelijk als wel leeg. Toen Becky met hem wegreed door Star Street, zag Inez zijn hoofd en schouders achter het autoraam, net zo uitdrukkingsloos, star en zielloos als de marmeren buste die Freddy aan Anwar Ghosh had geprobeerd te verkopen.

Zoals het om deze tijd hoorde, was de winkel gesloten. Inez ging naar binnen en vond op het bureau een briefje van Freddy, geschreven met een markeerstift, vlekkerig en met vingerafdrukken: *Klant die groovadersklok heeft gekogt zegt doet het niet, pendulle raar, brengt morrgen trug. Groejes, Freddy.*

Ongetwijfeld was Freddy zelf verantwoordelijk voor de schade aan de klok. Voorlopig kon ze er niets aan doen. Ze controleerde of de voordeur weer op slot zat, liet het briefje liggen en ging naar het achterhalletje. De afvalbak die in de achtertuin stond, moest voor acht uur 's morgens aan de weg gezet worden. Inez was moe, maar ze wist dat ze het moest doen. De achterdeur zat op slot en de sleutel zat erin, zoals gewoonlijk. Alleen was het niet helemaal zoals gewoonlijk. Als je de deur op slot deed, kon je de sleutel, met zijn asymmetrische ring, één keer omdraaien, maar ook anderhalve keer, want dan zat hij nog steeds op slot. Uit gewoonte of uit een of andere dwangneiging draaide ze hem altijd anderhalve keer rond. Als ze dat had gedaan, zat het gat in de on-regelmatige ring aan de onderkant; draaide je hem dan weer anderhalve keer rond, dan kwam het gat boven te zitten. Freddy zal wel naar buiten zijn geweest om iets te halen. Nu had ze dus twee dingen waar ze Freddy de volgende dag naar moest vragen...

Omdat ze niet was voorbereid op het ergste, had Becky niets gedaan om haar studeerkamer op Wills verblijf aan te passen. De kamer was zoals ze hem twee dagen geleden had achtergelaten, de laptop open, overal boeken en papieren, de prullenmand halfvol. Ze zei tegen zichzelf dat ze optimistisch moest zijn. Dit trauma zou voorbijgaan, hij zou weer gaan praten, en binnen een paar dagen zou hij naar Star Street terugkeren. Het was echt niet nodig dat ze al haar spullen uit de kamer haalde en hem opnieuw inrichtte. Als je in Londen woonde, moest je, hoe je ook aan je privacy gehecht was, altijd een plek hebben waar een vriend in geval van nood kon slapen, en de bank die al in die kamer stond, kon in een comfortabel bed worden veranderd. Nadat ze Will de trap op had geleid, haar appartement in, en hem thee en gebak had gegeven, klapte ze de slaapbank uit. Dat was moeilijker en vereiste meer fysieke kracht dan ze zich herinnerde, en toen ze klaar was, bedacht ze dat het niet iets was om vaak te doen.

Het bureau en het workstation met computer en printer zouden op hun plaats blijven staan. Dat gold ook voor het kopieerapparaat, de woordenboeken, de papierveernietiger en de grote rieten mand. Als ze de stoelen en de tafel daar weghaalde, zou ze daar een andere plek voor moeten vinden. Waar? Er was echt geen ruimte in de rest van het appartement. Will zat zwijgend in de huiskamer. Hij had het schuimgebak gegeten maar het stukje vruchtentaart laten staan, dat deed hij anders nooit. In gedachten vervloekte ze de politie, die hem dit had aangedaan. Na een tijdje, enkele wanhopige minuten, zette ze de televisie op een van de luidruchtige spelletjesprogramma's waar hij anders zoveel van hield. Nu keek hij op. Hij richtte zijn blik op het scherm, maar ze had de indruk dat de harde stemmen en het schorre gezang van de mensen op het scherm, die de kijkers elke paar minuten van elke intellectuele inspanning afleidden, hem een beetje aan het huiveren brachten. Tot haar schrik vroeg ze zich af of deze mensen hem aan de blafstemmen van de verhorende Crippen en Jones deden denken.

In elk geval werd hij beziggehouden. Ze stond op om zich iets te drinken in te schenken – had ze daar ooit zo'n behoefte aan gehad als nu? – en toen ze naar de kast liep, zag ze het lichtje op de telefoon branden. Door al die verschrikkelijke dingen had ze helemaal niet meer aan haar eerdere problemen en haar boodschap voor James gedacht. Nu was ze bijna bang voor wat ze te horen zou krijgen. Toch nam ze de telefoon op en luisterde naar haar boodschappen. Er was er een van Inez en een van Keith Beatty die wilde weten waar Will was. De derde was van James.

'Becky,' zei hij. 'Met James. Je hebt me gevraagd je te bellen, maar ik heb je mobieltje geprobeerd en dat was de hele tijd in gesprek.' Dat moest 's middags zijn geweest, toen ze al die keren vanuit het politiebureau naar kantoor belde. 'Sorry dat ik die dag ben weggegaan. Het zat me achteraf helemaal niet lekker, en toen ik besloot je te bellen, dacht ik dat je te kwaad zou zijn om met me te willen praten. Ik bel je vanavond om negen uur, donderdag de 25ste; misschien kunnen we elkaar ontmoeten.'

Volkomen geloofwaardig, volkomen redelijk. Ze zou uitbundig moeten zijn, en dat zou ze ook zijn geweest als hij voor de middag had gebeld. Met het glas in de hand, opnieuw gevuld omdat ze het in één teug had leeggedronken toen ze de boodschap hoorde, ging ze weer naast Will zitten. Hij legde zijn hand op zijn lippen en ze wist dat hij haar probeerde te vertellen dat hij niet kon praten. Hij wist niet waarom; de woorden wilden gewoon niet komen.

'Laat maar,' zei ze opgewekt. 'Later kun je weer praten. Morgen, denk ik. Maak je maar geen zorgen. Kijk, daar op tv heb je die man waar je zo graag naar kijkt.'

Tot haar schrik zag ze dat zijn ogen zich met tranen hadden gevuld. Ze pakte zijn hand, gaf er een kneepje in en dacht aan zijn lot en dus ook aan haar eigen lot. Aan James dacht ze niet meer. Als Will niet meer kon praten, of als hij dat wekenlang niet kon, wat moest ze dan doen? Ze kon niet naar haar werk gaan en hem alleen thuis laten. Kon ze zelfs naar de winkel? Een verzorgster? Maar Will zou het verschrikkelijk vinden als er een verzorgster kwam. Hij zou het erg vinden als hier iemand anders was dan zijzelf.

Ze belde Keith Beatty op en zei tegen hem dat Will ziek was en zeker tot

167

maandag thuis zou blijven. Ze hoorde Will naar de wc gaan en een paar minuten later terugschuifelen. Met haar drankje op het aanrecht stond ze voor de koelkast, op zoek naar iets wat ze hem als avondeten kon geven. Eieren, spek, champignons, dacht ze, en er waren altijd aardappelschijfjes die ze kon ontdooien. Een blikje vruchten, ijs, nog meer gebak, als hij dat wilde. Gelukkig had ze het gebak al in huis voor het bezoek dat hij de volgende dag aan haar zou komen brengen. Ze vergat niet alleen James maar ook zijn telefoontje van negen uur. Ze zette eten op het dienblad voor Will. Zijzelf had geen trek, maar ze ging bij hem zitten, terwijl het ergste wat de televisie die avond te bieden had van het scherm droop.

Om precies negen uur ging de telefoon, en toen ze opstond om op te nemen, vroeg ze zich af, voordat ze zijn stem hoorde, wie het kon zijn.

Niemand die ziek is geweest, gaat op vrijdag weer aan het werk, maar Zeinab deed dat wel. Omdat ze zoals gewoonlijk een halfuur te laat was, werd ze niet verwacht en zat Freddy op haar plaats. Een uur eerder was Jeremy Quick thee komen drinken. Toen Inez die aan hem gaf, vroeg ze of hij in de tuin was geweest voordat ze de vorige avond was thuisgekomen.

'Ik dacht dat huurders geen gebruik mochten maken van je tuin, Inez.'

'Nee, maar de mensen hier doen vreemde dingen.'

'Hopelijk denk je niet dat ik een van hen ben,' zei Jeremy, die oprecht geschokt keek.

Inez wilde liever niet zeggen dat ze dat wel degelijk dacht – wat kon vreemder zijn dan een vriendin en haar hoogbejaarde moeder verzinnen? – maar onenigheid met een huurder was niet de prettigste manier om een dag te beginnen. Heel even vroeg ze zich af of hij voor de aanraking van iedere vrouw terugdeinsde of alleen voor de hare. 'Nou, iemand is er geweest.' Ze ging hem niet vertellen hoe ze dat wist. Een vrouw in haar positie had altijd een paar geheime wapens nodig. 'Iemand is daar geweest tussen drie uur 's middags en halfzeven 's avonds, toen ik terugkwam.'

'Is het belangrijk?' Hij stelde die vraag op een milde toon, maar toch ergerde Inez zich eraan. Natuurlijk was het niet belangrijk voor hém.

'Misschien niet. Zullen we van onderwerp veranderen?'

'Met alle genoegen.'

'Je hebt zeker al gehoord dat de politie Jacky Millers oorringen in deze winkel heeft gevonden?'

De verandering op zijn gezicht was minuscuul, maar Inez lette goed op en zag het, een heel lichte trilling van zijn lippen, een kortstondige flikkering in zijn ogen. 'Jacky Miller?' zei hij.

'Dat vermiste meisje dat ze zoeken.'

'O, ja,' zei hij. 'Ik moet gaan. Bedankt voor de thee.'

Freddy kwam even daarna de winkel in. 'Weer een schitterende dag, Inez.' Hij wreef zich in de handen. 'Op zo'n dag ben je blij dat je leeft.'

'Ja, ja. Ben jij gistermiddag in de tuin geweest, Freddy?'

'Nee,' zei Freddy onderdanig. 'Huurders mogen daar niet komen.'

'Maar aangezien jij geen huurder bent, zijn de regels misschien niet op jou van toepassing?'

'Jij zegt het, Inez.' Freddy ging op de armleuning van de grijze fluwelen stoel zitten en bewoog zijn vinger heen en weer als de naald van een metronoom. 'Zoals je zegt, ben ik geen huurder. Ludo is de huurder. Ik ben woonachtig in Walthamstow.' Inez keek hem argwanend aan. Ze was er bijna zeker van dat het de vorige keer Hackney was geweest. 'Evengoed beschouw ik mezelf als Ludo's vertegenwoordiger. Of misschien haar agent. Met andere woorden, als zij een dringende behoefte had om de tuin in te gaan maar daartoe niet bereid of in staat was, zou ik het misschien voor haar doen. Ik hoop dat ik dit duidelijk uitleg. Aan de andere kant ben ik gisteren niet in de tuin geweest en ik zou ook niet...'

'Goed, Freddy, ik begrijp het. Je had advocaat moeten worden. Wil je de deur van het slot halen en het bordje omdraaien?'

Als Inez de vraag die ze aan Freddy had gesteld aan Ludmila had voorgelegd, had ze misschien iets over Anwar Ghosh gehoord. Ludmila had om verschillende redenen een hekel aan Anwar: omdat hij haar minachtte, omdat hij misschien een deel van Freddy's genegenheid zou opeisen, en omdat hij haar als oud vuil behandelde. Ze zou hem graag in moeilijkheden hebben gebracht. Maar Inez had een hekel aan Ludmila en sprak alleen tegen haar als het echt noodzakelijk was. Niet uit schroom maar om langdradige betogen en verklaringen te vermijden vroeg ze Freddy nog niet naar de pendule van de grootvadersklok. In plaats daarvan vroeg ze zich af of ze de koper zijn geld moest teruggeven of niet.

Even na negen uur belde ze Becky om naar Will te informeren.

'Ik heb je er nog niet voor bedankt dat je gisteren met me mee bent gegaan, Inez. Dat was erg aardig en ik ben je dankbaar.'

169

'Hoe is het nu met hem?'

'Nou, hij is op en hij heeft ontbeten. Hij praat nog steeds niet.'

'Red je het wel?'

'Dat hoop ik. Ik bel straks naar kantoor en zeg dat ik een week vakantie neem. Ik hoop dat een week genoeg is, Inez.'

Ze klonk al veel minder wanhopig, dacht Inez. Nu was ze van plan mevrouw Sharif te bellen om te vragen wanneer Zeinab terugkwam, maar in plaats daarvan zat ze aan de vreemde eigenschappen te denken van de mensen met wie ze dagelijks omging. Ze vroeg zich vooral af waarom Will in een tuin in Queens Park aan het graven was geweest. Zelfs in zijn geval was het moeilijk om een motief te bedenken dat volkomen legaal was. Je kon wel een beetje... nou ja, verstandelijk gehandicapt zijn, maar dan ging je toch niet in het donker naar een leeg huis in een wijk die je niet kende en waar niemand jou kende om een diep gat te graven – een meter diep, had een van de politiemannen haar verteld – als je een eerlijk mens was? En als je geen geld in overvloed had, kocht je niet speciaal daarvoor een schop. En wat had hij willen opgraven of – dat was misschien waarschijnlijker – begraven? Ze huiverde een beetje. Wills activiteiten deden haar denken aan haar eigen tuin, de achterdeur en de sleutel.

Iemand was daar naar buiten gegaan, en wie het ook was, het kon Will niet geweest zijn. Was het mogelijk dat zijzelf de vorige keer dat ze in de tuin was, een week of zo geleden, de sleutel maar één keer in plaats van anderhalve keer had omgedraaid? Ze stelde zichzelf die vraag en was nog in haar geheugen aan het graven toen de buitendeur openzwaaide en Zeinab binnenkwam, begeleid door Morton Phibling.

'Hier is mijn geliefde,' riep Morton uit, 'teruggestuiterd als een pingpongballetje, al staat het me tegen om haar met zoiets onbeduidends te vergelijken.'

Zeinab keek hem aan met een blik die walging kon uitdrukken, of misschien ook alleen maar berusting in een onvermijdelijk lot. Ze zag er erg goed uit, blakend van gezondheid in een nieuwe rok van zwarte suède die tot zo'n 25 centimeter boven de knieën reikte en een nieuwe witte zijden blouse. Haar oogleden waren goudgeel geverfd en ze had het diamanten neusknopje op zijn plaats zitten. Haar zwarte haar, pas gewassen en naar tuberoos ruikend, hing als een satijnen mantel over haar rug.

'Wat vindt u van mijn verlovingscadeau?' Morton legde zijn vinger op een knakworst van een diamant, ongeveer zo groot als de Koh-I-noor, die met een gouden ketting aan Zeinabs hals hing. 'Mooi, hè?'

'Erg mooi,' zei Inez. 'Ik wil geen domper op je geluk zetten, Zeinab, maar ik zou hier in die buurt niet met die diamant gaan rondlopen.'

'O, dat doe ik ook niet. In Morts auto kon me niets gebeuren. Mort heeft me gisteren mijn trouwjurk laten passen, Inez.'

'O, ja? Ik dacht dat je een virus had.'

'Het ergste was toen al achter de rug.' Zeinab kuste de lucht op een centimeter afstand van Mortons gezicht. 'Ga nu maar, schat. Tot vanavond.'

'Dat is de eerste keer dat ik je een van zijn geschenken zie dragen,' zei Inez, 'afgezien van de verlovingsring. Vertel eens, toen ik je moeder belde, was je daar blijkbaar niet. Ze zei dat ze later naar je toe zou gaan. Wat bedoelde ze?'

Maar Zeinab had Freddy in zijn bruine stofjas gezien. Hij stond achter Inez' bureau en bestudeerde het uitgavenboek. 'Wat doet hij hier?'

Freddy keek op en zei met waardigheid maar ook met een ongelukkige combinatie van metaforen: 'Toen je ziek werd, zat Inez in de puree, en ik stapte erin.'

Inez had moeite haar lachen in te houden. 'Freddy heeft me geholpen terwijl je weg was. Meer niet.'

'Meer niet! Volgens mij lijkt het er sterk op dat sommige mensen aan het complotteren zijn om de baan van iemand anders in te pikken. Ik noem dat een laagbijdegrondse truc.'

Freddy leidde nu waarschijnlijk een gemakkelijker leven dan ooit sinds hij als tiener Barbados had verlaten. Al die jaren was hij achtervolgd door armoede, racistische opmerkingen, eenzaamheid, harteloze ontslagen en een totaal gebrek aan respect. Dat alles had geen afbreuk gedaan aan zijn vriendelijke inborst, maar het had hem wel geleerd om niet alles over zijn kant te laten gaan.

'En er zijn mensen,' zei hij, 'die hun eigen opa voor een grijpstuiver zouden verkopen. Als het hun dagelijks werk is om de cadeaus te verpatsen die ze gekregen hebben van opa's met meer poen dan goed voor ze is, hebben ze geen baan nodig.'

'Heb niet het lef zo tegen me te spreken!'

'Een slet, dat ben je, en niet eens een eerlijke.'

'Stil,' zei Inez met autoritaire stem. 'Stil, jullie tweeën. Ik wil niet hebben dat jullie hier ruziemaken.' Ze keken haar opstandig aan, maar ze zeiden nu niets meer. 'Heel erg bedankt voor je hulp, Freddy, maar Zeinab is nu terug en je weet dat je hier alleen werkte zolang zij er niet was. Ludmila is vast wel blij dat ze je bij zich terug heeft.'

Langzaam trok Freddy zijn stofjas uit en vouwde hem op. 'Eerst ga ik naar buiten en drink een versterkend glas met mijn vriend in de Ranoush Juice. Ik hoop dat je er geen spijt van krijgt dat je haar terugneemt, Inez. Ludo en ik zouden het niet leuk vinden als je winkel in de problemen komt door een criminele verkoopster.'

'Als het aan mij lag, stonden jij en die Russische trut meteen op straat,' schreeuwde Zeinab toen hij de deur achter zich dichtdeed. 'Jij moet nodig wat van criminaliteit zeggen, jij met je steunfraude!'

Inez had in geen weken gezucht, maar nu deed ze het wel. Tot aan dat tumult rondom Freddy had ze willen vragen waar Zeinab precies woonde, en met wie, maar nu zag ze op tegen nog meer leugens en uitvluchten. 'Ik kan je er maar beter aan herinneren' – alsof het meisje daar behoefte aan had – 'dat maandag een vrije dag is. Morgen zijn we natuurlijk open, net als anders. En dus,' kon ze niet laten eraan toe te voegen, 'heb ik liever niet dat je nog vaker onder werktijd je trouwjurk gaat passen.'

'O, Inez, is dat wel redelijk?' Zeinab slaagde erin om bijna in tranen uit te barsten. 'Ik heb dat soort dingen toch altijd in mijn vrije tijd gedaan, of als ik ziek was?'

Inez gaf het op. Ze kon zien dat ze andere dingen had om over te redetwisten. De buitendeur was opengegaan en de ontevreden koper van de klok kwam binnen. Hij had twee vrienden bij zich, die zijn aankoop droegen en met een dreun voor het bureau zetten, waardoor hij hard begon te slaan. Omdat het nu eenmaal van haar werd verwacht, discussieerde Inez even met hem, maar uiteindelijk was het gemakkelijker om hem zijn geld terug te geven. Ze zou volgende week een hartig woordje met Freddy spreken.

Zeinab stond voor haar lievelingsspiegel haar oogleden bij te verven. 'Ik beloof dat ik niet langer dan precies een uur wegblijf, Inez, maar ik heb Rowley beloofd dat ik met hem zou gaan lunchen. Het is maar in het Caffé Uno, echt waar.'

'Laat hij maar niet zien dat je Mortons cadeau draagt.'

'Nee, dat krijgt hij niet te zien. Wel jammer. Ik vind het zo mooi.'

Ze hadden een drukke ochtend en de volgende keer dat Inez naar haar keek, had ze de hanger afgedaan.

Becky had James alles verteld. Ze had het gevoel dat ze niets meer te verliezen had. Het enige waar ze behoefte aan had, was iemand met wie ze hierover kon praten, iemand die ze over Will en zijn kindertijd en haar schuldgevoel kon vertellen, een luisterend oor, al zou dat oor er na vijf minuten genoeg van krijgen, al zou de hoorn op de haak worden gelegd. Maar als James zich niet voor haar verhaal interesseerde, was hij te beleefd om dat te zeggen.

'Hij is hier bij me,' besloot ze, 'en ik geloof niet dat hij ergens anders heen kan. Die gedachte geeft me al een slecht gevoel. Ik hou echt van hem, weet je, en ik heb zo'n medelijden met hem, en op de een of andere manier heb ik het gevoel dat het allemaal mijn schuld is. Ik weet dat ik jou er niet bij moet betrekken, dus als je zegt dat je me niet meer wilt ontmoeten, heb ik daar begrip voor.'

'Ik dacht dat ik misschien morgen zou kunnen komen,' zei hij. 'Misschien om een uur of drie 's middags?'

Dat was de vorige avond geweest. Ze had meteen een veel beter humeur gehad. Zelfs wanneer hij liever niet bij Will wilde zijn, zou ze zich getroost hebben gevoeld door zijn telefoontje en door wat hij had gezegd. Er kwamen woorden in haar op die ze eens had gelezen: twee is niet tweemaal één, twee is tweeduizend maal één... En dat, zo ging het verder, was de reden waarom de wereld altijd naar monogamie zou terugkeren. Ze had geen specifieke behoefte aan monogamie en zeker niet aan een huwelijk, maar het vooruitzicht dat ze, al was het maar één zaterdagmiddag, twee zouden zijn, was zo aanlokkelijk dat ze die nacht niet één keer wakker werd.

'Gaan jij en je vriendin dit lange weekend naar iets leuks?' vroeg Anwar, die hoog op een kruk aan het buffet zat.

Freddy, naast hem en ruwweg twee keer zo zwaar als hij, moest wat meer balanceren om op zijn kruk te blijven zitten. 'We gaan het weekend naar een vijfsterrenhotel in Torquay. Torquay schijnt erg ontspannend te zijn.'

'Dat hangt ervan af wat je onder ontspanning verstaat.' Anwar trok een ernstig gezicht en zei wereldwijs: 'Ik heb gehoord dat het bekendstaat als de cocaïnehoofdstad van West-Europa. Wanneer komen jullie terug?'

'Maandagavond.' Anwar vroeg er niet naar, daar was hij te subtiel voor, maar Freddy vertelde het hem evengoed: 'Inez gaat maandag naar haar zus, de patser op de bovenste verdieping gaat naar zijn moeder en die arme William gaat naar zijn tante.'

'Waarom "arme"?'

Freddy tikte met twee vingers tegen zijn hoofd, een ouderwets panto-mimegebaar. 'De kit heeft hem zo hard aangepakt dat hij niet meer kan praten.'

'O, ja?' Anwar was niet geïnteresseerd.

'Nou, wat doe jij dit lange weekend?'

'Wat ik altijd doe,' zei Anwar, en vroom voegde hij eraan toe: 'Ik ga met mijn ouders naar de tempel en dan is er een familiebruiloft in Neasden. Daar moet iedereen heen.'

'Dat witte busje dat voor wetenschappelijke doeleinden niet wordt schoongemaakt, weet je welk busje ik bedoel?'

Anwar, die dat maar al te goed wist, zei dat het hem niet was opgevallen. Wilde Freddy nog wat mangosap?

'Ja, graag. Erg verfrissend. Het staat weer voor de winkel, dat busje, en ik dacht... weet je wat ik dacht?' Anwar schudde zijn hoofd en bestelde nog twee glazen sap. 'Nou, ik dacht, als er een misdrijf was gepleegd, straatroof of zoiets, of dat het mobieltje van een meisje was gestolen, dan zou er vast wel een getuige zijn die zou zeggen dat hij een vuil busje had zien staan, met een briefje achterin dat het niet mocht worden schoongemaakt, en dan zou de kit op de stoep staan voordat je "auto-wasserette" kon zeggen.' Freddy grinnikte om zijn eigen humor.

'Zou kunnen,' zei Anwar. 'Geen idee.' Hij keek op zijn Rolex. 'Ik moet gaan. Met iemand praten over een busje.'

Freddy lachte. 'Wil je je mangosap niet meer?'

'Drink jij het maar op,' zei Anwar, en dat deed Freddy.

Anwar ging naar Star Street terug, waar hij op de bel drukte van de be-gane grond van een huis dat al sinds de jaren tachtig bekendstond als kraakpand. Keefer lag nog in bed, zei de slonzige vrouw die opendeed.

'Breng me naar hem toe,' zei Anwar dramatisch.

Hij trok Keefer uit zijn bed, een matras op de vloer tussen een stuk of vijf andere matrassen. 'Opstaan, jongen,' zei hij. 'Ik heb wat voor je te doen. Ga met dat busje van je naar de autowasserette in Kilburn... nee, die in Hendon is beter, en haal die onzin dan van de achterruit vandaan. Dat was na vijf minuten al niet grappig meer.'

'Mijn busje wassen?' zei Keefer, alsof Anwar iets ergs had voorgesteld, bijvoorbeeld een bad nemen of een baan zoeken.

'Dat zei ik. Haal hem maar twee keer door de wasserette en doe het nu meteen.'

Anwar drukte een briefje van tien pond in zijn hand.

– 16 –

Alexander was in Oxford Street om cadeautjes te kopen voor zijn moeder. Hij had Jeremy in Star Street achtergelaten. Volgende week was ze jarig, maar hij kocht altijd dingen voor haar als hij naar haar toe ging. Het grote cadeau was een cd-speler en vijftig nieuwe cd's met haar lievelingsmuziek. De cd-speler en de cd's konden worden thuisbezorgd, want ze waren te zwaar voor hem om te dragen, tenzij hij de auto naar Paddington bracht. Op een vrije maandag, als de parkeervoorschriften niet golden, kon hij zijn auto nooit kwijt, maar tot nu toe was het hem gelukt zijn auto voor zijn huisgenoten verborgen te houden, en het leek hem verstandig om dat zo te houden. Toen hij het grote cadeau had gekocht, kocht hij nog een grote doos chocoladetruffels, een fles Krug-champagne, een groene orchidee in een aardewerken pot en een flesje Bulgari-parfum.

Als hij zich bezighield met zelfanalyse en probeerde na te gaan waarom Jeremy meisjes doodde, vond hij het in zekere zin wel grappig dat deskundigen zouden zeggen dat hij plaatsvervangend wraak nam op een moeder die hem had geïntimideerd en gedomineerd. Hij hield zielsveel van zijn moeder. Ze was waarschijnlijk de enige van wie hij ooit echt had gehouden. Het huwelijk van zijn ouders was goed geweest, maar ze hadden geen van tweeën een sterk karakter gehad. Als enig kind had hij het thuis voor het zeggen gehad sinds hij elf was en spectaculaire resultaten had behaald op een examen, waardoor hij een beurs kreeg voor een dure particuliere school. Ze hadden altijd al veel van hem gehouden, maar nu aanbaden ze hem. Als ze een ander soort zoon hadden gehad, zou zijn vaders overlijden bijna de ondergang van zijn moeder hebben betekend, maar ze bleef achter met dit modelkind, dit liefhebbende genie dat haar alle verantwoordelijkheid uit handen nam. Hij zorgde overal voor, en ook toen hij niet meer bij haar woonde, bleef hij alles voor haar regelen.

De tekortkomingen in zijn carrière en manier van leven – hij kon nauwelijks toegeven dat het tekortkomingen waren – hadden geen enkele
afbreuk gedaan aan zijn goddelijke status. Ze kon betere excuses voor
hem bedenken dan hijzelf, maar na afloop bracht ze de tekortkomingen
of de excuses nooit ter sprake. Zijn succes in het bedrijfsleven en vooral
met zijn eigen firma, leverde hem haar voortdurende aanmoedigingen
en lofprijzingen op. Met zijn vrouw en zijn vriendin had ze niet kunnen
opschieten, omdat ze natuurlijk niet goed genoeg voor hem waren, en
nu vroeg ze nooit meer wanneer hij een gezin ging stichten.

Ze keek uit naar zijn bezoekjes en reageerde uitbundig op zijn cadeaus.
Op die typische charmante manier van haar zei ze dat hij het echt niet
had moeten doen, maar het cadeau (wat het ook was) was zo mooi dat
ze blij was dat hij het had gedaan. En ze had de prettige gewoonte, die
maar weinig mensen hebben, om tijdens zijn bezoek steeds weer naar de
bloemen, de bonbons of het parfum te verwijzen met woorden als 'Zijn
ze niet mooi!' en 'Wat heb je toch een goede smaak!' In zijn hele leven
had ze hem maar twee keer toegesproken op een manier die hem niet
aanstond. Toen ze een keer met liefde over zijn tienerjaren vertelde,
sprak ze met een teder glimlachje over de beugel die hij, op latere leeftijd dan de meeste kinderen, had moeten dragen. Daardoor kwamen op
een angstaanjagende manier, die veel verder ging dan de herinnering die
zoveel mensen aan een beugel hadden, zijn schaamte, zijn afschuw van
dat ding weer boven. Op strenge toon had hij haar verboden de beugel
ooit weer ter sprake te brengen. Ze had een kleur gekregen en zich verontschuldigd. De beugel werd nooit meer genoemd.

Soms sprak ze over wat ze dacht dat zijn manier van leven was, het grote
kantoor, de secretaresse, de party's, recepties en theatervoorstellingen,
de bezoeken aan zijn kleermaker, aan Ascot en (om de een of andere
duistere reden) de Chelsea Flower Show. Hij moest daarom glimlachen
als hij haar fantasieën met de huidige werkelijkheid vergeleek, met zijn
zwerftochten door de straten van Londen, wachtend tot een vreselijk
verlangen zich meester van hem maakte.

Als hij bij haar was, in haar gezellige huisje in een rustig straatje aan de
rand van het dorp, en haar genoeglijk hoorde praten over dingen die er
in haar eigen wereldje waren gebeurd, concentreerde hij zich meer op
de meisjes die hij had gedood en de meisjes die hij nog zou doden dan
wanneer hij niet bij haar was. Hoe kwam dat? Zijn moeder had zo'n afschuw van moord dat ze niet naar detectiveseries of documentaires over

misdaad op televisie keek en ook geen detectiveromans in huis wilde hebben. En hoewel hij er altijd aan dacht wanneer hij bij haar was, sprak hij niet over datgene wat iedereen in het hele land dit weekend op zijn minst even ter sprake bracht: de spoorloze verdwijning van Jacky Miller. Zijn moeder werd al lijkbleek en begon te huiveren als hij alleen maar de naam van het meisje noemde. Waarom zou de herinnering aan die moord dan de hele tijd door zijn hoofd gaan? Waarom had hij haar en die andere meisjes vermoord? Wat had hij daaraan? Misschien had hij hen gedood omdat ze als vrouw niet aan zijn moeder konden tippen. Maar zij was 68 en die meisjes waren allemaal jong geweest. En alle vrouwen hadden die tekortkoming, maar hij voelde geen enkele neiging om Inez Ferry te doden, of de buurvrouw op zijn andere adres, die hij wel had gezien maar nooit gesproken. Hij had een keer aan zijn moeder gevraagd of hij als klein kind ooit een kindermeisje had gehad, of een oppas als zijn ouders uit waren.

'O, nee, schat,' had ze geschokt geantwoord. 'Ik zou je nooit bij iemand anders achterlaten. Ik zou niemand hebben vertrouwd. Je vader en ik gingen nooit 's avonds uit, tot je zestien was. Ik denk soms dat ik daarom nooit nog een baby heb gehad. Dan had ik naar een ziekenhuis moeten gaan, misschien wel dagenlang, en dan had er een vreemde op jou moeten passen.'

Met de pakjes, waarvan sommige een blauwe en zilverkleurige geschenkverpakking hadden, en de orchideepot die hij op zijn arm droeg, nam hij de bus naar Kensington High Street terug en liep naar het zuiden. Misschien was er een jonge verzorgster op zijn school geweest? Maar hij was een dagleerling geweest, zijn moeder zou nooit hebben goedgevonden dat hij intern werd. De jonge en aantrekkelijke moeder van een vriendje die hem niet had verleid maar uitgelachen? Hij kon zich de vriendjes die hij ooit had gehad nog duidelijk herinneren – het waren er niet veel geweest – en ze hadden allemaal vreselijk lelijke moeders gehad. Van een zo'n moeder herinnerde hij zich dat ze met gespreide voeten waggelde, als een eend, en een ander had een gezicht als Mao Tse-Toeng. Wat was er toch met hem gebeurd dat die koortsachtige, allesoverheersende en hartstochtelijke behoefte in hem opkwam zodra hij, in het donker en op een eenzame plaats, een geschikte jonge vrouw zag?

Hij zou niet eens kunnen zeggen wat zo'n vrouw geschikt maakte, hoe hij wíst dat zij de volgende zou zijn. Ze leken niet op elkaar. Gaynor Ray was klein en aantrekkelijk, met krullend rossig haar; Nicole Nimms was blond en erg slank; Rebecca Milsom had zulk donker haar dat het bijna zwart was; Caroline Dansk was ook donker, maar ze had een heel ander gezicht en was veel slanker, en Jacky Miller was aan de dikke kant, met lichtblond haar en een roze huid die altijd een beetje rood aanliep. Het enige wat ze met elkaar gemeen hadden, was dat ze jong waren en dat ze geen van allen Aziatisch of Afrikaans waren. Dat wilde nog niet zeggen dat een geschikte dat nooit zou zijn. Hij was geen racist, dacht hij nogal verbitterd, en hij lachte schor om zijn eigen grapje en feliciteerde zich met het feit dat hij zijn gevoel voor humor nog niet kwijt was.

Hij ging het huis in en liep meteen door naar de studeerkamer. Hij had er een hekel aan om op zaterdag te werken, maar daar viel niet aan te ontkomen, als hij maandag vrij wilde hebben. Waarschijnlijk zou hij hier de nacht van zondag op maandag blijven slapen, dan kon hij vroeg met de auto vertrekken. Maar het was moeilijk om te werken. Dat was het altijd, álles was moeilijk behalve dat ene, als hij aan de meisjes had gedacht, en vooral aan hun uiterlijk. Dat zou de reden zijn waarom hij steeds aan hen dacht als hij bij zijn moeder was en niets te doen had. Maar hij vroeg zich niet af waarom hij hen eigenlijk wilde doden. Niet waarom hij, als hij de volgende zag, het meisje dat het absoluut moest zijn, in een flits alleen nog maar een met adrenaline geladen machine was met maar één functie. Nee, niet helemaal een machine, want al die tijd was hij zich bewust van het bloed dat door zijn aderen stroomde, van het kloppen in zijn hoofd en het bulderen in zijn oren, van de tinteling op zijn huid, van opgedroogd speeksel, van een strak gevoel in zijn borst en een gesmoord gevoel in zijn keel. En dan werd zijn hele lichaam licht, zwevend maar beheerst, als dat van een danser. Het was niet seksueel. Bij seks had hij nooit zulke allesoverheersende gevoelens. Trouwens, zijn gevoelens vlak voordat hij ging doden, waren niet alleen heviger maar ook anders. En als hij het deed, raakte hij alleen de huid van de hals aan, en als het moest ook de plaats waar zich het voorwerp bevond dat hij meenam. Alleen in het geval van Jacky Millers oorringen had hij echt de huid moeten aanraken, want Gaynor Ray had het zilveren kruisje tegen haar zijden hemd gedragen. De herinnering daaraan, vergelijkbaar met de gevoelens die een andere man heeft als hij rottend vlees aanraakt, zou hem altijd bijblijven...

Dus waarom doodde hij hen? Waarom moest hij hen doden? En waarom was die dwangneiging pas twee jaar geleden bij hem opgekomen? Ze trokken in optocht voor zijn ogen langs, gestalten die schimmig waren maar die hij zich toch allemaal herinnerde, alsof ze zijn minnaressen waren geweest. Er stond geen verwijt op hun gezicht te lezen, alleen een plagerige, ondeugende uitdrukking, alsof zij hadden gewonnen. In deze wedstrijd had hij gefaald en hadden zij getriomfeerd, omdat hij niet wist waarom. Plotseling woedend, liet hij zijn vuist neerkomen op het bureau, zodat de laptop een sprongetje maakte en de pennen ratelden in het potje.

Toen James kwam, keek Will naar een Britse film uit de jaren dertig. Becky, die steeds meer tegen het bezoek had opgezien, had haar best gedaan om hem op zijn minst van zender te laten veranderen, maar Will mocht op andere terreinen dan zijn tekortkomingen hebben, hij was erg handig met de afstandsbediening en zodra ze zich even had omgedraaid, keek hij weer naar het programma van zijn voorkeur. James bracht bloemen en een fles wijn mee en ze stelde hem en Will aan elkaar voor. Will stond op en gaf James een hand als een normaal persoon, maar natuurlijk nog steeds zonder te praten. Becky wilde erg graag dat ze goed met elkaar konden opschieten. Ze was trots op Wills uiterlijke verschijning, zeker in vergelijking met de vorige keer, het witte overhemd dat ze voor hem had gestreken, de blauwe das. Er mankeerde niets aan zijn uiterlijk en nu hij een aantal goede maaltijden had gehad en een paar nachten goed had geslapen, zag hij er bijzonder goed uit. Ze vroeg zich nog af of ze James over de politie moest vertellen, over hun verdenkingen en Wills hechtenis, maar welke andere reden kon ze geven voor het feit dat hij niet praatte en voortdurend bij haar thuis was?
'Er komt straks rugby,' zei James. 'Vind je het erg als we hem op die zender zetten?'
Will keek moeilijk maar knikte. Ze schakelden over op een andere zender en hij probeerde dat niet ongedaan te maken. Ze zaten zwijgend te kijken, terwijl Becky thee zette. Ze had gehoopt dat ze met James kon praten terwijl Will zich op zijn film concentreerde, ze had zoveel uit te leggen, maar ze zag dat James zijn best deed om contact te leggen met haar neef en was daar blij om. De thee werd gedronken en de koekjes gegeten, in elk geval door Will, en er was al een uur verstreken toen

James eindelijk de keuken in kwam, haar in zijn armen nam en haar dicht tegen zich aan hield.

Becky was gespannen en maakte zich met enige moeite van hem los. Als Will nu eens de keuken in kwam en zag dat ze elkaar omhelsden, wat zou hij dan doen? Zou hij het erg vinden? Tot aan die dag waarop hij op de stoep in slaap viel, had hij haar nog nooit met een man samen gezien.

'Ik moet je nog meer over hem vertellen,' zei ze. 'Ik moet je nog meer over hem en mij vertellen, en uitleggen waarom hij hier is.'

'Dat hoeft niet. In elk geval niet vandaag. Ik accepteer het volkomen.'

'Toch wil ik er graag over praten,' zei ze.

Ze begon met haar zus en Wills geboorte, maar toen ze bij het ongeluk was, kwam het er allemaal weer uit, haar gebrek aan verantwoordelijkheidsgevoel, zoals ze het noemde, haar schuldgevoel, zijn liefde voor haar en de nieuwste droevige gebeurtenis in zijn leven.

'Wat deed hij eigenlijk in die tuin?'

'Dat weet ik niet. Hij zal het zelf wel weten. Hij heeft waarschijnlijk wel een logische verklaring, ik bedoel, een verklaring die logisch is voor iemand van zijn geestelijke leeftijd. Maar eigenlijk doet het er niet toe, want hij kan niet praten.'

'Hij heeft dat nooit gekund?'

'Nee, zo is het niet. Hij heeft zijn spraakvermogen verloren toen hij bij de politie was. Ze hebben hem doodsbang gemaakt. Afschuwelijk, hè?'

'Nou, inderdaad,' zei James heel ernstig.

Hij pakte haar hand en hield hem in zijn beide handen. Zo trof Will hen aan toen hij de keuken in kwam. De rugbywedstrijd was voorbij en hij zocht gezelschap. Hij trof Becky aan met haar rug tegen het aanrecht, James die haar hand dicht bij zijn gezicht hield, en ze keken in elkaars ogen. Het onduidelijke gekreun dat Will voortbracht, was het eerste geluid dat Becky van hem hoorde sinds hij bij haar was komen logeren. Hij had wel vaker van zulke geluiden gemaakt, maar nooit zo expressief als nu. De blik die hij in zijn ogen had, had ze nooit eerder gezien en ze werd er helemaal koud van. Will keek niet ongelukkig of verbijsterd of gekwetst. Hij keek woedend.

'Kom, dan gaan we naar de huiskamer,' zei ze opgewekt. Maar wat moesten ze daar doen?

Will loste dat op. Hij zette de televisie aan, keek haar aan en klopte op het bankkussen naast dat waar hij zelf op zat. James ging in een fauteuil aan de andere kant van de kamer zitten. Een tekenfilm, erg felge-kleurd, erg lawaaierig, knalde van het scherm, en dieren die in geen enkel tijdvak op de aarde hadden rondgelopen, groene en purperen dieren, schubbige en gehoornde en gevleugelde dieren, vielen in ver-woede gevechten op elkaar aan. Will glimlachte. Gevechten van die-ren die niet echt bestonden, maakten hem nooit van streek. Misschien waren ze zelfs voor hem te onecht. Het was vreemd, dacht Becky, toen ze zag dat hij James de rug had toegekeerd en voor driekwart naar haar toe zat gedraaid, dat ze wel bang was geweest dat hij onaanvaardbaar voor James zou zijn maar niet dat James hem niet zou aanstaan. Wan-hopig liet ze zich in de kussens achteroverzakken. James had de krant gepakt, een pen op de tafel gevonden en ging het cryptogram oplos-sen.

Freddy en Ludmila kwamen die zaterdag rond het middaguur door de winkel, op weg naar hun weekendvakantie. Freddy droeg de twee enorme koffers die ze onmisbaar achtte voor twee overnachtingen in een Engelse badplaats. Ludmila zelf droeg haar hoedendoos en beauty-case. Over haar lichtblauwe jurk van chiffon droeg ze een bontjas, chinchilla en zo te zien erg oud, met een oranje pashmina over de stuk-jes die door motten waren aangevreten. Allebei kusten ze Inez, iets wat ze nooit eerder hadden gedaan, alsof ze voor eeuwig weggingen in plaats van alleen voor het weekend. Zeinab, die door de binnendeur kwam, keek even naar hen en keerde hen toen de rug toe. Ze deed alsof ze de beschadigde grootvadersklok bestudeerde.
'We zijn maandag eerder terug dan jij, Inez,' zei Freddy, 'dus je kunt erop rekenen dat ik het inbraakalarm uitzet. Twee-zes-vier-zeven is de code, hè?'
'Waarom schreeuw je het niet over straat?' zei Zeinab, die zich op dat moment omdraaide. 'Waarom vertel je het niet door aan al het uitschot hier in de buurt? Geef ze dan ook maar de sleutel.'
'Laat maar, Zeinab.' Inez was bang dat het nog tot hevige ruzie zou ko-men voordat Freddy en Ludmila de deur uit gingen om de bus te halen, die vanaf Victoria Station vertrok. 'Maar het is geen goed idee om die code openbaar te maken, Freddy.'
'Dat zou ik nooit doen, Inez,' zei Freddy braaf. 'Nu ik erover nadenk, vraag ik me af of alle aanwezigen hier wel te vertrouwen zijn. Ik ben te goed van vertrouwen; dat is mijn probleem.'

'En wat wil je daar nou weer mee zeggen?' Zeinab kwam een paar stappen op hem af.

Het duurde even voordat Inez precies begreep wat hij met zijn opmerking had bedoeld. 'Alsjeblieft, Zeinab,' zei ze, en tegen Ludmila, die een sigaret had opgestoken: 'Wegwezen, jullie twee. Ik weet niet hoe laat jullie bus vertrekt, maar jullie hebben vast geen tijd over. Straks missen jullie hem nog.'

Freddy maakte met een zwierig gebaar de deur open en pakte de koffers op. Ludmila draaide zich in de deuropening om voor nog één venijnige opmerking: 'Jammer dat u niet met ons mee komt, mevrouw Sharif. U zou opa kunnen meenemen, in zijn rolstoel.'

Zeinab was van plan de zondag met Rowley Woodhouse en de maandag met Morton Phibling door te brengen. Zodra ze van Ludmila's opmerking was hersteld, vertelde ze Inez daar alles over. Rowley had gewild dat ze die avond met hem mee ging naar Parijs en Morton had een weekend in Positano voorgesteld.

'Ik heb in beide gevallen nee gezegd. Ik weet dat het ouderwets is, Inez, maar mijn maagdelijkheid is dierbaar voor mij en verrekte dierbaar voor mijn vader. Ze zouden geen respect meer voor me hebben als ik me aan hen gaf voordat we getrouwd zijn.'

Inez probeerde dat ouderwetse standpunt zo goed mogelijk te verwerken en zei: 'Maar je gaat toch niet met hen trouwen?'

'Beslist niet, maar dat weten zij toch niet? Rowley en ik gaan een dagje naar Brighton en Morton zegt dat hij met me de rivier op gaat met een luxeboot die hij voor de lunch en het diner heeft gehuurd.'

Inez herinnerde zich dat ze allebei die uitstapjes samen met Martin had gemaakt, alleen was het geen luxeboot geweest, al maakte dat niet uit. Vanavond zou ze naar *Forsyth en de scarabee* kijken, een van haar lievelingsafleveringen. Haar zus had alle Forsyth-video's ook, wist ze toevallig, maar maandag zouden ze zijn weggestopt. Miriam was te tactvol om een van die video's in Inez' gezichtsveld te laten komen. Ze zuchtte – liet de zucht overgaan in een kuchje – niet om de herinneringen, zelfs niet om haar verlies, maar om alle misverstanden. Zelfs haar eigen zus, aardig, gevoelig, attent, had nooit begrepen dat ze juist aan Martin herinnerd wilde worden, dat ze hem wilde zien, over hem wilde praten, omdat hij anders misschien toch geleidelijk uit haar gedachten zou verdwijnen.

Zij en Jeremy Quick waren de hele zondag en ook de nacht daarop alleen in huis. Dat was nooit eerder gebeurd; het gaf haar een onbehaaglijk gevoel. Ze had nooit eerder beseft hoe geruststellend het was om Will Cobbett en Freddy en Ludmila tussen haar en hem te hebben, maar de laatste keer dat ze daarover nadacht had ze nog geen reden gehad om Jeremy te wantrouwen. Sommigen zouden zeggen dat ze zich onnodig druk maakte. Per slot van rekening had hij alleen maar een vriendin en haar moeder verzonnen, compleet met allerlei omstandigheden uit hun heden en verleden, en verder was hij teruggedeinsd toen ze haar hand op zijn arm legde. Meer niet. Eigenlijk stelde het niet veel voor. Had hij die vrouwen alleen maar verzonnen om onder haar uitnodigingen uit te komen? Evengoed, zei ze tegen zichzelf toen ze naar bed ging, vertelden normale mannen van in de veertig niet zulke verzinsels en praatten ze niet over hun fantasieën alsof ze echt waren. Als hij haar, een oppervlakkige kennis, zoiets vertelde, moest hij het ook aan andere mensen hebben verteld. En als hij Belinda en haar moeder verzonnen had, hoeveel van de rest van zijn leven was dan ook een verzonnen verhaal, een leugen?

Hij was accountant, zei hij, en hij ging met de metro vanaf Paddington naar zijn werk. Hij had een moeder; hij was nooit getrouwd geweest; hij bezat geen auto. Sommige van die dingen konden waar zijn en sommige niet; ze kon het niet nagaan. Ze zat rechtop in bed en kon zich niet concentreren op de pocket die ze aan het lezen was. Jeremy was daarboven – ze had hem een uur geleden van zijn avondwandeling horen thuiskomen – maar ze had hem verder niet gehoord. De naam die hij gebruikte, hoefde niet zijn echte naam te zijn. Voor het eerst vroeg ze zich af of ze enig belang moest hechten aan het feit dat terwijl Ludmila de huur per cheque betaalde en Wills huur door Becky op dezelfde manier werd betaald, Jeremy altijd contant betaalde, in biljetten van vijftien en twintig pond. Misschien deed hij dat om haar in staat te stellen de inkomsten achter te houden voor de belastingen – iets wat ze nooit had gedaan – maar aan de andere kant was het ook mogelijk dat hij op die manier betaalde omdat 'Jeremy Quick' niet de naam was waaronder hij zijn bankrekening had.

Ze had een onrustige nacht. Het idee dat hij niet sliep maar zo'n vijftien meter boven haar bed zat te wachten en te luisteren, hield haar uit de slaap. Natuurlijk wist ze heel goed dat nachtelijke angsten en waanideeën de volgende morgen meestal verdwijnen, maar die wetenschap had haar nog nooit gerustgesteld en kon dat nu ook niet. Gelukkig was het in deze tijd van het jaar maar enkele uren donker; om halfvijf werd het licht en sliep ze nog een beetje. Toen ze om acht uur koffie zette en twee aspirientjes nam, hoorde ze Jeremy naar beneden komen. Ze hoorde ook het zachte klikken van de voordeur, die hij zachtjes dicht-deed om haar niet wakker te maken.

Nooit eerder had ze door het raam naar een van haar huurders gekeken, maar ze keek nu met haar kop koffie in de hand naar Jeremy. Het was vreemd dat hij niet naar Paddington Station of Edgware Road ging maar Bridgnorth Street nam. Hij droeg zijn donkergroene colbertje en had een koffer in zijn hand, al had hij gezegd dat hij alleen maar een dagje naar zijn moeder ging. Omdat die in Leicestershire woonde, had Inez verwacht dat hij de Circle-lijn van de metro, of eventueel een taxi, naar King's Cross Station zou nemen. Een taxi met zijn daklicht aan, een erg ongewone aanblik op dit vroege uur van een vrije dag, kwam door Bridgnorth Street naar hem toe, maar hij hield hem niet aan. Hij was blijkbaar van plan om naar King's Cross te lopen, wat een heel eind was met die koffer, die zo te zien nogal zwaar was.

Inmiddels was Inez erg geïnteresseerd, maar ze zou geen steek verder komen, want straks zou hij het eind van Bridgnorth Street hebben be-reikt. In plaats daarvan ging hij, net toen ze zich wilde omdraaien, links-af Lyon Street in. Ging hij iemand afhalen? Een échte vriendin? Een vriendin die met hem meeging naar zijn moeder? Hij was uit het zicht verdwenen en nu zou ze het nooit weten. Maar ze bleef daar staan en nam teugjes van haar koffie, tot rust gebracht door de leegte en stilte van de vroege ochtend. De lucht was lichtblauw, met wolkjes, en de zon was zwak en ver weg. Een kat stak geluidloos de weg over en ging op zijn dunne achterpoten staan om de inhoud van een vuilnisbak te doorzoeken. De krantenjongen kwam met zijn kar vol kranten uit Bridgnorth Street, en op datzelfde moment kwam er een auto uit Bridgnorth Street die koers zette naar Edgware Road. Een andere auto reed achter hem aan. Die kwam van een andere kant en sloeg verderop Star Street in, dichter bij Norfolk Square, al reed hij langzaam in dezelfde richting. Achter het stuur zat Jeremy Quick.

Later zou Inez denken dat ze niet in een rechtszaal had kunnen zweren dat hij het was, maar toch wist ze dat. De man die achter het stuur zat, droeg een donkergroen jasje, en hij had Jeremy's profiel en Jeremy's sluike donkerblonde haar. Natuurlijk zou ze dat nooit ergens hoeven

te zweren. Ze keek tot ook zijn auto de hoek van Edgware Road om-
sloeg en ging toen peinzend naar de keuken terug. Om elf uur was ze
klaar om naar haar zus te gaan. Het grootste deel van de tussenliggende
tijd, waarin ze een bad nam en zich aankleedde, had ze zich afgevraagd
wat Jeremy in zijn schild voerde. Het was bijna begrijpelijk dat iemand
die geen auto had er een verzon, maar andersom was het bijna ondenkbaar, en dan nog wel een dure Mercedes. En dan ook nog zeggen dat hij
niet kon rijden?

Was Jeremy in de tuin geweest toen ze er niet was, en had hij, toen hij
weer naar binnen ging, de sleutel niet anderhalve keer omgedraaid maar
één keer? Hij had het ontkend, maar dat zei niets. Ze controleerde de
achterdeur en de sleutel nog eens en zette het inbraakalarm aan. Terwijl
het geluid ervan wegstierf, stak ze de straat over naar de auto, waarvan
iedereen mocht weten dat ze hem bezat, en reed naar Highgate.

17

'Fluitje van een cent,' zei Anwar tegen zichzelf. Hij klom over de muur tussen het huis waarin hij een kamer had en dat van Inez. Er was niets heimelijks aan de manier waarop hij dat deed. Hij wist wel beter. Over de broek van zijn pak en zijn overhemd droeg hij een overall met verfvlekken – hij was een genoeglijk uurtje bezig geweest die vlekken er zelf op te spatten – en hij had een emmer met een laagje opgedroogd cement en een roller bij zich. Ook gebruikte hij een ladder om over de muur te komen. Als iemand hem vroeg wat hij deed, zou hij zeggen dat hij de situatie aan het bekijken was voordat hij aan een op-knapbeurt van het huis begon. Maar niemand vroeg hem iets. Ze keken op dit uur van de vrije middag allemaal naar het voetballen, en omdat de zon scheen, hadden sommigen de gordijnen dichtgetrokken van de ramen waarachter ze naar de televisie keken.

Geheel in zijn rol, bleef Anwar een ogenblik met de verfroller in de hand naar de achterkant van Inez' huis staan kijken. Het was altijd mogelijk dat een nieuwsgierige buurman voetbal niet het belangrijkste ingrediënt van het Britse leven vond en naar buiten keek. Niemand deed dat. Hij stak de sleutel in het slot van de achterdeur en maakte hem open. In de tijd tussen het moment waarop hij Inez' sleutel weer in het slot had gestoken en dit moment was hij bang geworden dat een of andere bemoeial misschien voor alle zekerheid grendels op de boven- en onderkant van die deur had aangebracht. Het slot gaf gemak-kelijk mee. Haar sleutel zat niet eens aan de andere kant.

Zodra de deur meegaf en hij voet over de drempel zette, begon het alarm te loeien. Het zat op de muur, net binnen de deur naar de straat. Anwar toetste twee-zes-vier-zeven in en de herrie hield op. Hij luis-terde. Omdat het geen vrijstaand huis was, hadden buren misschien het alarm gehoord, maar het lawaai had maar even geduurd. Waar-schijnlijk zouden ze denken dat een van de huurders was thuisgekomen en het alarm meteen had uitgezet. Er zat geen sleutel in de binnendeur naar de winkel. Anwar ging naar binnen, maakte Inez' bureau open en haalde daar iets uit waarvan hij bijna niet had durven hopen dat hij het zo gemakkelijk zou vinden: sleutels van elk appartement in het gebouw. De leden van zijn team zouden een voor een komen, en terwijl hij daar stond te wachten, belde Julitta aan. Anwar liet haar binnen. Twee minuten later was Keefer er ook. Flint kwam als laatste, na ongeveer een kwartier, voor het geval er iemand keek en zich afvroeg waarom Inez plotseling zoveel jonge mensen ontving.

Zoals ze hadden afgesproken, ging Anwar zelf naar de bovenverdieping, waar de 'patser' woonde. Julitta zou Inez' appartement doen, Flint de winkel en Keefer de twee appartementen op de middelste verdieping. Die waren het minst belangrijk. Tot Anwars grote ergernis rook Keefer naar wiet, zodat hem geen belangrijke taak kon worden toevertrouwd. Als hij Freddy in vertrouwen had moeten nemen, zou hij hem en Ludmila hebben beloofd dat hun appartement met rust gelaten zou worden, maar dat was niet nodig geweest, want de sleutel van de achterdeur was hem praktisch in de schoot geworpen. Daarom was Freddy net zo kwetsbaar als de andere huurders. Niet dat hij waarschijnlijk iets zou hebben wat de moeite van het stelen waard was, maar Ludmila misschien wel. Nadat Anwar spottend tegen Keefer had gezegd dat hij er nog ouder uitzag dan hij was en dat zijn hersenverweking niet meer terug te draaien was, kreeg Keefer opdracht zijn handschoenen aan te trekken en aan het werk te gaan.

Anwar, die ook handschoenen droeg, ging naar boven. De man die Quick heette, was misschien wel rijk, maar op het eerste gezicht had hij niet veel wat de moeite waard was. De hoge teakhouten stellingkasten stonden vol cd's, maar daar was geen muziek bij waar Anwar en zijn team van hielden. Hij liet ze staan. De laden waren nogal een teleurstelling, al vond hij een rijbewijs op naam van Alexander Gibbons. Dat rijbewijs stopte hij, samen met het gouden horloge dat hij op de kaptafel in de slaapkamer vond, in zijn zak. Er lag nergens geld. Toen maakte hij de hoge kast in de keuken open, op zoek naar bijvoorbeeld een blikje met kleingeld om de melkboer te betalen. In plaats daarvan vond hij Jeremy's geldkistje. Om zo'n geldkistje, dat een codeslot had, open te maken zonder het te forceren moest je erg goed kunnen raden. Het was moeilijk, maar niet onmogelijk. De code kon de geboortedatum van de man zijn – het was vaak zoiets – of de laatste vier cijfers van zijn

telefoonnummer. Of niet. Aan de andere kant moest je er wel van uitgaan dat zo'n geldkistje niet op slot zou zitten als er niet iets van waarde
in zat. God, wat was dat ding zwaar! De draagtas die hij had gevonden
om het in te doen, spleet open zodra hij hem van de vloer tilde, en dus
haalde hij een canvas rugzak uit de slaapkamer, zette het geldkistje erin
en droeg hem naar beneden, waarbij hij de voordeur zorgvuldig achter
zich op slot deed. Natuurlijk zag alles er nog zo uit alsof er nooit iemand
binnen was geweest.

Daarentegen heerste er grote chaos in Ludmila's kamer.

'Dat was al zo. Ik zweer het je,' mompelde Keefer. 'Ik heb dat niet gedaan. Sommige mensen leven als beesten, dat weet je.'

'Ja, jij bijvoorbeeld. Wat heb je gevonden?'

Een zwaar halssnoer met wat misschien – en volgens Keefer zeker –
robijnen in goud waren.

'Die zijn van glas,' zei Anwar minachtend, 'en dat spul heet pinsbek.
Daar krijg je nog geen vijf pond voor op de Church Street-markt. Maar
we nemen die trouwringen wel mee, hoe vaak is dat mens wel niet getrouwd geweest?'

'Misschien zijn ze van haar overleden moeder of haar tante.'

'Ja, misschien wel. Die parels ook nog, en dan wegwezen.'

In de winkel stond Julitta, die boven zou moeten zijn, voor een hoge
spiegel met een vergulde lijst. Ze hield een ketting met een grote diamant tegen het licht.

'Dat is toch een diamant, An?'

Anwar bekeek de hanger die Morton Phibling voor Zeinab had gekocht. Hij bestond uit één grote steen, in smaragdvorm geslepen, han-
gend aan een dunne gouden ketting. 'Hij moet wel duizenden ponden
waard zijn,' zei hij. Maar hij sprak opgewonden, niet op zijn gebruikelijke nonchalante manier. 'Misschien wel vijftigduizend.' De verwondering die op zijn gezicht te lezen stond, een uitdrukking waardoor hij er
korte tijd weer als een kind uitzag, ging over in twijfel. 'Dat kan niet.
Wie zou zo'n ding daar nou zomaar laten slingeren?'

'Ja,' zei Flint. 'Misschien is het een val.'

'Wat bedoel je daar nou weer mee?' Anwar draaide zich kwaad naar hem
om. 'Zit er een naald met gif in die steen? Of een microchip die een
code naar de smerissen in Paddington Green stuurt?'

Flint, die toch al niet erg snel kon nadenken, had daar geen antwoord
op. Anwar wikkelde de hanger in een van de stukken Valenciennes-kant

die Inez soms aan kenners van antieke kleding verkocht, en stopte hem in de tas met het geldkistje. 'Waarom ben je niet boven, zoals ik tegen je zei?' snauwde hij Julitta toe.

'Ik heb haar kamers gedaan. Er zijn geen echte sieraden, alleen maar nep, en je zei dat we nep moesten laten liggen. O, ja, en er zijn honderden video's, detectiveseries van de televisie.'

'Geen geld?'

Haar 'Nee hoor, An' kwam zo vlug dat hij haar maar even in de ogen hoefde te kijken om beter te weten. 'Geef op,' zei hij.

Met tegenzin gaf ze hem vier twintigjes en twee tientjes. Hij zou haar hebben gefouilleerd als ze dat geld niet had overgedragen, en niet erg zachtzinnig ook. 'Dief,' zei hij. 'Je krijgt je deel als het zover is. Dat weet je.' En toen: 'Is dat alles?'

'Ik zweer het, An.'

Dat was wel erg weinig, maar wat gaf het als ze een vijfje en wat kleingeld in haar eigen zak wilde steken? Sommige mensen waren onverbeterlijk crimineel en konden zich niet eens aan de erecode onder dieven houden. 'We gaan weg,' zei Anwar, toen Keefer in de deuropening verscheen. 'Jullie gaan weg zoals jullie hier zijn gekomen, een voor een. Jullie hebben toch niets bij jullie?'

Dat hadden ze niet. Hij keek hen na en zorgde dat Keefer minstens tien minuten na Julitta vertrok. Toen deed hij de rugzak, waar nu ook Ludmila's trouwringen in zaten, in de emmer met de cementlaag, en de bankbiljetten in de zak van zijn overall. Hij toetste zes-twee-vier-zeven in om het inbraakalarm aan te zetten en verliet het huis door de achterdeur. Toen hij de deur dichtdeed, begon het alarm te loeien. Anwar keek op, maar in plaats van de sleutel die hij had laten maken mee te nemen, schoof hij hem zorgvuldig onder de deur door. Hij wist niet wat ze met de originele sleutel had gedaan, meegenomen, nam hij aan. Het was niet alleen een artistiek gebaar van hem dat hij zijn exemplaar achterliet, maar ook een vriendelijke geste. Een huiseigenaar kon altijd wel een extra sleutel gebruiken, vooral wanneer ze daar niet voor hoefde te betalen.

Hij luisterde naar het alarm tot het ophield en ging toen terug zoals hij gekomen was: over de muur. Als hij opschoot, was hij nog op tijd om naar de bruiloft van zijn neef in Neasden te gaan.

18

Toen Inez terugkwam, stond er een busje voor de winkel geparkeerd. Het was weer een van die witte busjes die blijkbaar erg
populair waren bij een bepaald type jongeren, maar in elk geval was
het een nieuwkomer in de buurt. Er waren al een paar dagen verstreken
sinds ze dat vuile, met vingervlekken en graffiti bedekte busje had
gezien met dat ooit grappige briefje achter de ruit.
Ze stak de sleutel in de buitendeur en ging naar binnen. Toen ze het
alarm hoorde, wist ze dat ze de eerste bewoner van het huis was die terugkwam, want als er anderen waren binnen gekomen, zouden ze het
alarm vast niet opnieuw hebben aangezet. Nadat ze een blik in de winkel had geworpen om er zeker van te zijn dat alles in orde was, ging ze de
trap op naar haar eigen appartement. In plaats van een Forsyth-film op
te zetten en met een glas wijn voor de televisie te gaan zitten – daar had
ze wel behoefte aan na een dag waarop haar zus en zwager zich hadden
gedragen alsof ze nooit getrouwd was geweest, zo overdadig tactvol
waren ze – bleef ze midden in de kamer staan en keek naar de slordige
stapel video's op de salontafel. Die zou ze nooit zo hebben achtergelaten. Ze was altijd netjes en systematisch. In elk geval waren ze er allemaal nog...
Zou Freddy toch al thuis zijn en hierbinnen zijn geweest? Hij wist dat er
een sleutel van haar appartement in het bureau lag. Maar waarom zou
hij dat doen en waarom zou hij haar video's aanraken? Trouwens,
Freddy was een eerlijke man, daar was ze zeker van. Dwaas en naïef,
maar eerlijk. Ze zette de video niet op maar schonk zich iets te drinken
in, ging daarmee naar de huiskamer terug en keek om zich heen. Verder
leek er niets te zijn veranderd. In de slaapkamer lag alles wat ze aan
goedkope sieraden bezat nog op zijn plaats. Haar trouwring en verlovingsring had ze aan haar vinger. In de keuken had ze een blikje met
geld voor dagelijkse uitgaven, stomerijkosten en dergelijke. Zodra ze

het oppakte, voelde ze aan het gewicht dat het blikje leeg was. De bankbiljetten waren weg, en ook het kleingeld. Er had ongeveer honderd pond in gezeten.

Inez dacht niet meer aan het inbraakalarm, maar herinnerde zich het incident met de sleutel. Die gedachte joeg een huivering door haar heen en ze sloeg de rest van haar wijn in één teug achterover. Ze wist zeker dat ze hem anderhalve en niet één keer had omgedraaid. Hij zat nog in haar handtas, waar ze hem vanmorgen in had gedaan nadat ze had gecontroleerd of de achterdeur op slot zat. Inmiddels was ze er van overtuigd dat ze de enige in huis was. Ze ging naar beneden en was een beetje opgelucht toen ze zag dat de deur op slot zat en er geen sleutel in stak. Maar wacht eens even... Op de vloer tussen de onderkant van de deur en de rand van de mat lag een sleutel, lichter van kleur en met meer glans dan haar eigen. Ze pakte hem op en bekeek hem, al had dat niet veel zin. Een bezoeker aan de winkel moest in haar afwezigheid... Of een van haar huurders?

Een van die huurders kwam op dat moment binnen. Ze liep door het gangetje naar de buitendeur. Het was Jeremy Quick.

'Ik vind het erg dat ik het moet zeggen, maar blijkbaar zijn er inbrekers geweest,' zei ze.

'Wat, in de winkel, bedoel je?'

Als hij daarmee niet de nationale prijs voor egoïsme verdiende, zou ze niet weten wie wel. Hij had het op een gretige toon gezegd.

'Nee, vreemd genoeg niet in de winkel. Ze zijn in mijn appartement geweest, hebben het geldblikje in de keuken geplunderd. Ik denk dat ze in het hele huis zijn geweest.'

Hij werd lijkwit. Niet zomaar bleek, maar ziekelijk, bijna groenig wit. Zijn ogen staarden haar aan en ze kon opeens alle botten van zijn gezicht zien. Blijkbaar had hij daarboven iets waar niemand iets van mocht weten. Harde porno? Kinderporno? Gestolen waar? Ze wist plotseling dat ze hem tot alles in staat achtte. 'Ik zou maar meteen gaan kijken, als ik jou was,' zei ze. En toen dacht ze er weer aan dat ze de politie moest bellen. Terwijl ze het nummer draaide, vroeg ze zich af wie er zou komen. Zou het iemand zijn die ze kende?

Jeremy rende de trap met twee treden tegelijk op. Op het eerste gezicht was er niets in zijn appartement veranderd. Hij deed zijn ogen dicht, haalde diep adem en maakte de kast open. Tegen beter weten in hoopte hij dat het gewicht van het geldkistje de inbrekers had afgeschrikt. Dat bleek echter niet het geval te zijn. Hoewel hij die lege ruimte op de plank wel had verwacht, kwam de schok toch nog zo hard aan dat hij moest gaan zitten. Was er een kans dat ze zoveel moeite hadden om het ding open te krijgen dat ze het opgaven en het weggooiden? Dat ze het vanaf een brug in de rivier gooiden? Die kans was klein, dacht hij. Ze dachten natuurlijk dat een geldkistje dat zo goed op slot zat kostbaarheden moest bevatten.

Er kwam een gevoel in hem op dat voor hem erg vreemd was. Hij wilde niet alleen zijn; hij wilde gezelschap. Inez en de anderen die thuis waren, zouden willen weten wat de dieven van hem hadden gestolen, en hij kon hun beter niet vertellen, en zeker niet de politie als die kwam, dat het geldkistje verdwenen was. Hij kon beter zeggen dat er geld en sieraden weg waren, manchetknopen, een horloge, dat soort dingen. Hij had zijn andere horloge op de kaptafel in de slaapkamer laten liggen, herinnerde hij zich nu, en ging daar vlug naartoe. Het horloge was weg. Hij ging naar beneden.

Ludmila liep heen en weer door de winkel. Ze maakte een hele toestand van de inbraak en de chaos waarin haar appartement was achtergelaten. 'Alles overhoop gehaald,' schreeuwde ze keer op keer, 'en al mijn trouwringen gestolen! Allemaal! De ring van Jan, en van Waldemar, dat vind ik nog het ergst, allemaal weg!'

'Ik heb nooit geweten dat jij zo vaak getrouwd bent geweest, Ludo,' zei Freddy zorgelijk. 'Nu ga ik de dingen in een heel ander licht zien.'

Ze negeerde hem en begon aan haar haar te trekken alsof ze het met wortel en al wilde uitrukken. Inez ging naar het raam om te kijken waar de politie bleef. Ze hadden gezegd dat ze 'binnen het komende halfuur' zouden komen.

'Is er veel bij jou gestolen?' vroeg Freddy toen Jeremy binnenkwam.

'Niet veel. Een horloge waar ik nogal op gesteld was. Wat geld.'

'Ik heb geluk gehad,' zei Freddy, toen duidelijk was dat Jeremy het niet zou vragen. 'Al mijn kostbaarheden zijn veilig in mijn huis in Stoke Newington.'

'Weer verhuisd, Freddy?'

Terwijl Inez zich naar hem omdraaide om hem die onweerstaanbare vraag te stellen, stopte er buiten een auto en stapte rechercheur Jones uit, gevolgd door een geüniformeerde agent. Stel je voor dat ze het geldkistje al hebben gevonden, dacht Jeremy, stel je voor dat ze het leeg hebben aangetroffen...

Ze waren van plan geweest om aan een tafel in de open lucht te lunchen, met uitzicht op de rivier, maar in plaats daarvan hadden ze binnen gegeten, in een restaurant waar het personeel de verwarming moest aanzetten. Over het geheel genomen was het een mooie dag, maar van tijd tot tijd barstte er een bui los en kletterden de hagelstenen op de gladde ronde straatstenen. James voelde zich blijkbaar niet op zijn gemak en Becky was nerveus, hoe ze haar best ook deed om zich te ontspannen. Will was thuis gebleven. Ze hadden een koude lunch van vleespastei, hardgekookte eieren, quiche en augurken voor hem achtergelaten, met de belofte dat ze om uiterlijk halfvier terug zouden zijn. Terwijl James dat beloofde, had Becky de lunch voor hem klaargemaakt. Ze wist dat hij geen salade wilde eten en durfde niet iets warms voor hem achter te laten.

James was daar vrij goed in, tenminste dat dacht hij zelf, maar Becky wist dat hij het niet goed aanpakte als hij tegen Will zei dat hij vast niet het plezier van zijn tante wilde bederven en dat het goed voor haar was om er eens uit te zijn. Will dacht dat Becky nergens zoveel plezier aan beleefde als thuis te zijn met hem. Ze kon merken dat hij James niet graag mocht, en dat vond ze heel erg. Natuurlijk praatte hij nog steeds niet en was hij, hoe kinderlijk hij ook was, volwassen genoeg om zijn gelaatsuitdrukkingen onder controle te hebben. Hij trok nooit een pruilmondje of een nors gezicht, zoals een echt kind van negen zou doen; hij was een meester in het vriendelijk knikken en glimlachen.

Ze kon veel van zijn gezicht aflezen, daar had ze genoeg ervaring mee. Als ze zag hoe zijn blik haar volgde bij alles wat ze deed, en dat hij James alleen met een harde, onverzoenlijke blik wilde aankijken, wist ze dat hij zich helemaal niet bij James op zijn gemak voelde. De tweede keer dat ze die blik zag, ditmaal gericht op James' rug, zei ze bijna dat ze niet uit zou gaan, het was toch niet zulk mooi weer geworden als was voorspeld en ze konden net zo goed thuisblijven. Maar als ze dat deed, dacht ze, zou het misschien weken duren voordat ze weer ergens heen ging zonder Will, misschien pas nadat hij zijn spraakvermogen en zijn zelfvertrouwen had teruggekregen en naar Star Street was teruggegaan. Dat dacht ze allemaal in het restaurant, terwijl ze asperges aten en Sauvignon dronken.

'We moeten praten,' zei James, woorden die kil door haar heen schokten.

'Ja?'

'Ik vind je erg aardig, Becky. Ik voel me tot je aangetrokken en ik vind het verschrikkelijk dat ik wekenlang zonder goede reden niets van me heb laten horen.'

'Het doet er nu niet meer toe,' zei ze.

Hij ging daar niet op in. 'Als ik je al lang had gekend, als we elkaar echt goed hadden leren kennen, zou ik het misschien begrijpen en zou ik misschien bereid zijn geweest je te delen met een... een neef die van je afhankelijk is. Als het zo was en als Will een tijdje bij je in had moeten trekken, zou ik dat accepteren en... wachten. Maar zo is het niet, hè? Ik ben zelfs nooit een paar uur met je alleen geweest in jouw huis of het mijne. En wat overnachten betreft...'

Op haar leeftijd was het eigenlijk belachelijk, maar ze voelde dat ze een kleur kreeg. Ze had hem aangekeken, want ze wilde dat hij ophield. Dat deed hij niet.

'Wat overnachten betreft, denk ik dat je zou zeggen dat het niet kan met Will erbij. Ik wéét dat je dat zou zeggen.'

'Ja, dat klopt.' Zonder dat ze het wilde, kwamen de woorden over haar lippen. 'Ik weet niet wat hij zou doen.'

Het hoofdgerecht kwam. Ze had geen trek, maar ze wist dat het nu aan haar was om de dingen in orde te maken, om het 'we moeten praten' iets te laten opleveren. 'James,' zei ze zonder vertrouwen in wat ze moest zeggen, 'het zal niet zo blijven. Het is gewoon pech dat jij en ik elkaar ontmoetten in de tijd dat Will door de politie is... nou, wat het ook is wat ze hem hebben aangedaan. Hij komt er wel bovenop. Hij gaat naar huis en dan zie ik hem hooguit eens per week.' Had ze zich in al de jaren van schuldgevoel ooit zo schuldig gevoeld als op dit moment? Had ze ooit zo sterk het gevoel gehad dat ze Will in de steek liet, zelfs toen ze hem naar dat tehuis liet gaan? 'Ik ben echt gek op hem.' Ze had eigenlijk willen zeggen dat ze van hem hield, maar veranderde dat op het laatste moment. 'Ik ben verantwoordelijk voor hem, vooral op dit moment.'

'Hij is niet van mij,' zei James met een hardheid die haar schokte.

Ze had gedacht dat ze misschien van tafel zou moeten opstaan om buiten over te geven. Met bovenmenselijke inspanning voorkwam ze dat. 'Geef me... twee weken de tijd,' zei ze. Ze vond het verschrikkelijk dat ze moest smeken maar deed het toch. 'Toe. Twee weken maar, en dan is alles anders.'

'Goed,' had hij gezegd. 'Goed. In elk geval hebben we het nu uitgepraat.' O, jij weet nog niets, dacht ze, jij weet nog niets. 'Laten we het over iets anders hebben.'

Haar lunch was bedorven, maar ze had er ook niet veel van verwacht. Het liefst zou ze naar huis gaan, en terwijl ze gedachteloos zat te praten, dacht ze aan Will, die alleen thuis was en misschien ook geen plezier aan zijn lunch beleefde, aan de televisie die niet meer op de afstandsbediening wilde reageren – waren de batterijen nog wel goed? – en aan de telefoon die overging terwijl ze er niet was. James voelde er blijkbaar nog niets voor om terug te gaan. Ze konden over de South Bank tot aan Westminster Bridge wandelen, stelde hij voor. Was ze ooit in het aquarium geweest? Daar zouden ze heen kunnen gaan.

'We hebben gezegd dat we om halfvier terug zouden zijn.'

'O, goed. Laten we dan maar gaan.'

Met Will was alles in orde. Hij had zijn lunch opgegeten en zelfs de afwas gedaan. De televisie stond aan en hij zat opgewekt naar een oude zwartwitfilm te kijken. Becky zette thee en presenteerde de pasteitjes waar Will zo van hield. James keek alsof ze hem een bord met maden had voorgezet. Hij pakte de krant op voor het cryptogram, maar dat was te moeilijk of misschien had hij geen zin om het echt te proberen. In elk geval ging hij uit het raam zitten staren alsof hij in allerlei saaie gedachten verdiept was. Doodongelukkig dacht Becky dat als hij de komende veertien dagen zo doorging – als hij op die koers bleef zitten – ze misschien een hekel aan hem zou krijgen en hem nooit meer zou willen zien. Dat zou de oplossing van al hun problemen zijn.

Om zes uur, toen de televisie drie uur had aangestaan, stond hij op en zei hij dat hij moest opstappen. Hij had beloofd dat hij nog even bij zijn zus zou aangaan, maar hij zou haar bellen. Er verspreidde zich meteen een opgeluchte, blije glimlach over Wills gezicht, en toen James weg was, liet hij zich lekker in de kussens wegzakken. Hij lachte onbedaarlijk om de film en keek Becky telkens veelbetekenend aan. Hij knipoogde zelfs een keer; dat had ze hem nooit eerder zien doen.

Ze kon geen avondeten door haar keel krijgen, maar Will wel. Hoewel hij de hele dag op de bank had gehangen, had hij vreselijke trek in zijn lievelingsmaaltijd, de eieren met spek, de patat en de gebakken tomaten die ze voor hem klaarmaakte. Toen om acht uur de bel ging, dacht ze dat James misschien terug was gekomen om te zeggen dat hij niet zo onvriendelijk had moeten zijn en dat hij zich voortaan anders zou gedragen... Maar het was rechercheur Jones. Zodra hij de huiskamer binnenkwam, maakte dat iets in Will los. Misschien moest hij weer aan de nacht denken die hij in de cel had doorgebracht, of misschien was hij alleen maar hevig geschrokken.

Wat het ook was, het gaf hem zijn spraakvermogen terug. Hij sprong op en riep uit: 'Nee, ik ga niet mee! Ik ga niet mee, ik blijf hier!'

'Niet dat ik hem niet prachtig vind, schat,' zei Zeinab tegen Morton Phibling. 'Maar je weet wat Inez zei. Draag hem niet op straat, zei ze. Als je me nou met de Lincoln was komen halen, was het wat anders geweest.'

'Dat zou ik graag hebben gedaan, als je goedvond dat ik naar je huis kwam.'

'Ik heb je al duizend keer verteld dat mijn vader me zou vermoorden. En jou ook.'

In plaats van de boottocht waren ze in Kew Gardens. Morton wist opeens weer dat hij zeeziek werd op boten. Zeinab had niet naar Kew gewild. Ze hield wel van bloemen, vooral orchideeën en witte aronskelken, maar tuinen lieten haar koud. Morton had hier alleen maar graag naartoe gewild, omdat hij op school een gedicht uit zijn hoofd had geleerd over Kew in de seringentijd, en het was niet ver van Londen, zei hij. Zeinab vond het veel te ver van Londen en had dat ook een paar keer tegen hem gezegd. Ze maakte zich geen zorgen over de diamanten hanger. Ze herinnerde zich dat ze hem op een plank in de badkamerkast in het Dame Shirley Porter House had laten liggen. Haar verlovingsring (de grote, niet Rowleys bescheidener geval) zat aan haar vinger en ze liet hem trots flitsen als iemand in haar richting keek. Verder was er hier niets te doen.

Morton probeerde nog iets van de dag te maken door thee met haar te gaan drinken in het Ritz. Zeinab, die nooit dik werd, at twee eclairs en een groot stuk aardbeientaart met slagroom. Evengoed dacht ze erover om Morton de bons te geven. Dat moest gauw gebeuren, voordat de zaak op de spits gedreven werd door al dat gedoe over de bruidsjurk en de trouwdatum en de uitnodigingen voor de gasten. Maar eerst wilde ze nog één groot cadeau uit hem los krijgen. De Jaguar bracht hen naar Hampstead, waar Mortons chauffeur opdracht kreeg op de hoek te stoppen en haar te laten uitstappen, voor het geval meneer Sharif naar buiten keek.

Morton werd natuurlijk naar Eaton Place teruggereden, terwijl Zeinab een paar bussen naar Lisson Grove moest nemen. Algy en de kinderen keken naar *Mary Poppins* op televisie. Mevrouw Sharif, een ongenode en onverwachte gast, zat in de comfortabelste stoel Godiva-bonbons te eten.

'Wat een zware dag,' zei Zeinab, in de hoop dat haar moeder zou denken dat ze de enige vrouw in Marylebone was die op deze feestdag had gewerkt. 'Ik ben doodmoe.' Haar moeders mening was voor haar van geen enkel belang, maar als moeder haar escapades met Morton en Rowley afkeurde, wilde ze misschien niet meer op de kinderen passen. Bij de gedachte aan Morton dacht ze ook aan de diamanten hanger. Ze ging naar de badkamer en keek in het kastje. De hanger lag niet op de plank. Blijkbaar had ze hem eruit gehaald en in de slaapkamer gelegd. Toen ze door de hal liep, werd ze afgeleid door Algy, die zei dat hij iets tegen haar te zeggen had waarvan hij liever niet wilde dat haar moeder het hoorde.

'Als het over mij en Morton en Rowley gaat,' zei Zeinab, 'kun je je de moeite besparen. Ik vind er ook niets meer aan en het is verdomd hard werken. Het zal je interesseren dat Mortons vriend Orville Pereira, die miljardair is, me om een avond uit heeft gevraagd en dat ik nee heb gezegd. Omwille van jou. Zie je wel?'

'Daar gaat het niet over. Het gaat over de woningruil.'

'Wat bedoel je?'

'Er heeft een stel gebeld. Ze hadden mijn advertentie gezien en ze hebben een woning in Pimlico die ze opgeven omdat ze liever hier willen wonen. Het zou weinig rompslomp geven, Suzanne, want het is in dezelfde gemeente. Het is zo voor elkaar.'

'Ik weet het nog niet, Alge. Het is een grote beslissing. Ik weet niet eens waar Pimlico is.'

'Ik wel. Ik kan het je laten zien. Je moeder kan bij Bryn en Carmel blijven en we kunnen daar gaan kijken. In elk geval naar de buitenkant.'

'Goed,' zei Zeinab. 'Ik wil wel kijken. En als we toch weg zijn, kunnen we ook ergens gaan eten. Laten we er een avondje uit van maken. Maar eerst moet ik dat ding aan dat halssnoer vinden dat Morton me heeft gegeven.' Ze giechelde om zijn norse blik. 'Ik moet het toch vinden om het te kunnen verpatsen?'

De hanger lag niet op de kaptafel en ook niet in de la daarvan, en evenmin in de la waar Zeinab haar sieraden bewaarde, en hij was ook niet tussen haar cosmetica terechtgekomen, twee grote laden vol. Wat had ze vrijdag gedragen? Haar gebruikelijke outfit, een nauwsluitende witte trui en een zwarte minirok, nam ze aan. Die droeg ze altijd, en nu ook. Het leren jasje droeg ze alleen als het erg koud was, en ze zou nog liever longontsteking oplopen dan dat ze een winterjas aantrok. Ze keek in de zakken van het jasje. De hanger was er niet, en dat was ook niet vreemd, want ze had hem sinds vrijdag niet meer gedragen, zelfs niet meer sinds maart.

Wat had ze die dag gedaan? Ze was met Morton naar haar werk gegaan, had de hanger laten zien, had die ruzie met Freddy gekregen, hij had haar een slet genoemd en zij had Ludmila een Russische trut genoemd, en toen waren er een paar klanten geweest, en toen – herinnerde ze zich plotseling – had ze tegen Inez gezegd dat ze met Rowley ging lunchen, en Inez had gezegd dat ze de hanger moest afdoen en dat had ze gedaan. Maar waar had ze hem gelaten? Ze kon het zich niet herinneren. Misschien had ze hem gewoon op de tafel gelegd, de tafel die onder de spiegel stond, terwijl ze haar gezicht bijwerkte. Ze had hem daar blijkbaar laten liggen. Ze was hem helemaal vergeten, had hem in de winkel achtergelaten.

Nou, hij zou er nog wel zijn. Ze zou hem de volgende dag gaan halen. Toen ze in de huiskamer terug was, ging Reem Sharif niet bepaald enthousiast akkoord met Algy's voorstel.

'Als die kinderen nog meer bonbons eten, worden ze kotsmisselijk. En als ik hier de halve avond blijf, wil ik iets te eten hebben. Waar gaan jullie eten?'

'Chinees,' zei Alby.

'Neem dan een portie kip met citroen voor me mee, met nasi... o, en garnalen met sesam als voorafje. Geen minuut later dan tien uur, want dan rammel ik van de honger.'

De politie had Will niet meegenomen, zei Becky door de telefoon tegen Inez, maar ze hadden hem een eeuwigheid ondervraagd over een of andere inbraak. Was er in de winkel ingebroken? Inez vertelde haar erover. 'Maar het is belachelijk om te denken dat Will er iets mee te maken had. Hij is hier in geen week geweest.'

'Ik weet niet of ze dat echt denken,' zei Becky. 'Maar het kwam er wel op neer. Ze wilden mijn woning doorzoeken, maar ik heb voet bij stuk gehouden. Geen denken aan, zei ik, en toen ze weggingen, zei die rechercheur Jones dat hij een huiszoekingsbevel zou halen, maar dat was gisteravond en er is niemand meer geweest.'

'Ik ken Jones,' zei Inez. 'Niet zo goed als ik Zulueta en Osnabrook ken, om van Crippen nog maar te zwijgen, maar ik ken hem.'

Becky verontschuldigde zich omdat ze Inez niet had gevraagd of er iets van haar gestolen was. Inez somde de dingen op die weg waren en maakte haar aan het lachen met het verhaal van Ludmila's trouwringen. 'Will kan weer praten,' zei Becky. 'Sinds gisteravond. Dat kwam door de schok toen hij Jones zag, denk ik.'

'Dus hij komt hier gauw weer terug?'

'Ik hoop het, Inez,' zei ze, en Inez bespeurde een weemoedige ondertoon in haar stem.

Het telefoontje was gekomen terwijl Inez op de komst van Zeinab wachtte. Die kwam niet later dan anders. Voor het eerst sinds vorig jaar oktober, toen hij met een lelijke verkoudheid in bed was gebleven, was Jeremy niet op een doordeweekse ochtend naar de winkel gekomen om een kop thee te drinken. Het was geen formele regeling, maar hij had haar evengoed kunnen bellen, dan had ze geen extra theezakje in de pot hoeven doen. Ze vermoedde dat hij niet naar zijn werk was gegaan. Opeens herinnerde ze zich weer dat ze hem de vorige ochtend achter het stuur van die auto had zien zitten. De laatste tijd strookten de dingen die hij deed en zei niet goed met elkaar. Hij moest haar minstens drie keer hebben verteld dat hij geen auto had, dat hij in Londen geen auto wilde hebben, dat hij het asociaal vond om de atmosfeer met uitlaatgassen te vervuilen. Natuurlijk was het mogelijk dat de auto die ze had gezien helemaal niet van hem was, dat hij een auto had gehuurd om naar zijn moeder te gaan. Aan de andere kant had hij ook gezegd dat hij niet kon rijden. Door het vele contact met rechercheurs was ze misschien net zo gaan denken als zij, want ze vroeg zich nu af waarom ze het nummer van die auto niet had genoteerd. Evengoed wist ze dat het een zilverkleurige Mercedes was.

Zeinab kwam om kwart voor tien haastig de winkel in. Mensen die onverbeterlijk laat waren, was Inez opgevallen, hadden altijd haast en waren altijd buiten adem als ze eindelijk aan kwamen zetten. Zonder een woord tegen haar te zeggen, met nauwelijks een blik in haar richting, liep ze vlug naar wat iedereen háár spiegel noemde en het tafeltje eronder. Inez zag in de spiegel haar gezicht, hevig geschrokken, verbijsterd, en ze zag Zeinabs handen tussen de kleine ornamenten op de tafels daar in de buurt grabbelen. Ze draaide zich om en hield haar handen omhoog alsof ze ging bidden.

'Hij is weg!'

'Wat is weg?'

'Die hanger die ik van Morton heb gekregen. Ik heb hem hier vrijdag laten liggen toen ik met Rowley ging lunchen en ik... ik ben hem vergeten!'

Inez wist dat het, hoe groot de verleiding ook was, volkomen zinloos was om tegen Zeinab te zeggen dat ze voorzichtiger had moeten zijn. Als ze dat nu nog niet wist, zou ze het nooit weten. Nu moest ze het nieuws vertellen, maar wel een beetje tactvol.

'Er is gisteren iets gebeurd.' Ze zweeg even om haar woorden te kiezen. 'Een inbraak, moet ik zeggen. Er is van iedereen iets gestolen. Ik denk... nou, het lijkt me waarschijnlijk dat ze je hanger hebben meegenomen.'

'O, mijn god, o, mijn god, wat moet ik doen? Wat moet ik tegen Morton zeggen?'

Nu geloofde Inez, net als Martin indertijd, dat het altijd het beste was om de waarheid te spreken. Geen uitvluchten, geen 'leugentjes om bestwil', geen uitstel. Maar als ze dat nu zei, zou het moraliserend overkomen. 'Misschien hoef je hem nog niets te vertellen,' zei ze, al stuitte het haar tegen de borst. 'Misschien vindt de politie hem.'

'Wat moet ik doen als hij ernaar vraagt?'

'Hij heeft je toch nooit gevraagd naar de andere dingen die hij je heeft gegeven?'

'Er is altijd een eerste keer,' zei Zeinab. 'De politie weet nog niet dat hij weg is, hè? Ik kan het ze maar beter gaan vertellen.'

'Je kunt ze bellen,' zei Inez, die wilde voorkomen dat Zeinab nog eens een uur of twee van haar werk wegbleef. 'Vraag naar rechercheur Jones. En ik zou hem graag ook even willen spreken. Ik wil hem vertellen over dat vuile witte busje met het bordje achter de ruit dat hier altijd voor de deur stond. Misschien is het belangrijk.'

De huiszoeking was erger dan een inbraak zou zijn geweest, vond Becky. Jones en een geüniformeerde agent doorzochten alle kamers. Ze trokken laden open, haalden ze leeg, keken in kleerkasten, voelden in jaszakken, pakten boeken een voor een van de plank en keken erachter. Jones opende elk boek dat erg dik was, op zoek naar een geheim vakje. Becky's eigen sieraden werden nauwlettend bestudeerd en ze schonken vooral veel aandacht aan de versleten, bekraste trouwring van haar moeder. In de studeerkamer, die nu Wills slaapkamer was,

vonden ze in een la van de computertafel een paar wollen handschoenen. Die waren van haar. Ze waren knalrood en zo klein dat Will zijn
handen er bijna niet in zou kunnen krijgen, maar Jones scheen het
een erg belangrijke vondst te vinden. Blijkbaar dacht hij dat Will die
handschoenen had gedragen toen hij Inez' huis plunderde.

Ze vonden niets anders dat die theorie ondersteunde, maar ze bleven
systematisch zoeken, geïnspireerd en aangemoedigd door de vondst
van die handschoenen; waarom had ze die ooit in die la gedaan en wanneer? Ze gingen naar de huiskamer, waar ze overal aan het zoeken waren, rondom Will die angstig en voorovergebogen op een hoek van de
bank zat. Toen ze aan de boeken en videodozen begonnen, maakte hij
een jengelend geluid en rende de kamer uit om een veilig heenkomen te
zoeken, niet in de studeerkamer maar in haar eigen slaapkamer. Daar
ging hij op zijn buik liggen, met zijn gezicht in de kussens, en daar zag
Jones hem toen hij zijn hoofd om de deur stak, op zoek naar Becky.
Jones zei niets, maar drukte zijn lippen op elkaar en trok zijn wenkbrauwen op, een grimas die niemand zag.

Een halfuur later, toen de huiszoeking voltooid was en ze niets anders
hadden gevonden dan de handschoenen, de trouwring en een mannen-
horloge dat ze soms droeg omdat het een grote, duidelijke wijzerplaat
had, vroeg Jones haar of zij en Will echt tante en neef waren.

'Wat wilt u daarmee zeggen?'

'Hij weet goed de weg in uw slaapkamer.'

Misschien had Becky tegen hem moeten zeggen dat hij kon opvliegen.
Ze deed dat niet. 'Ik kan het bewijzen, als u mijn geboortecertificaat en
dat van zijn moeder en dat van hem wilt zien. Ik vind uw suggestie
weerzinwekkend.'

'Goed, mevrouw Cobbett, rustig maar. Dat is voorlopig alles. Misschien komen we terug.'

Will lag nog op haar bed. Hij had zijn vingers in zijn oren, al had de
politie niet veel lawaai gemaakt. Als hij nu eens de hele dag weigerde
om in beweging te komen? Als hij daar nu eens de hele nacht bleef
liggen? Als zij en James een echte relatie hadden, als dit een liefdesverhouding was geworden, had ze hem kunnen bellen en hem om raad
of hulp kunnen vragen. Toen de ochtend bijna voorbij was, besefte ze
dat ze voor het eerst sinds ze Will bij zich opnam geen contact had opgenomen met kantoor en geen e-mails of faxberichten had verstuurd.
En volgende week zou ze weer naar haar werk moeten gaan.

Ze ging naar haar slaapkamer terug. Hij was in slaap gevallen op het bed, maar het was een rusteloze slaap waarin hij mompelde en nerveuze bewegingen maakte. Zijn handen gingen open en dicht als die van iemand die weer wat gevoel in zijn verdoofde vingers wil krijgen. Ze dreigde in paniek te raken, ging vlug naar de huiskamer terug en schonk zich een stevige whisky in.

– 19 –

Het was moeilijker om het geldkistje open te krijgen dan Anwar had gedacht. Hij ging er eerst mee naar een vriend die monteur was en allerlei gereedschap had, maar hoewel die alles probeerde, bleef het ding dicht. Dit vereiste een subtielere methode. Maar Anwar wist heel goed dat het bijna ondoenlijk was om cijfers uit te proberen tot je de juiste code had gevonden.

Keefer en hij gingen in Keefers nu smetteloze witte busje naar St Michael's Street. Anwar pakte Zeinabs diamanten hanger onder zijn kussen vandaan en deed hem in zijn zak. Later zou hij ermee naar een juwelier gaan die hij kende, een Indiër maar geen familie – hij wilde zoiets niet met familieleden riskeren – iemand die niet echt crimineel was maar wel een beetje 'op de rand', zoals zijn vader zou zeggen. Keefer was zo moe dat hij zijn ogen bijna niet open kon houden, en er liep een beetje speeksel uit zijn mondhoek. Hij zat in een hoek op de vloer en snoof een lijntje cocaïne om wakker te blijven. Anwar zou hem eruit hebben gegooid, maar hij wist in wat voor stemming zijn vriend verkeerde. De kans was groot dat Keefer op de overloop ging staan en schreeuwend op de deur ging beuken. Sinds hij ruim in zijn geld zat, kende Keefers zucht naar drugs van topklasse geen grenzen meer.

Anwar zat met het geldkistje op het bed. Hij probeerde de code van Inez' inbraakalarm, de geboortedatum van Alexander Gibbons – wie dat ook mocht zijn, blijkbaar iemand die een belangrijke rol speelde in Quicks leven, misschien zelfs een pseudoniem van Quick – die in zijn rijbewijs stond: 7 juli 1955. Dus een man van ongeveer Quicks leeftijd. Interessant, maar die vier cijfers vormden niet de juiste code. Toen probeerde hij Quicks telefoonnummer, Inez' telefoonnummer en het nummer van de winkel. Niets werkte. Misschien moest hij er nu mee ophouden en het op een andere manier proberen. Hij had Flint opdracht gegeven Jeremy Quick te volgen als hij 's morgens van huis ging.

Als Alexander Gibbons en Jeremy Quick dezelfde persoon waren, nam hij vermoedelijk van tijd tot tijd weer Gibbons' persoonlijkheid aan. En dan zou Gibbons zijn echte naam zijn en Quick zijn pseudoniem. Hij, Anwar, zou een manier hebben gevonden om een rijbewijs op een andere naam te krijgen, als hij dat wilde, maar Jeremy was niet zo slim als hij. Bijna niemand was dat.

Keefer sprong druk op en neer. Zijn benen trilden en zijn voeten roffelden op de vloer.

'Dat krijg je ervan als je een cocktail van die troep neemt,' zei Anwar. 'Je kunt hier maar beter blijven. Ik ga met het busje weg.'

Hij was te jong om auto te rijden, maar hij kon het wel. Het busje was niet verzekerd en hij had ook geen persoonlijke WA-verzekering. In zijn pak met krijtstreep reed hij naar het huis van zijn ouders in Brondesbury Park. Zijn zus Arjuna was thuis, ook aan het spijbelen, dacht hij, maar zijn beide ouders waren naar hun werk, 'om de kinderen de levensstijl te bezorgen die wij nooit hebben gekend', zoals zijn vader het verwoordde.

'Hallo, vreemdeling,' zei Arjuna, meer als iemands oude tante dan als een meisje van veertien.

'Hoi.'

Anwar verspilde geen tijd aan haar. Hij ging de trap op naar zijn slaapkamer, waar hij een computer met internetverbinding had, en ging meteen naar de website van het kiesregister van Londen. Hij wist dat dit uren zou kunnen duren, maar dat hinderde niet. Na bijna twee uur vond hij wat hij zocht. Gelukkig lag het adres waar de man woonde, of geacht werd te wonen, bijna net zo centraal als Star Street, maar dan wel in de gemeente Kensington and Chelsea. Chetwynd Mews, 14, Gibbons, Alexander P. Het was niet meer nodig dat ze Jeremy Quick schaduwden. Hij zou zelf naar dat adres gaan en het terrein verkennen.

Inmiddels waren Uma en Nilima ook thuisgekomen.

'Mam vraagt steeds waar je bent,' zei Nilima verwijtend.

'Dan kun je nu tegen haar zeggen dat ik hier geweest ben, hè?'

'Je gaat zeker naar Bayswater terug, waar je iemand kent. Het is zeker een meisje?'

'Dat zou je wel willen weten, hè, nieuwsgierige Nilima?' zei Anwar en hij gooide de achterdeur achter zich dicht.

Hoe vaak zou Quick naar huis gaan en Alexander Gibbons worden? Misschien elke dag, misschien maar een enkele keer. En waarom deed hij dat? Eén ding stond vast. Als hij het zich kon veroorloven om twee adressen tegelijk aan te houden, waarvan een in Kensington, zat hij goed in zijn poen. Daarom moest dat geldkistje zo gauw mogelijk open. Er kon best iets in zitten wat net zo waardevol was als die hanger. Als hij het niet open kon krijgen, zou hij dan proberen Gibbons-Quick te dwingen het zelf te doen? Maar dan wel in Kensington. Niet hier.

Anwar parkeerde het busje in St Michael's Street en liep naar Edgware Road terug, waar hij bij een kiosk een stratengids van Londen kocht. In zijn kamer was Keefer tot zijn versufte staat teruggekeerd; hij lag in foetushouding op de vloer. Anwar gaf hem een trap in zijn ribben, gewoon omdat hij daar zin in had. Keefer kwam niet in beweging. Ik hoop niet dat hij dood is, dacht Anwar, niet uit genegenheid voor zijn vriend maar omdat het een heel probleem zou worden om het lichaam het huis uit te krijgen zonder dat iemand het zag.

In de stratengids zag hij dat Chetwynd Mews een zijstraat was van Launceston Place, W8. Hij kon met de auto gaan of de metro naar Kensington High Street nemen. Fluitje van een cent. Nu zou hij eerst nog eens proberen het geldkistje open te krijgen. Na een paar vruchteloze uren verschenen Julitta en Flint. Ze keken onverschillig naar Keefer, die wel vaker in die staat verkeerde.

'Vind je het gek,' zei Julitta, 'dat ik tegen hem zei dat hij kon oprotten? Wie wil er nou zoiets in huis? Heb je dat ding nou nog niet open?'

Zo moest je Anwar niet aanspreken. 'Probeer jij het dan, kreng. Jij krijgt nog geen blikje bonen open, laat staan een geldkist.'

'Rustig maar. Ik vroeg het alleen maar.'

'Komen jullie voor iets? Zo niet, dan kunnen jullie opsodemieteren, en neem hem dan ook mee.'

Ze moesten er met zijn drieën aan te pas komen om Keefer overeind te krijgen. Julitta pakte zijn ene arm en Flint de andere. Anwar hoorde hen de trap af stampen, Julitta met haar klakkende hakken, Keefer mompelend en vloekend, met zijn zware schoenen tegen de treden schoppend. Terug naar het geldkistje. Het begon ernaar uit te zien dat hij Gibbons-Quick moest dwingen het zelf open te maken. Hem een beetje martelen; o, ja, fluitje van een cent, hij zou het openmaken, maar zodra ze weg waren, zou hij naar de politie gaan met het signalement van hen allemaal. Het was voor Anwar belangrijk dat hij geen strafblad kreeg. Tot nu had hij zijn reputatie schoon gehouden, misschien met uitzondering van zijn spijbelgedrag.

205

Nu probeerde hij allerlei combinaties. Een-twee-drie-vier en vijf-zes-zeven-acht. Alle vier cijfers hetzelfde, zes-zes-zes-zes, acht-acht-acht-acht. Niets werkte. Voor de lol probeerde hij het nummer dat hijzelf nooit als code zou gebruiken, het lag te veel voor de hand, en Gibbons-Quick zou geen enkele reden hebben om het te gebruiken: drie-drie-acht-zes. Zijn eigen geboortedag, 3 maart 1986. Tijdverspilling, zei hij tegen zichzelf, maar hij toetste het toch in.

Het geldkistje liet een diep gromgeluid horen, en toen twee klikken. Het deksel gleed open.

'Dit is niet te geloven,' zei Anwar en hij deed zijn ogen dicht. Toen hij ze weer opendeed, stond het deksel nog op een kier. 'Kom op. Je hebt het gefikst.'

Maar wat was dat? Een paar goedkope oorringen, een aansteker en het soort meisjeshorloge dat je kon opspelden. Zijn teleurstelling zakte meteen weg toen hij besefte wat hij in handen had. Dit waren dé oorringen, die van Jacky Miller, en die aansteker was van een van die andere meisjes en het horloge was van een derde. De kranten en de televisie hadden het er elke dag over. Twee vermoorde meisjes en een derde die waarschijnlijk ook vermoord was. Gibbons-Quick had hun bezittingen, of beter gezegd, hij had ze gehad. Dat moest betekenen dat hij die meisjes had vermoord. Hij was de rottweiler. Welke andere verklaring was er mogelijk?

Anwar Ghosh was oud in de criminaliteit, maar toch was hij nog maar zestien. Hij kwam uit een 'goed gezin', zoals de directeur van zijn school het zou hebben genoemd, en hij was opgegroeid in de traditie van de beter gesitueerde Indiërs: hard werken, langdurige schoolopleidingen, spaarzaamheid, en het belang van het gezinsleven, of beter gezegd, het familieleven. Het idee dat hij, zoon van welvarende mensen en voorbestemd voor grote dingen, in het appartement van een seriemoordenaar had ingebroken en hem had bestolen, maakte dat hij het opeens ijskoud had. Het was of hij onder een douche had gestaan waar plotseling ijskoud water uit was gekomen. Een ogenblik, even maar, dacht hij erover het geldkistje met inhoud en al weg te gooien. Hij kon tegen de anderen zeggen dat er alleen maar nepsieraden en een paar bankbiljetten in hadden gezeten. Hij kon het ding vanaf een brug in het kanaal gooien.

Maar misschien was er geld te verdienen met het kistje. En niet zo'n beetje ook. Misschien leverde het duizenden, tienduizenden ponden op. Vergeet niet, Gibbons-Quick heeft geld zat, zei hij tegen zichzelf.

Vergeet niet dat hij twee woningen heeft. Hij is een rijke patser. Wat ging hij doen? Eerst rustig nadenken over de volgende stap. En hij mocht nooit vergeten dat de man erg gevaarlijk was.

Even voor vijf uur was Anwar in het straatje waar Gibbons woonde. Hij zat in het witte busje en durfde daar niet uit te komen, want toen hij hier aankwam, had hij nog net een parkeerwachter zien weggaan en er was altijd de kans dat die terugkwam. Hij stond voor nummer 9, maar aan de overkant, bij een muur met klimop. Vanaf dit punt kon hij nummer 14 goed observeren. Het huis had een garage en toen Anwar door het raampje keek, zag hij binnen een zilverkleurige Mercedes staan. In tegenstelling tot Inez onder soortgelijke omstandigheden noteerde hij het nummer.

Zijn ontdekking was nog niet vanzelfsprekend voor hem, was nog niet iets uit zijn dagelijks leven. Telkens als hij aan die dingen in dat geldkistje dacht, brak het zweet hem uit, en dan vroeg hij zich af of hij droomde. Dit kon toch niet? Maar het was echt zo. En nu ging hij er geld uit slaan. Vergeet dat niet, zei hij tegen zichzelf, telkens als hij dacht dat hij droomde, vergeet dat niet.

Gibbons-Quick was thuis. Anwar had hem niet naar binnen zien gaan, maar hij had hem door een raam gezien. De man was gemakkelijk herkenbaar, al had Anwar hem maar twee keer ontmoet, een keer toen de man naar huis kwam – nou ja, naar zijn ene huis – nadat hij een weekendje weg was geweest, en een keer toen de man door Edgware Road liep en hij en Freddy uit Ranoush Juice kwamen. En nu was G-Q achter een bovenraam verschenen. Hij keek het straatje in en trok de gordijnen dicht. Dat was dus de kerel die al die meisjes had vermoord, een wurgkoord om hun nek had gelegd en dat koord had aangetrokken tot ze dood waren! Dat was toch niet te geloven? Zo moet je niet denken, zei Anwar streng tegen zichzelf. Het was echt gebeurd. Hij was het.

En nu kwam Gibbons-Quick naar buiten, net op het moment dat de parkeerwachter aan het andere eind van het straatje was opgedoken. Waar ging hij heen? Blijkbaar terug naar Star Street, via Kensington High Street. Anwar volgde hem een eindje, maar kon dat niet lang volhouden, want er was te veel verkeer en iedereen wilde zo snel mogelijk rijden. Omdat hij geen rijbewijs had en niet verzekerd was, wilde Anwar beslist niet de aandacht op zichzelf vestigen als hij achter het stuur van Keefers busje zat.

Op weg naar huis dacht hij na over alles wat hij over Gibbons-Quick aan de weet was gekomen. Blijkbaar leidde de man een dubbelleven en had hij veel te verbergen. Een man die uit het ene leven kon verdwijnen om in het andere weer op te duiken, en ook een man met een bizar gevoel voor humor. Hij zou nu al twee dagen weten dat zijn geldkistje weg was en dat het de dieven zou lukken het open te krijgen, als ze maar genoeg hun best deden of erg veel geluk hadden. Alleen een dief die uitzonderlijk dom was, zou er genoeg van krijgen en het kistje ongeopend weggooien. En dus moest de rottweiler verwachten dat iemand hem zou benaderen, misschien zelfs iemand van de politie.

De volgende stap, dacht Anwar, hield in dat hij aan Gibbons-Quicks verwachtingen zou voldoen, maar eerst moest hij zorgvuldig het terrein verkennen.

Will was weer een angstig kind. Aangemoedigd door zijn vrienden, door Becky en Monty en Keith, had hij in de loop van de jaren een klein beetje volwassenheid ontwikkeld, maar dat was blijkbaar helemaal weggevaagd door de politie. Soms lag hij op zijn buik op Becky's bed, soms zat hij ineengedoken op een hoek van de bank, en staarde dan in de leegte of door het grote raam naar de lucht. De televisie kon hem nog amuseren, zolang de programma's niet meer dan zoethoudertjes waren, eenvoudige spelletjes die bestemd waren voor kijkers met een laag IQ, vond Becky, of kindertekenfilms, of komische oude films. Maar zelfs in die films kwamen scènes met geweld voor, duels, ruwe behandeling van gevangenen, bestraffing en dood, en dan werd Will bang en begroef hij zijn hoofd in de kussens. Detectiveseries, oorlogsfilms, nieuwsprogramma's, daar kon geen sprake van zijn. De aanblik van een geüniformeerde politieman op het scherm, of zelfs een rechercheur in burger met een regenjas en een hoed, maakte al dat hij kermend de kamer uitrende om zijn toevlucht in haar slaapkamer te zoeken. Ze sliep daar niet meer. Ze had de kamer aan hem overgelaten en sliep zelf in de studeerkamer.

Zoals hij had beloofd, probeerde James het opnieuw. Hij bleef komen. Hij leek net een maatschappelijk werker die een geval onderzoekt, want tot meer was het tussen hem en Becky niet gekomen. Hij kuste haar als hij binnen kwam, ongeveer net zoals zij Will kuste, hielp haar met theezetten, vertelde haar over gebeurtenissen op kantoor, bood haar een televisietoestel aan dat ze in de studeerkamer kon gebruiken.

'Dank je, maar dat hoeft niet,' zei ze, misschien met meer optimisme dan ze echt voelde. 'Will gaat over een week of twee naar zijn eigen appartement terug. Ik heb twee weken vrij genomen en ik heb nog één week. Daarna moet ik terug, anders raak ik mijn baan kwijt.'

James was verslaafd geraakt aan het cryptogram in de *Times*. Hij maakte het telkens als hij kwam, en Becky, die er altijd even naar keek voordat ze de krant bij het oud papier legde, zag dat hij er steeds beter in werd. Er waren nog maar zelden lege vakjes, plaatsen waar hij geen woord kon vinden dat bij de omschrijving paste. Toen hij wegging, kuste hij haar op de wang en zei dat hij over een dag of twee nog eens 'langskwam'. Voordat hij was aangekomen en meteen nadat hij was vertrokken, nam ze een slok, of twee slokken, uit de geheime fles whisky die ze op een verborgen plank in de keuken had staan.

Een andere bezoeker was Keith Beatty. Het deed Becky verdriet om Keith geschrokken naar Will te zien kijken, en ze besefte dat ze aan zijn achteruitgang gewend was geraakt. De eerste minuten wist Keith niet wat hij moest zeggen, maar toen herstelde hij zich en deed hij zijn best om niets te laten blijken, iets waar ze hem in stilte dankbaar voor was. Hij praatte over het karwei waar hij mee bezig was, zijn vrouw, zijn kinderen en zijn zus.

'Kim mist je echt, Will. Ze vraagt steeds hoe het met je gaat. Ze zei dat je contact met haar zou opnemen om weer een afspraakje te maken, en nu dit. Ik kan je verzekeren dat ze niet veel meer van de politie moet hebben.'

Tot haar verbazing constateerde Becky dat hij nog steeds scheen te denken – zoals hij altijd had gedacht – dat Will een normaal persoon was die alleen een beetje terughoudend was en om de een of andere reden een goede schoolopleiding was misgelopen. Dacht zijn zus dat ook?

'Ik wil haar wel eens meebrengen, als mevrouw Cobbett, ik bedoel Becky, daar geen bezwaar tegen heeft.'

'Natuurlijk niet.'

Wat kon ze anders zeggen? En Will, die James nooit vertrouwde, ging zichtbaar vooruit als Keith bij hem was. Hij praatte wat, gaf antwoord op vragen en glimlachte veel, zoals hij ook had gedaan voordat hij in die tuin aan het graven was en door de politie werd betrapt. Misschien zou hij ook zo gunstig op Kim reageren. Becky zag het als een soort therapie. Dit was misschien de manier om Will er bovenop te helpen.

Keith geloofde blijkbaar dat Will alleen maar lichamelijk ziek was geweest, dat hij een of ander virus had opgelopen. Ze mocht Inez wel dankbaar zijn, nam ze aan, want die had het blijkbaar zo aan Wills kennissen gepresenteerd. Zijzelf voelde zich – bijna voor het eerst sinds hij was geboren – niet schuldig meer. Door haar leven, haar toekomst en haar hele persoonlijkheid voor hem op te offeren had ze zich van haar schuldgevoel bevrijd, maar alleen wat hem betrof. Ze voelde zich nog wel schuldig om haar werk, om het feit dat ze niet vanuit haar huis werkte, zoals ze van plan was geweest, om haar carrière en haar mogelijke minnaar. Ongetwijfeld hoorde dat schuldgevoel bij haar aard. Als ze het uit een bepaald aspect van haar leven verdreef, dook het in een ander aspect op. Het drinken was niet meer uit haar leven weg te denken, en dan ook nog het ergste soort drinken, stiekem, in het verborgene. Het was een complot van haar ego en haar onderbewustzijn.

Al deze gedachten vormden geen antwoord op de moeilijke vraag wat ze moest doen als ze weer naar kantoor ging. Als ze haar baan wilde houden, moest ze teruggaan. Ze moest nog twintig jaar werken tot haar pensioen, en trouwens, ze was van plan om nooit met pensioen te gaan. De wanhoop nabij, zat ze te luisteren, terwijl Keith over zijn zoontje vertelde, dat voor het eerst naar de peuterspeelzaal ging. Will knikte, glimlachte en zei: 'Goed zo.' Of: 'Hij is nu groot.' Ze besefte dat ze in een soort kooi zat, zonder ontsnappingsluik, de ondankbare, onbetaalde, moeizame en geestdodende rol van iemand die voorgoed op iemand anders moest passen.

Diezelfde week werd het lichaam van Jacky Miller in de voortuin van een huis in South Kensington gevonden. Het huis was leeggehaald, en hoewel veel van het puin was verwijderd, was een deel van de voortuin, waar vroeger een gazon was geweest, weer bedekt met bakstenen, latten, stukken glaswol, scherven en kapotgetrokken vloerplanken. Het was onaangenaam en gevaarlijk om met de glaswol in aanraking te komen, want het dikke, zachte gele spul bestond uit heel dunne naaldjes van glas. Als je je blote handen erin stak, kreeg je er allemaal haarfijne schrammen op. Daarom was dit het laatste wat werd weggehaald, en toen dat gebeurde, vond de bestuurder van de puinwagen een overleden meisje, dat al in staat van ontbinding verkeerde.

Haar moeder, die de afgelopen maand tussen hoop en vreselijke angst heen en weer had gezweefd, identificeerde het lichaam in het mortuarium. Ze liep ernaartoe, keek ernaar en wendde zich af als een vrouw die aan het slaapwandelen was.

Al die tijd had Jacky op niet meer dan twee straten afstand gelegen van het straatje waar Jeremy Quick als zichzelf, als Alexander Gibbons, woonde. Hij reed bijna nooit met zijn auto door het West End, maar hij had het gedaan op de avond dat Jacky de club verliet waar ze met haar vriendinnen was geweest. Omdat het lang na sluitingstijd was, had hij, zodra hij de meisjes zag, zijn auto op een zeldzame lege plek langs een enkele gele lijn kunnen zetten. Het waren er vier en ze waren een beetje dronken, uitgelaten en misschien ook moe. Het was weer net als bij Gaynor Ray.

Hij ging naar hen toe en was niet meer dan een meter bij hen vandaan toen hij een telefooncel binnen ging en deed alsof hij aan het bellen was. Tintelend van opwinding, herinnerde hij zich Gaynor en het zilveren kruisje, de bereidheid waarmee ze een lift van hem had aangenomen. Hij begreep nu net zomin wat er met hem aan de hand was als hij dat ooit had begrepen. Aan een analyse van zijn gevoelens kwam hij ook niet meer toe, want hij keek nu naar het meisje dat hij straks zou doden. Zijn verstand moest het afleggen tegen een sterkere factor, die geen seks was, of woede of wat sommige mensen die er niets van wisten bloeddorst noemden. Was het een allesoverheersend verlangen om wraak te nemen?

Drie van de meisjes liepen weg door Tottenham Court Road; misschien wilden ze de nachtbus nemen. Het meisje dat hij had uitgekozen – waarom zij? – sloeg een zijstraat in en bleef langs de trottoirband staan wachten, waarschijnlijk op een taxi. Het was tien voor halftwee en er waren geen taxi's. Er waren ook geen mensen, niet in deze smalle, donkere straat.

Het grauwe, witte licht van een enkele straatlantaarn glinsterde op de oorringen die ze droeg. Briljantjes in zilver, als diamanten in wit goud. Hij startte de auto. Als hij daar was gebleven, zou hij misselijk zijn geworden. Dan had hij moeten uitstappen om over te geven in de goot. Een vorige keer, toen hij die aandrang probeerde te bedwingen en daar alleen in was geslaagd omdat het meisje een deur had opengemaakt en naar binnen was gegaan, had hij echt overgegeven. Deze keer niet.

Zoals gewoonlijk zag hij er onberispelijk uit: donker pak, wit overhemd, blauwe das. Hij had zich een accent aangeleerd dat zo ver mogelijk verwijderd was van het Nottingham-dialect waarmee hij was opgegroeid. Toen hij stopte op de plaats waar een taxi die ze wilde zou hebben gestopt, zei hij dan ook met een bekakt accent: 'Waar ga je heen? Kijk niet zo...' Ze keek helemaal niet op een bijzondere manier, alleen verrast. 'Ik ben niet echt een vreemde. Ik heb een dochter van jouw leeftijd en ik ben volkomen veilig.'

'Wandsworth,' zei ze en ze noemde de straat.

'Weet je zeker dat je mee wilt? Wil je niet liever op een taxi wachten?'

'Die zijn er niet. Waar gaat u zelf heen?'

'Balham,' zei hij. 'Het ligt op mijn route.'

Hij had haar naar het zuiden gereden, bijna langs zijn eigen huis, via World's End en naar Chelsea en over de Wandsworth Bridge Road. Ze praatten de hele tijd, zij over haar vriendinnen en de afgelopen avond, en hij, blij met zijn grote fantasie, over zijn vrouw die arts was, zijn dochter in Oxford, zijn zoon in de eindexamenklas. Toen ze bijna bij Wandsworth Bridge waren, sloeg hij een stil zijstraatje in.

'Ik geloof niet dat dit de route is,' zei ze, niet angstig maar alsof ze het tegen een vriend had die een verkeerde afslag had genomen.

'Weet ik. Ik wilde het opzoeken in mijn stratengids, zoals taxichauffeurs doen.'

Hij maakte zijn gordel los en boog zich over haar heen om het handschoenenvakje open te maken. Maar in plaats van het stratenboekje te pakken had hij zijn hand over het stuk elektriciteitssnoer gelegd dat in het vakje lag.

Toen het was gebeurd, verplaatste hij het lichaam niet eens. Voorbijgangers, voorzover die er waren, zouden denken dat zijn passagier in slaap was gevallen. Het was een risico, maar door risico's te nemen tilde hij dit alles boven het onverklaarbare, het lugubere, uit. Misschien maakten de risico's het meer tot een spel, minder echt. Evengoed kon ze daar niet lang blijven zitten. Op weg naar zijn eigen huis, waar hij in elk geval de nacht wilde doorbrengen, kwam hij langs de berg puin in de voortuin. Er stonden daar kolossale huizen, allemaal vrijstaand, allemaal met een tuin vol dichte struiken en hoge bomen. Er brandden nog een paar lampen, maar in dit huis natuurlijk niet, en ook niet in een van de huizen ernaast. Meestal vond hij het niet nodig om een lijk te verbergen, maar ditmaal had hij het gevoel dat hij dat wel moest doen. Hij had haar oorringen afgenomen zodra hij wist dat ze dood was. Zoals hij al tegen zichzelf had gezegd: het was net als met Gaynor Ray...

Toen hij een week later langs het huis was gelopen, had hij tot zijn tevredenheid gezien dat de stukken glaswol die als haar enige afdekking hadden gefungeerd nu half begraven lagen onder bakstenen en zand en stukken hout. Het kon nog een hele tijd duren voordat ze haar vonden. En dat vermoeden bleek juist te zijn.

De ontdekking leidde hem even af van het probleem dat bijna voortdurend door zijn hoofd speelde: wat zou er van het geldkistje zijn geworden? Een gunstig resultaat was natuurlijk ook mogelijk. Misschien hadden de dieven er genoeg van gekregen en hadden ze het ergens ongeopend weggegooid, of misschien hadden ze de voorwerpen die erin zaten niet herkend. En als ze ze wel hadden herkend, hadden ze misschien besloten om niets te doen, want dat was veiliger. Waren zij niet net zo crimineel als hij? De kans dat zulke mensen naar de politie gingen was klein.

Naarmate er meer dagen verstreken waarin niets gebeurde, kwam hij tot rust. Misschien kon hij maar het beste zijn ware identiteit aannemen en voorgoed Alexander Gibbons worden, zoals hij al had besloten toen hij van plan was met de fictieve Belinda te trouwen. Sinds de inbraak was het appartement in Star Street minder aantrekkelijk voor hem. Hij had het gevoel dat de intelligente Inez wantrouwig begon te worden. Niet dat ze hem van zijn echte misdrijven verdacht, daar was hij zeker van, maar ze vermoedde wel dat hij er maar wat op los fantaseerde. Hij vond het niet prettig meer om met haar alleen te zijn, en 's morgens sloeg hij de kop thee en het praatje meestal over. Een of twee keer ging hij niet naar zijn werk in zijn andere huis maar bleef hij de hele dag in Paddington. Hij liep rond, zat in cafés koffie te drinken en vroeg zich de hele tijd af of iemand hem volgde. Soms was hij er zeker van dat hij een schaduw had die achter hem aan kwam door Bayswater Road, Westbourne Terrace en het sombere, verlaten Bishop's Bridge. Maar lang voordat hij thuiskwam, bleek de man of vrouw in kwestie hem helemaal niet te volgen. Ze gingen gewoon in dezelfde richting als hij, en in hetzelfde tempo.

De kranten maakten veel werk van de ontdekking van Jacky Millers lichaam en brachten interviews met haar moeder, haar familie en vriendinnen. Een van die interviews, met de vriendin die Jacky de oorringen had gegeven, stond hem helemaal niet aan, want het meisje, dat de oorringen te zien kreeg die hij had gekocht en in de winkel had gelegd, ontkende dat die hangers haar cadeau waren geweest. De oorringen hadden twintig briljantjes gehad, ze had ze geteld, terwijl de hangers die de politie haar liet zien er maar zestien hadden. Op de een of andere manier vonden ze bij een juwelier precies dezelfde hangers als de vriendin had gekocht. Een foto van die hangers, naast een foto van het paar dat hij had gekocht, verscheen in alle kranten en ook op televisie.

Dit was slecht nieuws voor hem, dacht Jeremy in zijn appartement. Deze dag werkte hij niet en hij zwierf ook niet door het noordwesten van Londen. Als de dieven van het geldkistje dit verhaal zagen – en de kans daarop was groot – zag het er nog slechter voor hem uit. Nu zouden ze in elk geval weten dat de oorringen in het kistje, met twintig briljantjes in elke ring, identiek waren aan die op de foto. Waarom had hij er toch niet aan gedacht om die glinsterende stukjes glas te tellen voordat hij de vervangende hangers kocht? Hij had er geen moment bij stilgestaan. Hij had nooit gedacht dat het aantal enig verschil zou maken. Wilde dat zeggen dat hij minachting had voor vrouwen die zich met goedkope sieraden behingen? Of zelfs dat hij neerkeek op alle vrouwen, sterker nog, dat hij van vrouwen walgde? Misschien wel. Hij zou er op dat moment niet één kunnen noemen die hij sympathiek vond.

Behalve zijn moeder. Voor de rest gold het wel. Trouwens – en nu deed hij een vreemde ontdekking – zijn moeder was niet precies een vrouw, ze was uniek, zijn moeder. Ze stond boven alle categorieën, boven seks. Hij werd moe van al dat gespit in zichzelf, en was bijna in slaap gesukkeld in zijn stoel, toen de telefoon ging. Er waren maar weinig mensen die dit telefoonnummer kenden. De andere huurders natuurlijk, en nu Inez, en vermoedelijk ook de politie.

Hij liet het toestel vijf, zes keer overgaan. Toen nam hij op.

Het was een vrouwenstem met het soort accent, vond Jeremy, dat je
kon verwachten van zulk uitschot. De woorden waren irreëel, of
misschien surreëel. Hij vroeg zich af of die vraag ooit eerder door
iemand was gesteld.

'Spreek ik met de moordenaar?'

Hij dwong zich om te antwoorden: 'Wat bedoelt u?'

'Jij bent toch de rottweiler?'

Ditmaal gaf hij geen antwoord. Hij had een hekel aan die bijnaam.

Ze ging verder: 'Ik heb het geldkistje met de spullen die erin zitten. Wil
je ze hebben? Geef nou maar antwoord. Als je niet praat, loopt het
slecht met je af, menéér Gibbons.'

Hij wilde niet eens aan zichzelf toegeven dat dit hem bang maakte. Hoe
wist ze dat? Hoe kón ze het weten? 'Wat wil je?' vroeg hij.

Helemaal in de trant van de klassieke chanteur zei ze: 'Wacht maar af.
Ik bel later opnieuw. Zorg dat je er dan bent.'

Voorlopig vond hij het vooral schrikwekkend dat ze zijn naam kende.
Natuurlijk deed ze dit niet alleen, er zouden anderen zijn, minstens
één ander. Op de een of andere manier hadden ze het geldkistje open
gekregen en daarna hadden ze in hun wreedheid een tijdje gewacht
tot ze hem benaderden. Hij stond er versteld van dat hij dat woord
'wreedheid' gebruikte, zwijgend, in de stilte van zijn gedachten. Wreed,
herhaalde hij bij zichzelf, wreed, wreder, wreedst. De manier waarop ze
zijn echte naam had uitgesproken, was wreed. Afgezien daarvan kon hij
niet begrijpen hoe ze het wist. Hij had hier geen papieren naartoe gebracht die indringers konden vinden. Zijn verzekeringspolis, aandeel-
bewijzen, paspoort, autoverzekeringspapieren, belastingaanslagen, cre-
ditcardoverzichten, rijbewijs en de rest lagen allemaal veilig in zijn
bureau op Chetwynd Mews 14. Maar wacht eens... Waar wás zijn rijbewijs? Toen hij naar zijn moeder ging, niet de laatste keer maar in maart,

was hij aangehouden wegens te hard rijden. Hij had maar tien kilometer te hard gereden, maar een pompeuze motoragent had hem aangehouden. Natuurlijk had hij zijn rijbewijs toen niet bij zich gehad, maar hij had het netjes binnen vijf dagen op het dichtstbijzijnde politiebureau laten zien, en daarna had hij het in zijn zak gestoken en was hij naar Star Street teruggekeerd. Wat had hij er toen mee gedaan? Hoewel die vrouw had gezegd dat hij het huis niet mocht verlaten – hij liet zich toch niet commanderen door een vrouw, zeker niet door een met zo'n stem als zij – ging hij naar buiten, liep naar Norfolk Square en nam een taxi naar South Kensington.

Onderweg kwam hij op het idee dat zijn moeder hem nooit, in al zijn kinderjaren niet, had verteld wat hij wel en niet moest doen. Ze had hem nooit opdrachten gegeven. Ze had van hem gehouden. Het tweede wat in hem opkwam, was dat ze, door een afschuwelijk toeval of doordat ze iets hadden gevonden al zou hij niet weten wat, misschien ook hadden ingebroken in 14 Chetwynd Mews. Maar nu liet hij zich te veel meeslepen door zijn nerveuze fantasieën. Zoals gewoonlijk was het inbraakalarm ingeschakeld en binnen was er niets veranderd. In het bureau vond hij alle papieren die hij had opgesomd, behalve het rijbewijs. Toen schoot het hem weer te binnen. Hij was van plan geweest het hierheen te brengen, maar eerst had hij gedaan wat je onder zulke omstandigheden doet: hij had het op een 'veilige plaats' in de keuken in Star Street gelegd, de la met de gebruiksaanwijzingen van de magnetron en de vaatwasmachine. Waarom zouden ze daar gaan kijken?

Hij wist niet waarom, maar het was wel gebeurd. Geen rijbewijs. Hij ging zijn dakterras op, een oase van gelukzaligheid op deze mooie dag, de eerste geraniums in bloei, bakken met boompjes die nieuwe bladeren kregen, de grote varen fris groen, met strakke, glanzende bladeren. Het drong allemaal nauwelijks tot hem door, net zomin als de geur van de hyacinten. Hij ging zitten en wachtte op het telefoontje van die vrouw.

'Ik heb tegen hem gezegd,' zei Zeinab, 'dat ik de hanger in een bankkluis laat liggen tot na de bruiloft. En dan doet het er niet meer toe wat hij denkt, want dan is het te laat.'

Ze deed Inez denken aan die meisjes in negentiende-eeuwse romans die met rijke mannen trouwden en pas na de huwelijksvoltrekking aan de bruidegom bekenden dat ze tot hun nek in de schulden zaten. Maar het huwelijk was in die tijd een onherroepelijke verbintenis... 'Dus je gaat met hem trouwen?'

In plaats van rechtstreeks antwoord te geven zei Zeinab: 'De bruiloft is op 8 juni in de St Peter aan Eaton Square. Ik hoop dat je komt.'

'Dat lijkt me niet zo'n geschikte locatie, als je bedenkt dat hij joods is en jij moslim.'

'We hebben allemaal dezelfde god, nietwaar?' zei Zeinab met een vrome stem, en toen keek ze naar haar verlovingsringen, een aan elke hand, de kleine diamant van Rowley Woodhouse en de kolossale van Morton.

'Waar gaan jullie op huwelijksreis naartoe?' Dat was Freddy, die vanaf de straat was binnen gekomen.

Hij en Zeinab hadden blijkbaar geen ruzie meer met elkaar. 'Bermuda,' zei ze en toen verbeterde ze zichzelf: 'Nee, dat is met Rowley. Morton en ik gaan naar Rio.'

'Je kunt niet met allebei trouwen.' Freddy wachtte niet op haar antwoord. 'Ik denk er zelf ook over om te gaan trouwen.' Sinds hij niet meer voor Inez werkte, had hij weer zijn oude gewoonte om dingen uit de winkel op te pakken en soms af te stoffen. Met een speksteinen kameel in zijn linkerhand nam hij de houding van een redenaar aan en begon aan zijn betoog. 'Het huwelijk is een instituut waarvan ik vreesde dat het in onbruik zou raken, maar nee hoor, het wordt steeds populairder, met andere woorden, het wordt de mode. Let op mijn woorden: over een paar jaar is al dat gehok, dat samenleven zonder trouwboekje, verleden tijd en wordt het volstrekt afgekeurd door hen die het weten kunnen...'

'En waarom leef jij dan samen met Ludmila?' vroeg Zeinab.

'Het is niet zo dat ik met haar samenleef, Zeinab,' zei Freddy met een zekere waardigheid. 'Zoals goed bekend is bij degenen die er iets toe doen' – een vriendelijke blik in Inez' richting – 'is Ludo een huurder in dit huis, terwijl ik woonachtig ben in London Fields. Let op mijn woorden...'

Inez had daar lang genoeg op gelet. 'Freddy,' zei ze zachtjes, want er kwam net een klant binnen en Zeinab ging gracieus naar voren om hem te bedienen, 'Freddy, toen je, op die middag dat ik met Becky op het politiebureau was, op de winkel paste, heb je toen echt niemand naar achteren zien gaan? Geen kennis of huurder of bezoeker?' Ze dacht aan Rowley Woodhouse, die niemand ooit had gezien, en Keith Beatty en zijn gezin, en omdat er op dat moment een oranje auto voor de deur stopte, ook aan Morton Phibling. 'Weet je het zeker?'

'Ik zweer het op het hoofd van mijn moeder,' zei Freddy.

'En je hebt de winkel geen moment onbeheerd achtergelaten?'

'Nooit!'

Inez kende hem en kwam op een idee. 'Of beheerd?'

'Ah, dat is andere koek.' Terwijl Freddy wijs knikte, bracht ze ongelovig haar handen naar haar gezicht. 'Ludo is hier geweest. Ik ging even naar buiten,' zei hij, 'om de tickets op te halen.' Het kon Inez niet schelen welke tickets dat waren. Terwijl ze haar ongeduld nauwelijks kon bedwingen, vertelde hij het hele verhaal van de tickets die hij en Ludmila nodig hadden om optimaal van hun weekend tegen afbraakprijzen in Torquay te kunnen genieten. 'Ik heb de winkel voor vijf minuten aan Ludo overgelaten.'

'En ze ging niet weg en was er nog toen je terugkwam?'

'Ah, dat heb ik niet gezegd, Inez. Nu leg je me woorden in de mond. Wat ik zei, is dat ik de winkel aan haar overliet. Maar terwijl ze op mijn terugkeer wachtte, herinnerde ze zich dat ze het strijkijzer in haar appartement aan had laten staan en toen is ze...'

Morton kwam met grote stappen binnen, met een jeugdige glimlach. Inez vroeg zich meteen weer af waar ze hem toch eerder had gezien. In de paar seconden die hij nodig had om de honkbalpet af te zetten, die hij vreemd genoeg op zijn hoofd had, zag Zeinab kans om Rowley Woodhouses' ring in een la te doen. 'Mijn geliefde is een lotus in de tuin van Allah,' declameerde hij, een mogelijke verwijzing naar Zeinabs geloofsovertuiging, en hij drukte een kus op haar wang.

Het werd allemaal te veel voor de klant, die zich vlug verontschuldigde en wegging. 'Straks ben ik mijn baan nog kwijt,' mopperde Zeinab op hem.

'Nou en, mijn schat? Op 7 juni neem je toch ontslag.'

Ze begonnen te fluisteren, Zeinab geërgerd, Morton met zijn arm om haar heen en een slijmerige glimlach op zijn gezicht. Inez zette haar ondervraging van Freddy voort. 'Dus een paar minuten was er hier niemand? Iedereen had kunnen binnenkomen?'

'Niet "een paar", Inez. Niet "iedereen".'

Ze gaf het op. Ze zou het aan Crippen of Zulueta moeten vertellen en dan zouden ze terugkomen. Intussen kon Freddy net zo goed iets nuttigs doen. 'Zeg, als je toch niets te doen hebt, wil je dan even met mijn horloge naar hiernaast gaan en meneer Khoury vragen er een nieuwe batterij in te zetten?'

Het was een ongelukkig toeval – zij het niet helemaal onverwacht, want de laatste tijd gebeurden steeds de verkeerde dingen op het verkeerde moment – dat James, Keith Beatty en zijn zus allemaal tegelijk kwamen. Dat zou te vermijden zijn geweest als zelfs maar één van hen haar eerst had gebeld, maar niemand had dat gedaan. James probeerde zijn ergernis nauwelijks te verbergen. Het was hem duidelijk aan te zien dat hij de Beatty's verafschuwde. Hij en Becky waren in de keuken, waar ze de drankjes inschonk voor het hele gezelschap, bier voor Keith, sinaasappelsap voor Kim en Will, wijn voor hem en haar.

'Ik neem aan dat dit een tweede thuis wordt voor al zijn kameraden?'

'Ik wist echt niet dat ze zouden komen, James.'

'Waar maak ik me druk om? Ik zou toch niet alleen met jou zijn geweest.'

Zonder nog een woord te zeggen ging hij naar de huiskamer terug. Hij zou wel weer aan het cryptogram beginnen, dacht ze terwijl ze zich een royaal glas whisky inschonk en het leegdronk. Onder deze omstandigheden vond ze een slok uit de fles niet genoeg.

Het meisje was naast Will op de bank gaan zitten en praatte op een vriendelijke, ongedwongen manier tegen hem. Hijzelf zei niets, maar hij deed ook geen van de dingen die hij altijd deed wanneer hij iemand afwees, bijvoorbeeld zich omdraaien of ergens anders gaan zitten. Ze zag er goed uit en ze leek ook aardig, vond Becky. Haar rok was niet te kort en haar make-up niet overdadig. Waarom dacht ze plotseling als iemand die twee keer zo oud was als zij, vroeg ze zich af. Ging je zo denken als je altijd thuis was om iemand te verzorgen, met weinig kans dat er binnen afzienbare tijd een eind aan die toestand zou komen?

De televisie stond natuurlijk aan en bracht het gebruikelijke kijkvoer van de late middag en de vroege avond. Will en de Beatty's hadden daar blijkbaar geen enkel bezwaar tegen. Voor alle drie vormden die programma's de vaste achtergrond van het huiselijk leven, net zo vanzelfsprekend als licht en lucht en een aangename temperatuur. Will was de enige die ernaar keek. Keith en Kim praatten. Ze keken van tijd tot tijd naar het scherm en richtten soms een terloopse opmerking tot James, die opkeek en knikte of zijn wenkbrauwen optrok. Becky zag Kim voorzichtig Wills hand vastpakken en verwachtte dat hij haar hand zou wegduwen, maar Will hield hem vast en nog met een tamelijk stevige greep ook. Nou, misschien kwam er steun uit die onverwachte hoek...

Hoelang zouden ze blijven? Becky ergerde zich aan haar gedachten en kreeg een hekel aan zichzelf. Díé mensen, zúlke mensen, wisten nooit wanneer ze weg moesten gaan, wisten nooit wanneer ze gracieus moesten vertrekken. Waarschijnlijk zou ze het ze tactvol moeten vertellen. Maar in plaats daarvan, en vooral omdat ze weer iets te drinken nodig had, ging ze naar de keuken en goot de whisky vlug door haar keelgat voordat James bij haar kwam. Intussen begon ze aan eten te denken. Als ze hier nog veel langer bleven, zou ze hen te eten moeten geven. Eieren, nam ze aan, uiteindelijk kwam het altijd op eieren neer, of ze kon iets laten bezorgen.

De deur ging open. Ze verwachtte James, maar het was Kim.

'Ik vroeg me af of ik pizza's moet laten komen, of misschien Chinees. Wat zou je willen?'

'O, we blijven niet. Ik heb al gegeten en Denise zal op Keith rekenen. Becky, ik kwam je zeggen... nou, ik heb een idee. Over Will, bedoel ik.'

Ze had een blos op haar wangen gekregen en was opeens erg aantrekkelijk. Becky zag hoe goed haar haar was gekapt en hoe schoon het was. Maar ze was natuurlijk kapster...

'Wat voor idee, Kim?'

'Ik mag Will echt erg graag. Ik weet niet of je dat weet, maar ik mag hem echt erg graag. Ik weet dat hij ziek is geweest, hij heeft een soort zenuwinstorting gehad, hè? Je vriendin zei dat je vrij moest nemen van je werk om op hem te passen en dat hij eigenlijk naar huis zou moeten gaan, en ik dacht, je weet wel, waarom trek ik niet min of meer bij hem in om een beetje voor hem te zorgen?'

'Jij?'

'Ja, nou, ik bedoel, je weet wel, ik mag hem echt erg graag. Ik weet dat hij verlegen is en hij zegt nooit veel, maar hij is aardig en vriendelijk, en je weet wel, de meeste jongens zijn dat niet. Als ik zeg "bij hem intrekken", bedoel ik niet dat we partners worden, ik bedoel dat ik daar in het begin gewoon zou zijn, en misschien, op een dag...'

'Hij heeft maar één kamer.' Het duizelde Becky. Kwam dat door deze verrassing of door de whisky? Waarschijnlijk door beide. 'Maar het is een grote kamer.' En als de slaapbank als bed werd gebruikt en er een scherm werd neergezet... 'Je hebt je baan.'

'Het is niet ver. Ik kan tussen de middag naar huis. En hij gaat toch weer voor Keith werken?'

Becky zou weer naar haar werk kunnen gaan. Ze zou weer vrij zijn. En

Will zou het leuk vinden. James en zij zouden op een gewone manier met elkaar kunnen omgaan. Ze konden met elkaar uitgaan, hij kon blijven slapen, en eens per week zou Will een dag bij haar komen, zoals hij gewend was. Will en Kim zouden samen komen... Ze liet zich meeslepen door haar gedachten.

'Ik wil daar graag over nadenken.' Ze zou het James vertellen, het aan hem vragen.

'Je vriend is weggegaan,' zei Kim. 'Ik moest van hem tegen je zeggen dat hij weg moest.'

'We houden hem in spanning,' zei Anwar. 'Laat hem maar zweten.'

'De vuile moordenaar.' Flint trok een vroom gezicht, een en al morele verontwaardiging. 'Het is allemaal zijn verdiende loon. De gaskamer zou nog te goed voor hem zijn. Geef hem héél langzaam een dodelijke injectie.'

Blijkbaar was hij goed op de hoogte van de verschillende executiemethoden. Anwar keek hem smalend aan. 'Wil je je klep even dichtdoen?' zei hij.

Julitta, hun woordvoerster, was die dag naar haar moeder in Watford gegaan en zou niet voor twaalf uur 's avonds terugkomen. Jeremy wist dat niet, en het was moeilijk te zeggen of hij het geruststellend zou hebben gevonden of juist niet. Het leek hem alleen verstandig om bij de telefoon in de buurt te blijven. Die kon om drie uur overgaan, of om negen uur, of nog later. Hij wilde niets eten en hij durfde niets te drinken, want door de alcohol zou hij in slaap kunnen vallen. Wat wilde hij? Hij vroeg zich dat af en dacht dat een antwoord hem zou helpen, maar als hij volkomen eerlijk was – en er was geen reden om dat niet te zijn – wilde hij hard weglopen en zich verstoppen. Alleen kon hij zich nergens verstoppen.

Hij vond wat boeken, nieuwe die hij had gekocht maar nog niet had ingekeken, en begon aan een biografie van Winston Churchill waarover erg lovend was geschreven. Toen hij merkte dat hij naar de drukletters keek en de vorm van de woorden in zich opnam, maar niet hun betekenis, gaf hij het op en probeerde een roman. Dat was nog erger. Een nieuwe Suetonius-vertaling kon zijn aandacht wel vasthouden, omdat het losbandige leven en de uitspattingen van die Romeinse keizers hem bleven fascineren, misschien omdat zij, hoe verdorven en slecht jij ook was, altijd nog erger waren. Het doden van een paar jonge vrouwen zou voor bijvoorbeeld Tiberius een alledaagse bezigheid zijn geweest.

Het boek leidde hem tot in de middag af, maar als iemand hem, toen hij het had weggelegd, had gevraagd wat hij had gelezen, had hij alleen maar een vaag antwoord kunnen geven. Hij keek naar de telefoon om hem te dwingen over te gaan, maar dat gebeurde niet. De boterham die hij klaarmaakte, kon hij niet eten. Hij slaagde erin een glas sinaasappelsap met wodka erin naar binnen te krijgen. De vermoeidheid waar hij zo bang voor was, diende zich aan en hij viel in een onrustige slaap. Hij werd wakker van de rinkelende telefoon. Hij stak zijn hand ernaar uit en gooide het lege glas om. Het was iemand die een verkeerd nummer had gedraaid en hem nu uitschold omdat hij niet de persoon was die ze wilde. Hij was nu klaarwakker en het was nog maar halfvier. De meisjes gingen door zijn gedachten, Gaynor Ray, Nicole Nimms, Rebecca Milsom, Caroline Dansk, Jacky Miller. Als hij iets kon vinden wat ze met elkaar gemeen hadden, wist hij misschien ook waarom hij deed wat hij deed. Ze waren allemaal jong of tamelijk jong, allemaal alleenstaand (al had hij dat niet geweten), behalve Gaynor, die met een man samenleefde, en ze liepen allemaal in hun eentje over straat. En dat was het.

Hij dacht aan de gevoelens die in hem opkwamen als hij ze zag, altijd dezelfde gevoelens, en altijd voor dat specifieke meisje. Niet voor de honderden anderen die hij in de loop van een dag te zien kreeg, al zouden velen van hen net zo goed alleen in een stille straat kunnen lopen, en hij alleen achter hen. Het gebeurde altijd als hij achter hen was, had dat een betekenis? Iets aan hen trok hem aan, iets in hun manier van lopen of hun houding of een achterwaartse blik. En als hij het herkende, of als een innerlijk oog van hem dat deed, zwollen en trilden zijn hele lichaam en ziel – ja, zijn ziel – van verlangen, een opwinding die ondraaglijk was tenzij hij er voor dat ene doel gebruik van maakte. Want het was niet seksueel. Geen enkele seksuele handeling had die opwinding kunnen uitputten of bevredigen. Het object dat die gevoelens opwekte, moest worden... vernietigd.

Tot zover, of bijna zover, kwam hij bij zijn zelfonderzoek altijd. Hij moest één stap verder, of een aantal stappen terug, om de rest te ontdekken, maar dat kon hij nooit. Soms had hij voor analist en patiënt gespeeld, beide rollen. Dan lag hij op zijn bank en zat zijn andere persoonlijkheid in een stoel en stelde en beantwoordde hij de vragen. Hij kon dat nu ook wel doen, om de tijd te verdrijven. Hij ging op zijn rug liggen en deed zijn ogen dicht. De analist vroeg hem in de tijd terug te gaan tot ver voor de dood van zijn vader, voor zijn schooltijd, tot in zijn vroegste kinderjaren. Hij had dat al vaak geprobeerd en kon nooit verder teruggaan dan de leeftijd van een jaar of drie. Het deel van zijn geest dat noch analist noch patiënt was, wist dat je je volgens de deskundigen praktisch niets kon herinneren uit de tijd voordat je samenhangend kon spreken, want gedachten en herinneringen zijn een kwestie van woorden.

Hij verraste zichzelf door te zeggen: 'Het ligt te ver in de tijd terug.'

Dat had hij op al die merkwaardige sessies toch nog niet eerder gezegd?

'Ga dan naar die tijd,' zei de analist.

'Dat kan ik niet.'

'Dat kun je wel.'

'Het is school,' zei hij. 'Ik ben op school. Ik ben twaalf of dertien. Ik ben gelukkig. Het gaat goed met me. Mijn vader is ziek, erg ziek, hij wordt niet meer beter, maar ik ben gelukkig en voel me ook schuldig. Schuldig omdat ik gelukkig ben. O, ik kan dit niet!'

'Je kunt het wel.'

'Ik heb vrienden. Andrew is mijn vriend.'

'Ga verder.'

'Mijn moeder is erg ongelukkig omdat mijn vader doodgaat. Ik hou van haar. Andrews moeder gaat met haar mee als ze hem in het ziekenhuis opzoekt. Ik hou van zijn moeder, ik bedoel, ik hou van mijn moeder... Ik kan niet verder, ik kan het niet, ik kan het niet!'

Hij huilde nu en de analist huilde ook. Ze snikten allebei van verdriet en smolten samen tot één man, die rechtop ging zitten en de tranen op zijn ene paar handen liet vallen.

Soms keek hij naar documentaires op televisie, en ook naar programma's over politiek. Er was iets over Jung, maar dat kwam te dicht bij zijn ervaring van die middag. Je kon je geest op die manier beschadigen, zeiden sommigen, je kon jezelf letterlijk gek maken. En zo had het ook aangevoeld. Hij zou het nooit meer doen. Het programma over Tibet leek hem wat, maar toen hij het had aangezet, werd hij erg nerveus. Hoewel het geluid tamelijk zacht stond en hij beslist niet doof was, was hij bang dat hij de telefoon niet zou horen. Om dezelfde reden ging hij niet naar het dakterras, hoewel het daar nu erg mooi was, met een zacht lilablauwe hemel, die aan de horizon nog door de laatste stralen

van de zon werd gekleurd. Het was helemaal niet koud. Hij zag een grote nachtvlinder op de tafel neerstrijken en zijn bruine vleugels met ring-
patroon spreiden.

Hij dwong zich om naar twee nieuwsuitzendingen te kijken, en 'kijken'
was het juiste woord, want het geluid stond zo zacht dat het niet meer
dan zwak gefluister was. Toen de telefoon om elf uur nog steeds niet
was overgegaan, trok hij zijn kleren uit en zijn ochtendjas aan en poetste
hij zijn tanden. Hij stond voor de spiegel te flossen en dacht weer aan de
beugel die hij ooit had gedragen om de stand van zijn tanden te corrige-
ren. Tegelijk daarmee dacht hij weer aan meisjes, vooral aan een meisje
of vrouw die niet een van hén was. Hij klampte zich aan haar vast, plotseling buiten adem, maar ze zakte even snel weg als ze was opgekomen
en hij spuwde tandpasta en speeksel in de wasbak. Hij ging naar bed.
Het extra telefoontoestel was aangesloten en stond op het nachtkastje.
Hij zat een tijdje rechtop in Suetonius te lezen en hield daar soms even
mee op in het besef dat hij totaal gefascineerd zou zijn geweest als die
afschuwelijke dreiging niet over hem heen had gehangen. Hij deed het
licht uit en lag klaarwakker in het donker. Hetzelfde gevoel dat hij bij
het televisiegeluid had gehad, kwam terug, alleen had hij nu de neuro-
tische angst dat hij de telefoon in het donker niet zou horen. Natuurlijk
moest het licht weer aan. Hij zou toch niet slapen.

Twaalf uur, één uur. Als ze het nu eens hadden opgegeven, wat ze ook
van plan waren geweest? Als ze nu eens bang waren geworden en met
die spullen naar de politie waren gegaan? Of als de politie hen had gevonden, een inval in hun schuilplaats had gedaan en de oorringen en de
rest had gevonden? Maar dat zouden ze niet doen, niet voor een kleine
inbraak. Je weet niet of het een kleine inbraak was, mompelde hij in
zichzelf, je weet niet wat Inez daar beneden had, of die belachelijke Russische vrouw. Zo iemand zou best voor een fortuin aan sieraden kunnen
hebben. Twee uur. Kon hij maar weglopen, weglopen naar zijn moeder...

Even voor drie uur ging de telefoon. Hij nam op.

'Verrassing, verrassing,' zei de stem die hij 's morgens had gehoord.
'Daar ben ik weer.'

– 21 –

Hij was akkoord gegaan met alles wat ze vroeg, want hij kon niet anders. Op alle levensterreinen hebben de meeste mensen een of andere keuze. Het hangt er natuurlijk van af wat ze hebben gedaan en wat de dreiging is. Een paar vieze foto's die in de verkeerde handen zijn gevallen, een slippertje dat bekendgemaakt dreigt te worden; een vindingrijke man of vrouw kan daarmee afrekenen of moedig de gevolgen aanvaarden door zich niet te laten chanteren. Maar als de afpersers dreigen een moordenaar aan te geven, of de bewijzen voor zijn daden te leveren, zit er voor die moordenaar niets anders op dan op hun eisen in te gaan. Zo'n bekendmaking is erger dan wat ze ook van hem verlangen.

Ze vroeg om tienduizend pond. Ze was alleen, zei ze, maar hij geloofde haar niet. Toen ze zei dat ze de inbraak niet in haar eentje had gepleegd, maar met een ander samen, haar vriendje, maar dat die het geldkistje niet had gezien en niet wist wat ze erin had gevonden, toen ze zei dat haar vader het had opengebroken maar niet besefte wat de inhoud betekende, toen geloofde hij haar gedeeltelijk. Alleen een vrouw, zei ze, zou inzien wat dat voor voorwerpen waren en wat hun betekenis was, en dat begreep hij. Het zou waar kunnen zijn. Ze wilde tienduizend pond, ze was arm, zij en haar vriendje hadden het geld nodig voor de aanbetaling op een woning, ze moesten ergens in Londen wonen en de prijzen in Londen rezen de pan uit. Goed, misschien wilde ze later nog meer, ze kon niet garanderen dat ze dat niet zou willen, een beetje meer. Al die openhartigheid kon hem bijna overtuigen. Maar of hij nu overtuigd was of niet, hij moest betalen, hij moest haar ontmoeten en betalen. Dat moest hij, om tijd te winnen en omdat hij geen kant op kon.

Ze zou hem de volgende dag bellen om een tijd en een plaats door te geven.

'Wacht daar niet te lang mee,' zei hij. Hij vond het verschrikkelijk om te smeken, maar hij was bang dat hij gek zou worden als hij nog eens zo'n dag zou moeten doormaken. 'In de ochtend, graag.'

'Goed, ik zal het proberen.'

Nadat ze de verbinding had verbroken, volgde er een verschrikkelijke stilte. Hij had het gevoel, daar midden in Paddington, in het hart van een grote overvolle wereldstad, dat Londen nog nooit zo stil was geweest. Hij begon hardop in zichzelf te praten.

'Ze heeft gebeld,' zei hij, schreeuwend in de stilte. 'Ze heeft gebeld. Het wachten is tenminste voorbij. Het is voorbij, ik weet nu het ergste en ik kan slapen.'

Maar dat kon hij niet. Hij lag een tijdje wakker in het donker, en toen met het licht aan. Hij dacht erover na, dacht over zichzelf na. Hij hechtte niet erg aan het leven, niet als hij of iemand die hij bedrieglijk zijn andere ik noemde, doorging met het doden van vrouwen. Maar als ze naar de politie ging, zou hij niet sterven, zou hij jarenlang in de gevangenis rotten. Die gedachte kon hij niet aan. De dood zou niet zo erg zijn, maar de dood was niet zo gemakkelijk te verkrijgen. Hij lag op zijn buik, toen op zijn zij, toen op zijn rug. Op een gegeven moment zei hij, bijna ingedommeld, tegen zichzelf dat ze om zes uur 's morgens zou bellen, of om zeven uur. Hij had beter moeten weten. Zulke mensen gingen 's morgens vroeg naar bed. Vanaf zes of zeven uur zou ze slapen, tot het tijd was om op te staan, om een uur of drie. Drie uur in de middag was haar ochtend. Om acht uur stond hij op, hij dronk wat water, liet zich op het bed vallen en viel in een diepe slaap, die tot het begin van de middag duurde. De gebeurtenissen van de vorige dag kwamen terug en hij herleefde ze allemaal, hoorde haar stem weer, herinnerde zich zijn besluit om te betalen. Toen hij was opgestaan, durfde hij niet eens te gaan douchen. Hij ging in zijn ochtendjas zitten wachten tot ze belde.

Becky belde Kim in de kapsalon. Als ze er zeker van was, als ze niet van gedachten veranderd was, zouden ze het kunnen proberen. Ze had met Will gepraat, hij had nauwelijks laten blijken of hij blij of juist niet blij met het idee was, maar ze kon merken dat hij het niet verschrikkelijk vond. In sommige opzichten vond hij het wel een prettig idee dat hij weer in zijn eigen huis in Star Street zou zijn. Hij had ook een paar keer gezegd dat hij het liefst zou willen dat Becky daar bij hem kwam logeren, maar dat vertelde ze niet aan Kim. Daarna pakte ze zijn spullen in en gingen ze met de auto op weg. Ze stopte onderweg bij de grote Sainsbury's in Finchley Road om alle dingen in te slaan die Will graag at en ook een paar dingen waarvan ze dacht dat Kim ze zou willen hebben. Alles gebeurde heel vroeg, zoals altijd wanneer je iets erg graag wilt. Je vertrekt heel vroeg naar het vliegtuig, want je verlangt ernaar om op je bestemming te zijn; je arriveert heel vroeg op de plaats van de bespreking waarvan je hele toekomst lijkt af te hangen, zodat je eerst nog vijf of tien minuten op straat heen en weer moet lopen. Becky bracht Will om vier uur naar Star Street, terwijl ze wist dat Kim daar niet voor vijf uur kon zijn. Ze gingen door de bewonersdeur naar binnen en beklommen de trap. Het appartement zat potdicht. Het was benauwd en stoffig. Becky zette de ramen open en stofte af. Ze zette thee en legde de pasteitjes neer die ze had gekocht. Haar schuldgevoel kwam terug, het schuldgevoel dat ze niet had gehad in de dagen dat ze haar plicht deed, en ze vroeg zich af wat haar zus van haar zou hebben gevonden, van haar verlangen om van die arme jongen verlost te zijn, haar enige familielid, dat jongetje dat moederloos was achtergebleven en dat... anders was dan andere kleine jongetjes.

Om precies vijf uur belde Kim enkele keren hard aan. Becky ging vlug naar beneden om open te doen.

'Ik ben toch niet te laat?'

'Je bent precies op tijd.' Becky wilde zeggen, je hoeft ook niet de enige trein van vandaag te halen, je gaat niet naar het sollicitatiegesprek van je leven, maar Kim zou haar net zomin begrijpen als Will. In plaats daarvan glimlachte ze.

Nu kon ze natuurlijk niet meteen weggaan. Ze moest Kim eerst laten zien waar alles was, de dingen uitleggen, haar over het inbraakalarm vertellen, de andere huurders. Ze moest gewoon nog even blijven om niet de schijn te wekken dat ze graag weg wilde. Uiteindelijk maakte ze het eten voor hen klaar, karbonade met aardappelpuree en worteltjes en doperwten. Kim zei steeds weer hoe mooi alles in het appartement was. Ze stond versteld van de grote kamer, het slaapkamergedeelte achter het gordijn, het comfort van het geïmproviseerde bed. De naargeestige Russische muziek die van de buren kwam, drong niet tot haar door.

Toen Becky wegging, was het negen uur, zaten Kim en Will voor de televisie en kwam er geen geluid meer uit Ludmila's appartement. Becky stapte in haar auto en vroeg zich af of ze wel het recht had om weg te

gaan. Zou het niet beter zijn als ze Will nog één nacht met zich meenam? Maar wat zou er kunnen gebeuren? Ze had tegen Kim gezegd
dat ze moest bellen als hij het moeilijk had, dat ze altijd kon bellen en
dat zij, Becky, dan meteen zou komen. De nacht ging voorbij, en
vreemd genoeg sliep ze. Ze droomde van haar zus en Will als baby, maar
verder werd haar nachtrust niet verstoord.

Jeremy was sinds de inbraak nooit meer thee komen drinken. Ochtend
na ochtend had Inez de twee kopjes neergezet, zoals gewoonlijk, maar
een daarvan bleef altijd ongebruikt. Ze wist dat hij boven was. Ze had
zijn voetstappen op de trap gehoord en toen ze een keer op straat was,
had ze hem achter een van zijn ramen gezien. Blijkbaar had hij besloten
haar te laten vallen, als je iemand kon laten vallen van wie je een appartement huurde en die in hetzelfde huis woonde. Ze voelde zich een
beetje gekwetst, maar niet zo erg. Het zou haar niet verbazen als hij,
na een tijdlang 's morgens geen thee bij haar te hebben gedronken,
zou gaan verhuizen. Op een dag zou hij gewoon naar haar toe komen
en de huur opzeggen.
'William is terug,' zei Freddy, die door de binnendeur de winkel in
kwam. Om de een of andere reden had hij sinds de inbraak blijkbaar
besloten dat Inez nooit alleen in de winkel mocht zijn, en dus was hij
elke morgen van ongeveer negen uur tot kwart voor tien bij haar in de
winkel om haar te 'helpen'. 'En hij heeft een jongedame meegebracht.'
'Becky?'
'O, nee, Inez, een echt jónge dame. Ze zal wel zijn minnares zijn. Ze is
blijven slapen. Ik hoorde gisteravond haar stem en vanmorgen opnieuw. Die muren zijn zo dun als papier, weet je.'
Inez wist dat niet. Bij de verbouwing had ze de muren met geluidwe-
rend materiaal laten isoleren. Freddy's nieuws verbaasde haar. Will
met een vriendin! Was het de bedoeling dat ze bij hem ging wonen terwijl hij dezelfde huur bleef betalen, of beter gezegd, terwijl Becky dat
deed? Zou dit net zo gaan als met Ludmila en Freddy? In elk geval
had Becky het haar kunnen vertellen.
Terwijl ze daar nogal verontwaardigd over nadacht, ging de telefoon.
Het was Becky, die het haar vertelde.
'Het is maar tijdelijk, Inez. Ze wonen niet samen. Ze is daar om op hem
te passen tot hij beter is.'
Inez had in geen maanden Becky's stem zo opgewekt horen klinken.

'Hij denkt dat je op 8 juni met hem gaat trouwen?' Algy was diep geschokt. Hij liet zich moeizaam op een stoel zakken. 'En die andere, Rowley Huppeldepup, denkt dat je op de vijftiende met hém gaat trouwen?'

Uit de diepten van een van de fauteuils kwam een rommelend geluid, ongeveer als van een metrotrein die ergens onder je voeten voorbijgaat. Het was Reem Sharif, die lachte. Na een late oppas was ze blijven slapen en ze was nu bezig het ontbijt van het gezicht van Carmel en Bryn te vegen.

'Ik snap niet waar je je zo druk om maakt,' zei Zeinab. 'Ik ga niet echt met hen trouwen, Algy.'

'Zie je dan niet wat er kan gebeuren? Als een van die kerels erachter komt, barst de hel los. Het is tijd om ermee te stoppen, om het af te kappen voordat het te laat is.'

'Ik heb het tenminste niet ook met Orville aangelegd. En hij heeft het heus wel gevraagd.'

Zeinab zag er deze ochtend adembenemend uit in een nieuwe minirok van zwart linnen en, zoals de nieuwste mode voorschreef, een boerinnenblouse van witte mousseline met veel tierelantijntjes. Ze had aan elke hand een verlovingsring. 'Kijk maar eens om je heen, Alge. Dan zie je wat het ons heeft opgeleverd. Digitale televisie en de fietsen van de kinderen. Die kroonluchter. En heb je gezien wat er op onze bankrekening staat sinds ik dat ding met diamanten en saffieren van Morton heb verkocht?'

'Ik durf niet te kijken,' zei Algy. 'Je hebt me nog steeds niet verteld wat er in die grote doos zit die hier gisteren is bezorgd. Hij werd gebracht door twee kerels in een zwarte vrachtwagen met allemaal goud erop.'

'Je had kunnen kijken. Ik heb geen geheimen voor jou. Dat weet je.'

'Vertel hem maar wat het is, Suzanne.' Reem maakte haar werk ongedaan door een bonbon in de mond van ieder kind te stoppen en ze weg te duwen. 'Jaloezie is het ergste wat er is. Verlos die arme stakker uit zijn lijden.'

'Weet je wat ik denk? Ik denk dat je met mij zou moeten trouwen. Vooral nu we gaan verhuizen. Dan kun je niet meer met een ander trouwen. Nou, ga je me nog vertellen wat er in die doos zat?'

'O, dat wil ik best. Het was mijn trouwjurk. Zo, nu weet je het. De jurk die ik draag als ik met Morton trouw. Ik bedoel, die hij denkt dat ik zal dragen. O, moet je zien hoe laat het is. Ik had al een halfuur geleden op mijn werk moeten zijn.'

Deze keer hoefde hij niet zo lang te wachten. Ze belde om drie uur. Niets van wat ze zei verbaasde hem, al vond hij wel dat ze het slim aanpakte. Ongemerkte bankbiljetten, en hoe hij daaraan moest komen, rechtstreeks van zijn bank of uit geldautomaten. Het geld moest van verschillende plaatsen komen. Als hij vijfduizend pond bij elkaar had, moest hij de helft daarvan, in kleine wisselkantoren zoals je die achter in juwelierszaken bij Paddington Station had, in euro's omzetten. De overige vijfduizend moest hij met behulp van creditcards opnemen bij verschillende Londense bankfilialen. Als de limiet van zijn creditcards ontoereikend was – dat leek haar onwaarschijnlijk – moest hij het geld van zijn rekening halen.

'Dat duurt weken,' zei Jeremy.

'Ik geef je één week. Woensdag 29 mei. Dan bel ik je opnieuw, ongeveer om deze tijd, om regelingen te treffen.'

'Wacht,' zei hij. 'Ik moet meer weten, ik moet...'

'Ciao,' zei ze en ze verbrak de verbinding.

Hij ging met een gin-tonic en een broodje kaas naar zijn dakterras. Hij had in zo'n 36 uur niet gegeten. De hyacinten waren uitgebloeid; de wasachtige bloemen waren kleverig geworden en roken naar rotting. Denk na, zei hij tegen zichzelf, denk hier logisch over na. Als hij niet betaalde, zou die vrouw met de sleutelring, de aansteker en de oorringen naar de politie gaan. De politie zou weten dat het echt Jacky Millers oorringen waren, want die vriendin van haar had gezien dat het paar dat hij zelf had gekocht en in de winkel had gelegd het verkeerde aantal briljanten had. Hoe zou ze zeggen dat ze eraan gekomen was? Natuurlijk zou ze hun niet het geldkistje laten zien. Ze wisten van de inbraak, ja, maar ze wisten niet dat een bewoner van het huis in Star Street de verdwenen sleutelring, aansteker en oorringen in zijn keukenkast had bewaard. Op de een of andere manier zou ze ervoor moeten zorgen dat de politie verband legde tussen die dingen en hem, en dat kon ze alleen maar doen door hun te vertellen dat de voorwerpen uit zijn flat waren gestolen.

Maar ze hoefde die dingen niet persoonlijk naar de politie te brengen. Ze kon ze opsturen, met een anoniem briefje erbij. Iets in de trant van: *Gevonden in Jeremy Quicks appartement. Vraag hem maar eens hoe hij eraan is gekomen.* Ze zouden het niet vertrouwen, zouden er zelfs een hekel aan hebben, maar ze konden het zich niet veroorloven om eraan voorbij te gaan. Crippen en zijn maats zouden naar hem toe komen en hem vragen hoe hij eraan was gekomen. Natuurlijk zou hij ontkennen dat hij er iets mee te maken had, hij had die dingen nooit eerder gezien. Maar als ze nu eens zijn vingerafdrukken op die dingen hadden gevonden? Hij had ze nooit afgeveegd, had daar nooit bij stilgestaan wanneer hij ze in handen had, al had hij de oorringen die hij in de winkel legde wel eerst afgeveegd. Als ze hem vroegen of ze zijn vingerafdrukken mochten nemen, zou hij ja moeten zeggen.

Hij moest ook onder ogen zien dat het meisje waarschijnlijk geen reputatie te verliezen had. Waarschijnlijk had ze toch al een strafblad. Als ze haar en misschien ook haar vriendje – hij wilde niet aan dat vriendje denken, want dat was ook een potentiële chanteur – van diefstal beschuldigden, wat kon haar dat dan schelen? Ze kreeg hooguit een voorwaardelijke straf of een paar weken taakstraf. Hij begon in te zien dat hij niet kon winnen. Tenzij...

Later in de middag ging hij naar beneden om te kijken wat voor wisselkantoren er in de buurt waren. Tot nu toe had hij, als hij buitenlands geld nodig had, zijn dollars of Duitse marken op het vliegveld gewisseld. Net als iedereen die altijd een bepaald kantoor gebruikt voor financiële transacties, was het hem nooit opgevallen dat er nog andere mogelijkheden waren. Maar nu hij de straat overstak, zag hij bij de winkel van meneer Khoury een bordje aan kettingen hangen: VOORDELIG GELD WISSELEN. Hij moest al duizend keer langs die winkel zijn gelopen zonder dat bordje te zien, of als hij het had gezien, was de betekenis niet tot hem doorgedrongen.

Om te oefenen ging hij naar binnen. Hij zag het getraliede loket achterin, ging daar staan en keek of er ergens een teken van leven was. Even later gebruikte hij de bel op de toonbank, en nu kwam meneer Khoury van achteren. Hij zag Jeremy, ging achter het loket zitten en zei: 'Wat kan ik voor u doen, meneer?'

'Ik wil honderd pond wisselen voor Amerikaanse dollars.'

'Zoals u wilt. Ik zal het uitrekenen.' De juwelier gebruikte een rekenmachine en noemde het bedrag. 'Gaat u op vakantie in Florida?' Toen hij geen antwoord kreeg, zei hij: 'Misschien wilt u zo goed zijn, meneer, om mevrouw Ferry te vertellen dat haar horloge klaar is.'

Jeremy liet bijna zijn mond openvallen van schrik. De man wist dat hij hiernaast woonde! Vroeger had hij zich vaak verbaasd over de illusie van sommige mensen dat niemand in Londen zijn buren kende. Nogal bruusk zei hij: 'Nou, bedankt, maar ik ben van gedachten veranderd.'

Meneer Khoury keek hem zwijgend na, met die ondoorgrondelijke blik die tot de misvatting heeft geleid dat iedereen wiens wieg ten oosten van Suez heeft gestaan kalm en fatalistisch is, berustend in *kismet.*

Evengoed, dacht Jeremy, wist hij nu hoe het ging. Wilde dat zeggen dat hij van plan was om aan de eisen van het meisje te voldoen? Zonder een specifiek doel begon hij naar het westen te lopen. Hij sloeg Norfolk Street in, richting Bayswater Road en Kensington Gardens. Hij had net zo goed behoefte aan frisse lucht als aan eten, en hoe vervuild de drukke straten ook waren, de lucht in de parken was altijd fris.

Hij stak de brede straat over en liep over een van de paden in de richting van Kensington en de Round Pond. Het was zonnig en warm, zelfs heet. Tot nu toe was hem dat niet opgevallen. Overal lagen stelletjes en individuele personen in het gras. In die parken leek het altijd of het grootste deel van de bevolking uit jonge meisjes bestond. Hadden ze geen baan of baby of andere bezigheden dan dat ze hier maar wat rond-slenterden en honderduit praatten, sommigen de armen in elkaar ge-haakt, anderen gewoon naast elkaar? Er waren hem tientallen voorbijge-lopen, maar niet één van hen had die angstaanjagende opwinding bij hem gewekt. Hij ging tussen hen op het gras liggen en rook de groene, warme geur.

– 22 –

Ze had niet met James overlegd maar stelde hem voor een voldongen feit.

'Je zult er nooit spijt van krijgen,' zei hij en dat vond ze knap gevoelloos van hem.

Had ze er eigenlijk niet al spijt van? Haar schuldgevoel was teruggekomen en het leek haar nu heviger en pijnlijker dan ooit. Ze was weer aan het werk, maar Will was bijna voortdurend in haar gedachten. Eigenlijk had ze besloten niet te bellen, maar ten slotte had ze dat toch gedaan. Een uur voordat James kwam, had ze met Kim gesproken. Het ging goed met ze, zei Kim, ze keken naar de televisie. Ze had besloten met Will uit eten te gaan en hij had gezegd dat hij dat leuk zou vinden. 'Maak je geen zorgen,' zei ze, maar natuurlijk wist ze niet wat het probleem was.

Nu ze zichzelf in de spiegel bekeek, realiseerde Becky zich dat ze de afgelopen twee of drie weken erg weinig aandacht aan haar uiterlijk had geschonken. Haar haar was ruig en wild, haar gezicht ouder geworden door de spanningen, en al die drank had haar ook dikker gemaakt. Ze leek nu minstens haar leeftijd. Een lange warme douche, een gezichtsmasker, shampoo en conditioner deden haar goed. Ze bestoof haar hele lichaam met Bobbi Brown-parfum, wreef crème in haar handen, trok een jurk aan die ze nooit eerder had gedragen omdat ze, toen ze hem eenmaal thuis had, de halslijn te onthullend had gevonden en de kleur te fel.

Vijf minuten voordat hij zou komen, schonk ze een grote gin-tonic voor zichzelf in, veel gin en niet veel anders. Natuurlijk moest ze dat eerst opdrinken. Ze spoelde het bewijsmateriaal met een vies smakend mondwater weg.

James prees haar uiterlijk, zei hoe geweldig het was om eindelijk met haar alleen te zijn, maar ze waren amper een halfuur in elkaars gezelschap of ze begon het vermoeden te krijgen dat hij haar wilde straffen. Hij moest ergens het gevoel hebben dat hij door haar had geleden.

Ze gingen naar een restaurant in Hampstead, een modieuze gelegenheid waarover veel door trendy recensenten was geschreven. Ze bestelden drankjes, en toen die er waren, toastten ze.

'Ik vraag me af hoeveel mannen zouden hebben geaccepteerd wat ik de afgelopen weken heb geaccepteerd,' zei James peinzend.

Ze had zin om te zeggen dat hij niet zo vaak had hoeven te komen. Soms had ze gedacht dat hij iets masochistisch had. Waarom was hij steeds weer bij haar gekomen om te gaan zitten mokken en zich in dat cryptogram te verdiepen? Hardop zei ze: 'Ik weet hoe moeilijk het was.'

'Dat betwijfel ik.' Hij glimlachte om zijn woorden wat minder hard te maken, legde zijn hand op haar hand, die op de tafel lag. 'Je zult het goed moeten maken.'

Als hij bedoelde wat ze dacht dat hij bedoelde (clichématig dreigen met het liefdesspel), was het iets wat voor hen beiden vanzelfsprekend was. Daar hadden ze toch op gewacht vanaf het moment dat ze Will slapend op de stoep aantroffen? Het werd tijd om van onderwerp te veranderen. Ze vertelde hoe leuk ze het vond dat ze weer aan het werk was, over haar eerste dagen dat ze op kantoor terug was, en hij luisterde en maakte passende opmerkingen. Het zou allemaal goed komen. Per slot van rekening was hij een man, en mannen, had ze vaak gedacht, hadden nog meer behoefte aan waardering dan vrouwen.

Impulsief zei ze: 'Dank je dat je me zo goed hebt gesteund. Ik ben je daar echt dankbaar voor.'

Zijn antwoord joeg een huivering door haar heen. 'Ik vroeg me al af hoelang het zou duren voordat je dat zei.'

Al die weken had hij zwijgend in de hoek gezeten, nors verdiept in de krant. Als hij al iets tegen haar zei, was het bijna altijd een klacht geweest. Ze keek hem aan, keek in zijn ogen, en zag een knappe man. Ze vond het helemaal niet erg dat hij zo duidelijk een product van een leven van dure medische en cosmetische verzorging was: perfecte kronen op zijn tanden, licht getinte contactlenzen, haar dat geknipt was door een expert, nagels die verzorgd waren door een manicure. In het gezelschap van andere vrouwen had ze zich vaak lelijk en slordig gevoeld, niet zo goed gekleed, niet zo perfect verzorgd, maar bij een man had ze dat gevoel nooit eerder gehad.

Het verlangen dat ze soms had gehad als hij bij haar thuis kwam, had ze nog steeds, maar het was minder intens geworden. Ze verlangde nu naar hem zoals ze soms naar een aantrekkelijke jonge arbeider verlangde, of zelfs naar een acteur op televisie. Ze voelde geen geestverwantschap, geen wederzijdse tederheid. Ze was blij dat ze hem nog wilde.

Onder het diner verwees hij nog een aantal keren naar de offers die hij had gebracht en naar het feit dat ze, in zijn ogen, onvoldoende begrip had voor zijn altruïsme en geduld, maar hij praatte ook over andere dingen, zijn ouders en zus, en over zijn huis dat hij, hoewel hij het al twee jaar in zijn bezit had, nog steeds met grote zorgvuldigheid aan het inrichten was. En toen ze naar Gloucester Avenue waren teruggereden, waren ze allebei weer in de stemming die zo vreselijk verstoord was door James' eerste ontmoeting met Will.

Als je voor het eerst met een man naar bed ging, zou dat eigenlijk iets natuurlijks moeten zijn, een spontaan gevolg van wederzijdse aantrekkingskracht en, soms, te veel drank. Zelfs dat laatste zou te prefereren zijn geweest boven een gekunstelde geslachtsdaad. Zo moest het voor de generatie van haar grootouders ook ongeveer zijn geweest in de huwelijksnacht, met een verlegen en stuntelige bruid en bruidegom. Maar James was niet stuntelig, en omdat ze had geleerd de eerste keer geen wonder te verwachten, werden haar verwachtingen overtroffen en voelde ze zich na afloop korte tijd voldaan. Omdat ze niet kon slapen, kwam ze na ongeveer een uur uit bed en ging naar de keuken. Daar deed ze wat ze in zijn bijzijn, toen ze samen stijlvol aan de Sauvignon nipten, niet had durven doen: ze schonk zich een stevige whisky in en slaakte een zucht van verlichting toen de warme, brandende alcohol door haar keelgat gleed.

Evengoed zou ze, nu Will weg was en James eindelijk haar minnaar was geworden, geleidelijk minder moeten gaan drinken. Ze zou dat soort stimulans en steun niet meer nodig hebben.

Toen hij even voor halfnegen naar beneden ging, moest hij langs de appartementen van Ludmila Gogol en Will Cobbett. Alleen van ongeveer twee uur 's nachts tot deze tijd kwam er geen muziek uit het appartement van die Russische vrouw. Het was natuurlijk 'klassiek', zoals dat heette, en daarom had hij het ook vaak op andere plaatsen gehoord. Degenen die ernaar moesten luisteren, beschouwden deze muziek als lang niet zo laakbaar als pop, soul, hiphop of garage, en degenen die deze muziek speelden, wilden al helemaal geen verwijten horen. Hij bleef even voor de andere deur staan luisteren, hoorde de stem van een vrouw, toen die van Cobbett zelf, en toen begon de vrouw plotseling te giechelen. Dus Cobbett had een vriendin, de wonderen waren de wereld nog niet uit. Hij vroeg zich af of Inez het wist. Toen hij doorliep, hoorde hij achter zich een hevig gestamp en een opeenvolging van majestueuze akkoorden, als een onweersbui die losbarstte na een vredige, zonovergoten stilte.

Hij klopte op de deur beneden aan de trap en hoorde in plaats van de gebruikelijke uitnodiging om binnen te komen: 'Wie is daar?'

Bij wijze van antwoord maakte hij de deur open en ging naar binnen. Hij dwong zich om te glimlachen en er joviaal uit te zien. 'Ik ben een tijd niet geweest. Dat weet ik, maar zulke dingen gebeuren.' Nooit je excuses aanbieden, nooit iets uitleggen...

Hij zag het ene theekopje en de theeblaadjes op de bodem. 'Ik heb al thee gedronken,' zei Inez, en met een stem die allesbehalve enthousiast klonk voegde ze eraan toe: 'Ik kan voor jou ook nog wel zetten, als je wilt.'

'Doe geen moeite,' zei hij, maar hij dwong zich toch om te blijven en in de fauteuil van grijs fluweel te gaan zitten, zoals hij altijd had gedaan. 'Meneer Cobbett heeft een vriendin, hoor ik.'

'Ik geloof van wel.'

'Je gaat je afvragen hoe ze het vindt om Sjostakovitsj op alle uren van de dag en de nacht door de muur te horen dreunen.'

'O, ja?' zei Inez ijzig.

Dit was veel erger dan hij had verwacht. Misschien had ze gewoon haar dag niet. Op haar leeftijd kon het moeilijk ongesteldheid zijn. Die vrouwonvriendelijke gedachte die ongevraagd in hem opkwam, deed hem denken aan zijn gedachte dat hij geen enkele vrouw sympathiek vond. Hoe zeiden de Italianen het ook weer? *Tutte le donne sono pute eccetto mia madre ch'e una santa.* Waarschijnlijk klopte dat niet helemaal, maar de betekenis was duidelijk: alle vrouwen zijn hoeren, behalve mijn moeder, die een heilige is. 'Nou, ik moet weg,' zei hij.

Inez keek met een vaag glimlachje naar hem op.

Toen hij naar Paddington Station liep, haatte hij haar. Wat gaf haar het recht om te denken dat hij altijd voor haar zou klaarstaan? Toen vroeg hij zich af waarom hij geen vrouwen als zij doodde, oude vrouwen waar niemand iets aan had en die zo lelijk als de nacht waren. Nee, om de een of andere reden koos hij altijd jonge vrouwen, op wie hij eigenlijk niets tegen had. Zijn bewuste geest mocht dan een hekel aan Inez en haar type hebben, maar zijn onderbewustzijn richtte zijn energie altijd op een bepaald soort jonge vrouwen. Niet alleen was het hem een raadsel waarom hij het deed, hij wist ook niet waarom hij bepaalde vrouwen wilde doden en anderen niet. Hij dacht weer aan het feit dat hij zich altijd achter zijn slachtoffers bevond. Hij doodde altijd vrouwen die zich voor hem bevonden, de vrouwen die hun rug naar hem toe hadden, nooit vrouwen die naar hem toe kwamen.

Verder kon hij in zijn gedachten niet gaan, behalve dat hij begreep dat hij daarom een wurgkoord gebruikte. Net als de beoefenaren van *thuggee* in India moest hij zijn slachtoffers van achteren aanvallen. Voorbij dat besef hing er een sluier, een dicht gordijn dat bijna alles wat eraan vooraf was gegaan dreigde te verduisteren. Voorlopig zou hij er niet aan denken.

Er waren hier juweliers, maar daar was er maar één van open. BUREAU DE CHANGE, stond er op een reclamebord dat op het trottoir was gezet. Hij ging naar binnen en kocht ditmaal euro's ter waarde van duizend pond, zodat er nog maar weinig op zijn rekening stond. Door het lange rechte eind van Sussex Gardens liep hij naar Edgware Road terug. Onderweg besefte hij dat hij het ideale slachtoffer van een straatrover zou zijn en daar wemelde het hier van. Al die euro's en ponden die hij bij zich had, maar als iemand hem probeerde te beroven, zou hij zijn huid duur verkopen. Hij zou daarvan genieten.

Ze zeiden dat het onverstandig was om hier naar de geldautomaat te gaan, tenzij je heel goed uit je ogen keek. Jeremy mocht graag denken dat hij dat altijd deed. Hij stak zijn pasje in het apparaat, toetste zijn pincode in, vroeg om vijfhonderd pond en hoopte dat het scherm hem niet zou vertellen dat zijn saldo ontoereikend was. Natuurlijk had hij veel meer dan dat bedrag aan spaargeld en beleggingen, maar daar kon hij niet onmiddellijk bij. Hij zou waarschijnlijk naar zijn bank moeten gaan om belegd geld naar zijn rekening-courant te laten overmaken en dan hopen dat ze het snel zouden doen. Maar de automaat gaf hem vijfhonderd pond en daarmee liep hij de straat door naar het nettere deel, richting Marble Arch. Hij wisselde het in euro's om in een zaak die geen deel uitmaakte van een juwelierszaak maar alleen geld wisselde.

In Baker Street was een filiaal van zijn eigen bank. Vreemd genoeg zat het idee dat hij geld dat rendement opleverde naar een rekening zou overmaken waar het renteloos zou liggen hem meer dwars dan alles wat hij tot nu toe had gedaan. Werkten die mensen ooit voor hun geld? Of leefden ze geheel en al van diefstal, bedrog en chantage? En er waren duizenden van zulke mensen. De misdaad in de stad maakte hem woedend, het stelen en vernielen van andermans bezit, de minachting van eigendomsrechten, de pure immoraliteit. Maar evengoed sloeg hij George Street in en hij liep, ziedend van woede, naar zijn bank.

Becky wachtte nog een dag en belde toen om te vragen hoe het met ze ging. Natuurlijk was het Kim die opnam. Ze klonk opgewekt en kalm en vertelde hoe mooi ze het appartement vond en dat ze daar veel liever woonde dan thuis bij haar ouders, en dat zij en Will lekker hadden gegeten in de Al Dar. Becky was tevreden en zou niet hebben gevraagd of ze Will kon spreken, maar Kim, die eerst alle gerechten had opgesomd die in dat Libanese restaurant te krijgen waren, had dat zelf aangeboden.

Hij nam de telefoon over en zei hallo met die neutrale stem van hem die haar om de een of andere reden het gevoel gaf dat hij ontevreden was. 'Het gaat goed met me,' zei hij.

'Ga je weer voor Keith werken?'

Ze hoorde hem dat aan Kim vragen. 'Ga ik voor Keith werken?' En haar antwoord: 'Natuurlijk, schat. Maandag.'

'Ik ga maandag voor Keith werken, Becky.'

'En verheug je je daar op?'

Ze wist niet wat ze had gedaan als hij aan Kim had moeten vragen of hij zich daarop verheugde, maar hij antwoordde zelf. 'Het gaat goed met me,' zei hij opnieuw, en: 'Ik moet terug, hè, Kim?'

Haar antwoord hoorde ze niet. Ze hoorde wel zijn volgende woorden. Ze galmden door haar hoofd. 'Was ik maar bij jou, Becky. Wanneer kan ik naar je toe?'

'Wat zou je zeggen van zondag?' zei ze. 'De hele dag, middageten en avondeten?' Moest ze Kim ook vragen? Ze wachtte, maar ze stelden het geen van beiden voor.

'Ik kom zondag. Ik kom érg graag bij je, Becky.'

Ze had zich verplicht gevoeld om te bellen, maar ze wilde dat ze het een paar dagen had uitgesteld. Het was wel zo dat ze nu twee avonden (en twee nachten) met James samen was geweest en dat ze die avond weer bij hem zou zijn, zodat ze hem niet voor zondag hoefde uit te nodigen.

Terwijl ze haar eerste gin-tonic van de avond inschonk, waar ze grote behoefte aan had na dat telefoongesprek, vroeg ze zich af wat ze deed, wat ze zich in godsnaam in haar hoofd haalde. Hoe kon ze blij zijn dat haar nieuwe minnaar aan het begin van haar nieuwe liefdesverhouding níét bij haar zou komen?

Toen hij naar huis ging, liep er een jonge vrouw voor hem. Ze liep op ongeveer de juiste afstand, een meter of vijf, en ze liepen in hetzelfde tempo. Ze sloeg Star Street in en hij deed dat ook. De lucht was betrokken, maar het was warm en licht en als hij haar aanviel, zouden er vast en zeker mensen zijn die het zagen. Zelfs wanneer ze die ondefinieerbare aantrekkingskracht op hem had uitgeoefend, die mysterieuze kracht die zo sterk was dat zijn hart als het ware uit zijn lijf werd gerukt, had hij haar daar niet kunnen doden, niet op klaarlichte dag. In dat geval had hij daaronder moeten lijden, zou hij zich ziek hebben gevoeld. Maar hij voelde die aantrekkingskracht niet en wilde haar geen kwaad doen.

Nu geloofde hij dat hij haar was gevolgd om zichzelf op de proef te stellen, om na te gaan of de aandrang hevig zou worden als hij bij wijze van spreken in haar gezelschap verkeerde en achter haar liep. Dat was niet zo. Er was niets gebeurd. Hij zou graag willen weten waarom. Ze leek een jaar of dertig en ze was vrij lang, slank maar niet mager, met blond haar, toch wist hij dat geen van die dingen, behalve misschien het feit dat ze ongeveer de juiste leeftijd had, veel verschil maakte. Hij rook het parfum dat ze in de lucht achterliet, zoetelijk, warm, een bloemengeur. Het ontging hem steeds weer wat die bepalende factor was. Hij zag haar de straat oversteken en doorlopen naar Norfolk Place, en toen ze uit het zicht was verdwenen, ging hij via de bewonersdeur het winkelpand binnen.

Hij ging op het dakterras zitten en telde het geld. Iets meer dan vierduizend pond en hij had vier dagen de tijd, al kon je de zondag eigenlijk niet meerekenen. In feite had hij alleen nog de maandag en de dinsdag, want woensdag zou hij hier moeten zijn om de telefoon op te nemen als ze belde. Zou hij het echt aan haar geven, al dat geld? Eerst zou hij haar doden, dacht hij. Hij zou haar doden, al voldeed ze hoogstwaarschijnlijk niet aan de vereiste kwalificaties. Maar hij kon haar niet doden. Het zou hem niet redden; het zou de dingen alleen maar erger maken. Er waren meer mensen bij betrokken, in elk geval haar vriend en misschien

ook haar vader. Als hij haar doodde, zouden ze regelrecht met de oorringen, de aansteker en het horloge naar de politie gaan. Ze konden zeggen dat ze hem die dingen in een afvalbak hadden zien gooien, ze eruit
hadden gepakt en ze nu bij de politie inleverden. Chantage? Het meisje
had hem alleen gebeld om te zeggen dat ze zijn bezittingen had gevonden en ze terug wilde geven....

Toevallig was de politie net terug. Hij zag een auto waarvan hij dacht
dat het die van Zulueta was door Bridgnorth Street komen, en toen
hij naar binnen ging en uit een van de ramen aan de voorkant keek,
zag hij dat Zulueta zijn auto langs de gele lijn parkeerde; natuurlijk
kon hij dat ongestraft doen. Hij had een andere rechercheur bij zich.
Ze bleven naar de winkel op de hoek zitten kijken. Maar Jeremy wist
dat hij zich daarover geen zorgen hoefde te maken. Het was ze om Will
Cobbett te doen.

Hij bleef kijken en zag een turquoise Jaguar aankomen en Morton
Phibling uitstappen. Zouden die twee, Zulueta en – was het niet Jones?
– iets doen aan die auto die op een bewonersplaats was geparkeerd?
Waarschijnlijk zouden ze het beneden hun waardigheid achten om als
straatagent op te treden. Hij moest naar buiten gaan om meer geld op
te nemen. Toen hij weer op straat kwam, zag hij dat hij zich in Zulueta
en Jones had vergist. Ze maakten zich minder druk om hun status dan
hij had gedacht, want ze stonden bij het raam aan de bestuurderskant
van de Jaguar en maakten Phiblings weerloze chauffeur het leven zuur.
Hij huiverde een beetje. Hij had zich vergist. Was dit een voorteken?
Kwam er een eind aan zijn superioriteit, zijn succes, zijn dubbelleven,
zijn onschendbaarheid? Er kwam een regel in hem op uit een toneelstuk
dat hij lang geleden in Nottingham had gezien. Hij wist niet meer welk
stuk het was geweest, maar zei de regels in gedachten op. 'Het daglicht
is over en ons wacht slechts duisternis...'

Mij wacht slechts duisternis.

Z e had James moeten vragen weg te blijven.
'Ik dacht dat we onze weekends met elkaar zouden doorbrengen.'
'James, sorry, maar nu Will hier niet meer logeert, moet ik hem soms
ontvangen. Ik heb verplichtingen tegenover hem. Ik kan hem niet zomaar laten vallen.'
'Dat begrijp ik,' zei hij. 'Maar moet dat in het weekend?'
'Als het een doordeweekse dag was, zou het alleen 's avonds kunnen,
omdat ik weer aan het werk ben.' Ze wist dat haar volgende opmerking
tot een uitbarsting zou leiden. 'Will eet graag 's middags warm.'
'En ik,' zei James bijna schreeuwend, 'eet graag 's avonds warm, zoals
alle beschaafde mensen. Zoals jij. Waarom moet alles wijken voor die
belachelijke gewoonten van de arbeidersklasse? Heeft hij dat aan het
tuchthuis overgehouden?'
'Het was een kindertehuis,' zei ze. Ze probeerde haar geduld niet te verliezen. 'Daar heeft hij bepaalde gewoonten opgedaan, zoals jij gewoonten hebt geleerd van jouw ouders. Will had geen ouders; hij had maatschappelijk werkers.'
'Zoals je me steeds weer vertelt. Ik snap niet waarom je hem niet gewoon hebt geadopteerd.' Dat was zo onredelijk dat ze even niet kon
ademhalen. 'En besef je wel dat we daar vaker over praten dan over
wat ook? Over Will. Het is Will voor en Will na. Soms vraag ik me af
of hij geen nauwere band met je heeft dan je zegt. Maar je hoeft je geen
zorgen te maken. Ik kom zondag niet. Ik blijf weg.'
Hij bleef zaterdag ook weg. Becky had niet de moed om op zaterdagmorgen te gaan winkelen en kleine luxedingetjes te kopen, zoals ze
vroeger altijd deed. Misschien zou ze dat nooit meer doen. Ze begon
het gevoel te krijgen dat ze nooit meer iets zou kunnen doen zonder
dat James er kritiek op had. Hij wilde dat ze veranderde in iemand anders. En daarbij ging het niet alleen om Will maar ook om haar uiterlijk.

Waarom ga je niet naar een manicure, vroeg hij de laatste tijd, waarom laat je je gezicht niet doen, waarom ga je niet naar een goede kapper? Ze was te oud en te zelfstandig om te veranderen. Ze vroeg zich vaak af wat hij bedoelde als hij zei dat Will misschien een nauwere band met haar had dan ze had toegegeven, dat hij haar minnaar of haar eigen zoon was? Ze maakte een wandeling op Primrose Hill en bleef een hele tijd buiten. Ze voelde zich nu eenzamer dan voordat James in haar leven kwam.

Becky had ooit, jaren geleden toen ze een benedenwoning met een tuin had, een kat gehad. Het was een erg aanhankelijk dier geweest, een grote mooie kater, en toen hij stierf, zeventien jaar oud, had ze besloten er nooit meer een te nemen. Ze wilde de ellende, het verdriet om zijn dood niet telkens opnieuw beleven, zoals verstokte huisdiereigenaren dat steeds weer moesten. Toen hij ongeveer vijf was, was hij verdwenen. Op een dag ging hij naar buiten, zoals hij altijd deed, en die avond kwam hij niet thuis. Ze hing de gebruikelijke briefjes op muren en lantaarnpalen, belde de buren, belde naar de dierenartsen in de buurt en naar het asiel. Zonder resultaat, en na een week van spanning en zorgen ging ze ervan uit dat hij voorgoed weg was. Vrienden die haar wilden troosten, zeiden dat hij blijkbaar een huis had gevonden waar het hem beter beviel, zoals met katten soms gebeurt. Anderen dachten dat hij in iemands auto was gesprongen en was weggereden. Maar Becky wist dat hij nooit een huis zou hebben gevonden waar hij liever was dan bij haar, en dat hij zo'n grote hekel aan auto's had dat hij ze ontweek zoals hij honden ontweek. Na acht dagen kwam hij, kwiek als altijd, snel en met een schittering in zijn ogen door het kattenluikje gesprongen. Hij kwam regelrecht op haar af om zich door haar te laten knuffelen. Hij was mager, maar verder gezond. Ze had nooit ontdekt waar hij was geweest.

Toen Will terugkwam, was het ongeveer hetzelfde. Ze vond dat hij ook magerder was geworden. In andere opzichten was hij net die verdwaalde kat. Hij begroette haar opgewekt en met een schittering in zijn ogen en sloeg zijn armen om haar heen. Net als de kat at hij een gigantische maaltijd, en toen hij daarna naar de televisie zat te kijken, viel hij voldaan in slaap. Het was griezelig, maar hij scheen zelfs even vergeten te zijn wie Kim was. Toen ze hem naar haar vroeg, keek hij haar verbaasd aan. Toen drong het blijkbaar tot hem door.

'Ze is wel aardig,' zei hij.

'Het moet prettig voor je zijn om iemand bij je te hebben die je aardig vindt.'

Wat een banale opmerking! Evengoed dacht hij er blijkbaar echt over na. Ze wist waartoe dat denken van hem zou leiden, ze wist wat hij zou zeggen, al verwachtte ze niet dat hij zo heftig zou reageren.

'Hier bij jou is het beter. Ik vind het hier beter, ik zou veel en veel liever hebben dat jij daar bij mij kwam wonen.'

Later, toen het bijna tijd was om hem naar huis te brengen, verbaasde hij haar met een onthulling en een verklaring. 'Ik zocht naar een schat,' zei hij, 'toen ik in die tuin aan het graven was. Toen die mannen me vonden en weghaalden. Ik wist dat de schat daar lag, ik had het in een film gezien, en ik kocht een schop en ik groef en ik groef, maar ik kon hem niet vinden.'

Ze had daar niets op te zeggen.

'Het waren juwelen, en ze waren miljoenen en miljoenen waard. Als ik de schat vond, zou ik een huis kopen en dan zouden jij en ik daar wonen, er zou ruimte zijn voor ons beiden, niet zoals hier of bij mij. Ik zou het kopen. Maar hier is ook ruimte, hè, Becky?'

Morton Phibling kwam nu elke morgen en hij en Zeinab zaten naast elkaar in een hoek van de winkel over hun trouwplannen te praten, of er nu veel klanten waren of weinig. Zeinabs verzinsel over de diamanten hanger had blijkbaar Mortons zorgen over de verblijfplaats daarvan weggenomen, want Inez – die er niet in geslaagd was een klant een ventielhoorn uit het begin van de negentiende eeuw te verkopen, iets wat Zeinab ongetwijfeld wel zou zijn gelukt – hoorde hem tegen zijn verloofde zeggen dat ze de hanger op vrijdag de zevende van de bank moest halen om hem bij de plechtigheid van zaterdag te kunnen dragen. Intussen had hij haar een armband met diamanten en smaragden gegeven. Toen ze hem omdeed en in het zonlicht hield, maakte de schittering vlekken in alle kleuren van de regenboog op de muren.

'Dus je hebt je besluit genomen?' vroeg Inez, toen Morton werd weggereden.

'Mijn besluit waarover?' Zeinab klonk dromerig, alsof ze zich haar weelderige toekomst als mevrouw Phibling voorstelde. In werkelijkheid vroeg ze zich af waar ze de hoogste prijs voor die armband kon krijgen.

'Om te trouwen, natuurlijk.'

'Ja, dat zal wel moeten.'

Inez dacht dat Zeinab op aarde was teruggekeerd, uit een droom was ontwaakt. En inderdaad was Zeinab bij haar positieven gekomen, maar dat kwam door het besef dat als de armband zoveel zou opbrengen als ze verwachtte, zij en Algy al een heel eind zouden komen om het soort huis te kopen dat ze wilden hebben. Ze zouden eerst verhuizen, zodra ze konden, om haar weg te krijgen van hier en haar twee verloofden, en dan zouden ze makelaars gaan bellen... Ze stond op, bediende een klant die naar een echt oud Venetiaans glas keek en een andere klant die op zoek was naar sieraden uit de jaren dertig. Het was verbazingwekkend, dacht Inez, dat ze alles kon verkopen, en niet alleen aan mannen.

'Dus ik neem aan dat je je ontslag neemt.'

'Moet ik je dat nu laten weten?'

'Nou, wel als je vrijdag over een week wilt vertrekken. Het is nu maandag.'

'Ja, nou, een opzegtermijn van een week is toch ook goed?' Zeinab veranderde snel van onderwerp. 'Heb je gemerkt dat die vermoorde meisjes naar de achtergrond zijn verdrongen?' Inez stelde zich dat even letterlijk voor, en dat was genoeg om haar van de trouwplannen van haar verkoopster af te leiden. 'Het is net of ze zich niet meer zo druk om hen maken, nu ze ze allemaal hebben gevonden, en ook nog Jacky Millers oorringen.'

'Ze hebben de aansteker en het horloge nog niet gevonden.'

'Nee, je hebt gelijk. Ik heb je nooit gevraagd wat Zulueta vrijdag wilde. Ik ben dat vergeten.'

'O, nog meer onzin over Will. Of hij ooit alleen in de winkel is geweest. Of ik hem hier in de tuin heb zien graven. Dat soort dingen. Jones zei zelfs dat het meisje dat bij hem woont misschien bescherming nodig heeft. Ik zei tegen hem dat ik denk dat Anwar hier heeft rondgesnuffeld toen ik op het politiebureau was, maar dat interesseerde hem blijkbaar niet.'

'Ik ga het haar niet vertellen,' zei Algy, 'en ik reken erop dat jij je mond houdt.'

Reem, die een zak chips samen met haar kleinzoon op zat te eten, zei met haar mond vol: 'Je kent mij, Alge. Ik zeg nooit veel; ik heb er geloof ik niet de energie voor. Ik zie deze verhuizing als een volgende stap in de richting van jullie eigen huis met een aanbouw voor mij, hè, Bryn?'

'Bryn hóúdt van oma,' zei het kleine jongetje enthousiast en hij klom op haar schoot.

'Goed zo.'

'Ik heb de verhuizing gepland,' zei Algy nogal gewichtig, 'op vrijdag 7 juni.'

'En als ze niet wil?'

'Mijn twee vrienden komen om halfacht met het busje. Tegen de tijd dat ze wakker wordt, staat de helft van de spullen al op het trottoir.'

'Slim van je.' Reem schudde van het lachen en het jongetje hobbelde blij op en neer. Hij legde zijn wang tegen de enorme plooien van haar boezem en deed zijn ogen dicht.

Op dinsdagavond had Jeremy al het geld bij elkaar. Hij wilde erg graag dat er schot in de zaak kwam. Als hij ze tienduizend pond moest geven, wilde hij dat graag achter de rug hebben, en hij probeerde er niet aan te denken dat ze later nog meer zouden vragen. Ze zouden om ongeveer drie uur 's middags bellen, net als de vorige keren, dacht hij, en dan zouden ze hem vertellen waar hij het geld die avond of de volgende dag moest achterlaten. Heel even was hij jaloers op mensen die gechanteerd dreigden te worden en de politie te hulp konden roepen. In zijn geval kon daar geen sprake van zijn.

Op woensdag had hij een brief van zijn moeder gekregen met het verzoek een bepaald soort parfum te kopen. Het was niet voor haarzelf, maar een cadeau voor een jonge vriendin, een meisje dat soms boodschappen voor haar deed. Zijn moeder zou hem het bedrag natuurlijk vergoeden als ze hem maandag zag, een belofte waarom hij moest glimlachen, want het was absurd van haar om dat zelfs maar te opperen. Op zaterdagmorgen zou hij naar een warenhuis gaan om het parfum te kopen. Hij noteerde de naam.

Hoewel hij er zeker van was dat het telefoontje niet voor de middag zo komen, kon hij toch niet naar buiten gaan. Inmiddels was hij voldoende aan dit soort spanning gewend om op zijn daktuin te kunnen zitten zonder bang te zijn dat hij de telefoon niet zou horen. Vanaf het moment dat hij de brief had gelezen, had hij aan zijn moeder gedacht, aan haar onvoorwaardelijke liefde voor hem, haar totale begrip, haar grote consideratie. Als hij zichzelf niet voor de komende vrije maandag had uitgenodigd, zou ze nooit hebben gedaan alsof ze hem verwachtte. Toen hij haar had gevraagd of hij die dag kon komen, had ze aarzelend gezegd: 'Weet je zeker dat je er de tijd voor hebt, jongen?' En toen hij haar had verzekerd dat hij zich erop verheugde, had ze gezegd: 'Het is erg aardig van je dat je dat zegt.'

Hoe zou het zijn geweest als zijn vader in leven was gebleven? Jeremy, toen dertien jaar, was bij hem geweest op de dag voordat hij stierf, tenminste, dat verzekerde zijn moeder hem als hij zei dat hij het zich niet kon herinneren. Soms, als hij zich concentreerde, als hij door de vreemde nevelslierten heen probeerde te kijken, meende hij het gele, ingevallen gezicht van zijn vader op het ziekenhuiskussen te zien, maar hij dácht dat alleen maar en wist het niet zeker. Hij durfde zijn moeder niet te vragen of zijn vader geelzucht had gehad op de dag dat hij daar was geweest.

Eén keer, één keer maar, had hij, toen hij dat macabere beeld voor ogen probeerde te krijgen, gedacht dat er nog iemand anders aanwezig was, en dat was niet zijn moeder. Een vrouw of een man, dat wist hij ook niet, behalve dat het niet de slonzige moeder van zijn vriend Andrew was. En als hij er goed over nadacht, verdween dat beeld alsof het er nooit geweest was en misschien was dat ook zo. Geleidelijk had hij zich neergelegd bij het feit dat hij het zich nooit zou herinneren. Waarom deed het er iets toe? Hij had van zijn vader gehouden, maar later had hij een hekel aan hem gekregen, en daarom had hij het doodsbed waarbij hij aanwezig was geweest uit zijn geheugen gewist. En er was nog een andere reden. Hij begon zich af te vragen of zijn motief om die meisjes te doden iets te maken had met de laatste periodes uit het leven van zijn vader, die vergeten periode die misschien toch van het grootste belang was.

De zon was warm, de sering stond in bloei in een kuip, evenals de witte boerenjasmijn in een grote groene vaas. Hun vermengde geuren, heel verschillend maar even verfijnd, zweefden langs hem toen er een lichte bries opstak, en hij viel in slaap in de rieten stoel met kussens om met een kreet van schrik wakker te worden van de telefoon.

'Ik doe het niet in mijn eentje,' had Julitta gezegd. 'Straks vermoordt hij me. Hij heeft die anderen ook vermoord en die hadden niks gedaan.'

Anwar had daar al uitgebreid over nagedacht en Julitta's veiligheid afgewogen tegen zijn eigen belang. Als Alexander Gibbons – zelfs in zijn gedachten wilde hij geen schuilnamen gebruiken – haar op zijn gebruikelijke manier zou wurgen, zouden hij, Keefer en Flint nog meer macht over hem kunnen uitoefenen dan ze nu al konden. Maar over het geheel genomen hadden ze al genoeg greep op hem, dacht hij. Hij zou haar niet vertellen dat ze gelijk had. Dat zou niet goed zijn.

'Geen sprake van,' zei hij. 'Ik doe het zelf.'

'Die kerel herkent je,' wierp Flint tegen.

'Laat dat maar aan mij over.'

Ze keken nu allemaal naar Keefer, die doodongelukkig in de hoek van Anwars kamer zat, op de vloer, want er was verder nergens plaats en de anderen zaten op het bed. Hij zat met zijn armen om zijn opgetrokken knieën, en de huid van zijn gezicht en hals was groenig en nat van het zweet. Uit zijn mondhoek droop iets stroperigs. Van tijd tot tijd liet hij een gejengel van pijn horen en zwaaide hij even met zijn armen om zich heen. Op dit moment was hij stil, hij sliep bijna, en Flint en Julitta hadden allebei al op een schilderachtige manier verteld dat hij op het punt stond om dood te gaan. Als ze over hem spraken, gebruikten ze allerlei straattermen voor methoden om van de harddrugs af te komen, maar Anwar noemde het altijd gewoon een 'ontwenningskuur' en zag dan kans dat woord een sinistere bijklank te geven. Hij porde nu met de punt van zijn voet in Keefers zij, zoals je doet wanneer je een slapende hond van zijn plaats wilt krijgen, haalde Zeinabs diamanten hanger uit zijn zak en legde hem tussen hemzelf en Julitta in.

'Hij is van dat meisje,' zei Anwar. 'Het mooie.' Hij zei dat terloops, zoals iemand van een 'donker' of 'mager' meisje zou spreken. Iemand als Inez, geïnteresseerd in karakters, zou daaruit hebben afgeleid dat hij een koude persoonlijkheid had, of dat hij waardering voor vrouwelijk schoon begon te krijgen, of misschien beide.

De anderen waren zijn vreemde manier van spreken wel gewend. 'Hoe weet je dat?'

'Dat heb ik gehoord van mijn vriend, de minnaar van die oude Russische vrouw. Dat meisje is verloofd met een rare oude knakker die vijf auto's heeft. Ook zo'n rijke patser. Hij gaf hem aan haar. Als we hem verkopen, moeten we wel erg voorzichtig zijn. Het zou niet slim zijn als we ermee naar Hawker aan North End Road gingen.' Anwar keek nog eens strak naar Keefer, die de heler in kwestie had gevonden. Hij keek agressief naar Keefer, al was die duidelijk niet in staat om ergens een mening over te hebben. 'Laat dat ook maar aan mij over. Bel jij nou maar naar ónze patser, Ju, en zeg tegen hem dat hij met het geld naar de vuilcontainers in Aberdeen Place, St John's Wood, moet gaan.

Heb je dat? Aberdeen Place, en die containers staan tegenover Crocker's Folly. Hij moet de poen in een witte vuilniszak doen, geen zwarte, en als hij daar aankomt, moet hij in de container voor oude kleren kijken, maar hij moet de zak daar niet in doen. Die is meestal vol, die bak, en hij zal vol zijn als hij daar aankomt. Die kledingcontainer is een beetje anders dan de andere, er zit een deur in de muur ernaast en daar weer naast staat de flessenbak. Hij moet de zak op de grond zetten tussen de kledingcontainer en die deur.'

Julitta knikte. Ze was blij dat ze niet bij die transactie aanwezig hoefde te zijn en ze zou alles wel willen doen wat hij van haar vroeg. 'Hij zal die dingen willen hebben. Hij zal naar de oorringen en zo vragen.'

'En hij zal ze krijgen, alleen krijgt hij andere oorringen. Dat zeg je niet tegen hem. Je zegt dat ze met tape aan de binnenkant van het deksel van de kledingcontainer zitten. Daarna mag hij weggaan. Hij moet het van-avond om precies negen uur doen. Zeg tegen hem dat hij er over het voetpad langs het kanaal heen moet gaan en door Lisson Grove naar huis moet lopen. Dat doet hij vast niet. Hij blijft natuurlijk kijken, maar dat geeft niet, dat is eigenlijk zelfs beter.'

Hij liet het allemaal op haar inwerken en blafte haar toen toe: 'En nu herhaal je wat ik zei.'

Ze deed het zonder veel haperingen en Anwar duwde haar en Flint de deur uit, nadat hij Julitta ook nog opdracht had gegeven binnen een uur naar Gibbons te bellen. Keefer sliep. Dat zou van korte duur zijn. Straks werd hij wakker en dan zou hij woeste bewegingen maken en om de he-roïne schreeuwen die hij zich nu gemakkelijk kon permitteren. Omdat hij zelf had gezegd dat hij van het harde spul af wilde, besloot Anwar hem nog een portie methadon te geven, als het kon. In elk geval wilde hij niet dat die jongen alles kort en klein sloeg of op een andere manier te veel aandacht op hen vestigde. Toen hij wegging, deed hij de deur achter zich op slot.

Al zijn zussen waren thuis in het huis in Brondesbury Park. Ze dachten over hem ongeveer zoals jonge negentiende-eeuwse meisjes over hun broer dachten, iemand die toevallig van het mannelijk geslacht was en daardoor een vrij leven kon leiden, zonder beperkingen die hem door zijn ouders werden opgelegd. Toch waren hun ouders verlichte mensen die hun dochters niet meer verplichtingen oplegden dan hun zoon en ook geen ander gedrag van hen verlangden. Maar tradities laten zich nu eenmaal moeilijk uitroeien en deze meisjes, die blootstonden aan het oordeel van oudere familieleden, hadden de wereld van een be-schermd leven, lange rokken, chaperonnes en gearrangeerde huwelijken nog niet helemaal achter zich gelaten.

'Hij wel,' zei Arjuna toen ze Keefers auto in de straat zag staan, al weer-hield niets haar ervan om de auto van een kennis te lenen en daarin rond te rijden, behalve de wet, en die was ook van toepassing op haar broer.

Dat zei hij dan ook tegen haar en terwijl ze over een gevat antwoord na-dacht, vroeg hij haar of de oude *abaya* van mama's oude vriendin nog in het huis was. Nilima, het oudste meisje, had hem eens gedragen op een schoolvoorstelling van *Hassan* van Flecker.

'Waar heb je hem voor nodig?'

'Gaat je niks aan. Waar is hij?'

'Als je me niet vertelt waar je hem voor nodig hebt, vertel ik jou niet waar hij is.'

Anwar keek op zijn Rolex. Die meisjes verspilden zoveel tijd. 'Waar ben je voor aan het sparen, Arj? Er is vast wel iets.'

'Een tv in mijn kamer. Als Nilima er een heeft, waarom ik dan niet ook?'

'Goed. Hoeveel heb je nog nodig?' Hij haalde een pakje bankbiljetten uit zijn zak.

Zijn zus keek ernaar. Het waren vijfjes en tientjes. Als hij twintigjes en vijftigjes had gehad, had hij die niet aan haar laten zien. 'Vijftig,' zei ze.

'Vijfentwintig.'

'Kom nou. Veertig.'

'Vijfendertig,' zei Anwar. 'En dat is mijn laatste bod. Ik kan het ding zelf ook vinden, al zou het me wat tijd kosten.'

'Goed. Vijfendertig.' Ze rolde de bankbiljetten op en stak ze in haar boezem, onder haar laag uitgesneden T-shirt. Dat was een gebaar dat ze voor beter gezelschap dan een broer aan het instuderen was. 'Hij ligt op zolder, in de grote koffer, in een van die plastic dingen die je van de stomerij krijgt.'

Anwar ging met een keukentrap naar boven om bij het plafondluik te komen dat toegang verschafte tot de zolder.

– 24 –

Hoewel hij wist dat ze nog minstens één keer geld van hem zouden eisen, was het toch een opluchting. Het was geen groot bedrag, als hij er veiligheid en straffeloosheid mee kon kopen. Natuurlijk zou het wel in de papieren lopen als hij vaker moest betalen, maar dat zou hij dan wel weer zien. Als er iets was waarover hij zich zorgen maakte, dan was het dat hij het horloge, de aansteker en de oorringen terug moest hebben. Het meisje had gezegd dat hij ze daar zou vinden, in een ondoorzichtig plastic zakje dat met tape aan de binnenkant van het luik van de kledingcontainer was vastgemaakt. Maar als het er nu eens niet was? Wat dan?

Hij ging veel te vroeg van huis. Dat was in zijn situatie onvermijdelijk. Toen hij door de bewonersdeur naar buiten kwam, keek hij om zich heen. Hij was ervan overtuigd dat ze naar hem keken. Toch zag hij niemand op straat. Er was niemand en er zat ook niemand in de geparkeerde auto's. Het had die dag geregend, maar de wolken waren tegen zonsondergang weggetrokken en de straat droogde langzaam op. Jeremy had het geld in de witte plastic zak gedaan, zoals hem was opgedragen, en die zak zat nu in een blauw rugzakje dat hij één keer had gebruikt, en dat was al een hele tijd geleden. Een diplomatenkoffertje zou meer bij hem passen, maar in deze buurt zou dat 's avonds te veel opvallen. Hij liep door Edgware Road en ging onder het viaduct door. Zoals altijd stonden er groepjes mannen voor de Libanese restaurants. Er waren maar erg weinig vrouwen te zien, en degenen die zich op dit uur nog buiten waagden, droegen een hoofddoek en in sommige gevallen ook een chador, dat alles verhullende zwarte gewaad dat alleen de punten van de schoenen en de ogen vrij laat.

Bijna boven aangekomen, stak hij over bij de voetgangerslichten van Orchardson Street en hij kwam in Aberdeen Place via Lyons Place, een enigszins discretere route dan wanneer hij rechtstreeks vanaf

Edgware Road zou zijn gekomen. Een of twee mensen die de vochtige kilte van de avond trotseerden, zaten aan tafeltjes voor Crocker's Folly. Jeremy zag hen vaag als mogelijke getuigen. Maar getuigen van wat? En aan wie kon hun getuigenverklaring worden voorgelegd? Hij was een moordenaar. Als hem onrecht werd gedaan, kon hij dat aan niemand vertellen, laat staan dat hij getuigen kon oproepen.

Volgens zijn horloge was het nog maar tien voor negen. Hij kon maar beter doen wat ze zeiden. Per slot van rekening had hij de rest ook gedaan, het ergste deel, dus waarom zou hij moeilijk doen over tien minuten? Maar wat gingen ze langzaam voorbij! Als iets Jeremy ervan had kunnen overtuigen dat de tijd niet altijd hetzelfde tempo heeft en soms helemaal geen tempo heeft maar stilstaat terwijl wij erin bewegen, dan was het wat hij nu onderging. Het was allemaal illusie, allemaal zelfbedrog... Hij liep naar de St John's Wood Road, langs Lords Cricket Ground, door Hamilton Close en terug, maar het was nog maar vijf voor negen. Terug door Northwick Place, zo langzaam mogelijk, en eindelijk was het één minuut voor negen. Hij wachtte tot hij ergens een kerkklok hoorde luiden, hoorde niets en liep naar de oude kledingcontainer. Hij ademde diep in en trok het deksel omhoog. En daar zat, zoals beloofd met tape vastgemaakt, het kleine ondoorzichtige plastic zakje met... wat?

De mannen voor Crocker's Folly keken niet naar hem, maar toch glipte hij het smalle steegje in dat Victoria Passage heette, en daar, in de schaduw, keek hij in het zakje. Oorringen, horloge, aansteker. Goed. Nu opschieten. Hij kwam het steegje uit en liet de rugzak, met daarin de witte vuilniszak met het geld erin, tussen de kledingcontainer en de deur in de rode muur vallen. Toen ging hij het steegje weer in en bleef staan kijken.

Ze kwam binnen vijf minuten. Ze was tamelijk lang en tenger, voorzover hij kon zien, want ze was van top tot teen in een zwart kledingstuk gehuld. Alleen haar ogen waren te zien, groot, zwart, met dikke zwarte wimpers, de oogleden paars geverfd met oogschaduw en bewerkt met oogpotlood. Ze pakte de zak op, stopte hem ergens in de wijde plooien van het zwarte gewaad en verdween zoals ze gekomen was, over de trap naar de kanaaloever. Jeremy volgde haar, maar toen hij bij de trap was aangekomen en het bijna stilstaande gele water onder zich zag liggen, was de vrouw nergens meer te zien. Alleen zijn rugzak, open en leeg, lag boven aan de ijzeren trap.

'Ik ben nooit getrouwd geweest,' zei Freddy en zoals hij altijd deed, installeerde hij zich in de fauteuil van grijs fluweel om een betoog over zijn onderwerp te houden. 'Het zal een nieuwe ervaring zijn. Ik vraag me af hoe ik het zal vinden. Minder aangenaam dan de huidige regeling of juist veel aangenamer?' Hij begon zijn rechterwijsvinger heen en weer te bewegen. 'Ludmila is natuurlijk al eerder getrouwd geweest. Ik weet niet precies hoeveel keer, maar dat hebben we nu allemaal achter ons gelaten. Het gemeentehuis van Marylebone is de plaats waar het gaat gebeuren; 8 juni is de datum en elf uur is de tijd. De huwelijksreis wordt weer een van onze favoriete weekendvakanties, ditmaal op een eiland dat Man heet. Het wordt voor mij een magisch mysterie, in meer dan één opzicht. Heb jij ooit van het eiland Man gehoord, Inez?'

'Natuurlijk. Het ligt in de Ierse Zee, ter hoogte van Liverpool. Ik ben er een keer met mijn eerste man geweest.'

'Ook een dame met meerdere huwelijken, merk ik,' zei Freddy, die beleefd wilde zijn. 'Is het zoiets als Barbados?'

'Ik ben nooit op Barbados geweest, maar ik denk van niet, zeker niet wat het klimaat betreft.'

'Dat zal ik niet erg vinden. Ik ben altijd in voor verandering. Wie A zegt, moet ook B zeggen.' Toen Zeinab binnen kwam, stond hij op, misschien uit hoffelijkheid, misschien omdat hij van plan was weg te gaan, dat kon Inez niet zien. 'Goedemorgen, Zeinab. Ik zeg net tegen mevrouw Ferry, of Inez, zoals het ons aller voorrecht is haar te mogen noemen: mijn verloofde en ik stappen volgende week zaterdag in het bootje.'

'Welk bootje?'

'Hij bedoelt dat hij gaat trouwen,' zei Inez.

'O, ja? Dezelfde dag als Mort en ik.'

'Dus nu moet ik vanmorgen – ik ben er helemaal mee bezig – eerst een trouwring kopen, en er is er hier vast wel een te vinden. Want waarom zou ik ver zoeken wat ik dichtbij kan vinden, hè?'

'Ik help je wel,' zei Zeinab.

Deze ochtend, zag Inez, droeg ze helemaal geen sieraden, noch een diamant of saffier. Dat moest betekenen dat Morton Phibling en Rowley Woodhouse – als die echt bestond, niemand had hem ooit gezien – allebei de stad uit waren. Ze had al gehoord dat Will Cobbett en zijn vriendin door de bewonersdeur naar buiten gingen en gezien dat ze met boodschappentassen door Star Street naar Edgware Road liepen.

Het meisje hield Wills arm vast en het was duidelijk dat hij daar alleen maar in berustte en passief toestond dat ze haar hand om zijn elleboog legde. Was het in het algemeen zo dat er altijd een is die kust en een die de wang toekeert? Zo was het bij haar en Martin niet geweest. Zou er ooit een dag komen waarop niet meer bijna elke gebeurtenis, ernstig, verontrustend, lachwekkend, alledaags, haar aan hem deed denken?

Na zijn poging om weer bij haar in de gunst te raken was Jeremy Quick niet meer in de winkel gekomen. En in andere opzichten was zijn gedrag ook niet normaal geweest. Zo was hij niet elke dag naar zijn werk gegaan. Hij was wel uitgegaan, maar was ook verschillende keren naar huis teruggekomen en bleef nu 's middags en 's avonds thuis. Terwijl ze in afwachting van klanten door de etalageruit keek en Freddy en Zeinab de voorraad gouden trouwringen bekeken, hoorde ze Jeremy's voetstappen op de trap en meteen daarop de straatdeur die nogal hard werd dichtgegooid. Hij liep de andere kant op, richting Paddington Station of het St Mary's-ziekenhuis of gewoon Hyde Park.

Hij zou op een van de vrije dagen, maandag of dinsdag, naar zijn moeder gaan, nam ze aan, en waarschijnlijk ging hij nu een cadeautje voor haar kopen. Hij was een goede zoon, wat voor tekortkomingen hij verder ook mocht hebben.

'Mag hij deze ringen mee naar boven nemen om ze door Ludmila te laten passen?' vroeg Zeinab haar.

Vijf trouwringen, waaronder een met een liefdesknoop en de gegraveerde tekst ALBERT EN MOIRA, VOOR ALTIJD SAMEN aan de binnenkant, lagen op een juweliersblad van zwart fluweel.

'Die zal ze niet willen,' zei Inez en ze pakte de ring met de tekst op.

'Jammer genoeg,' zei Freddy, 'is het wel de enige die om haar slanke vinger past.'

Jeremy vreesde het ergste maar had toch niet goed naar de oorringen gekeken. Hij verkeerde in de typische gemoedstoestand van een lafaard: je weet sommige dingen niet zeker, maar je kunt je er niet druk om maken. Alleen doe je dat toch wel, maar je blijft hoop koesteren en je weet dat als het door een wonder allemaal toch nog goed komt, het uitstel de moeite waard zal zijn geweest. Uiteindelijk moet je je natuurlijk toch met het probleem in kwestie bezighouden en vlug nagaan hoe het zat. Dat had hij vannacht om één uur eindelijk gedaan. Hij was met ondraaglijke spanning wakker geworden, hij was uit bed gesprongen en had het zakje opengescheurd. Nog steeds had hij een klein beetje hoop. Hij deed zijn ogen dicht, deed ze weer open en telde de briljantjes in het zilverige metaal. Zestien natuurlijk, zestien, niet twintig. Zijn chanteurs – hij was er nu zeker van dat ze met meer dan één waren – hadden net zulke hangers gekocht als hijzelf in Inez' winkel had gelegd. Waarschijnlijk waren die te koop bij iedere goedkope juwelier in het land.

Ze hadden dat natuurlijk gedaan om hem later opnieuw te kunnen afpersen. Misschien niet vandaag, zelfs niet volgende week, maar zo rond 10 of 11 juni kon hij weer een telefoontje verwachten. Hij zou die nacht niet meer kunnen slapen, al was er niets meer gebeurd dan wat hij al had gevreesd vanaf het moment dat hij het pakje van de containerdeksel losmaakte. Toch besefte hij dat dit alles onvermijdelijk was. Hij had net zomin in zijn bed kunnen blijven, net zomin in slaap kunnen blijven zonder dat hij opstond en ging kijken, als dat hij in eerste instantie had kunnen weigeren om op hun eis in te gaan. Hij kon geen kant op, en wat nu met hem gebeurde, was het begin van zijn angst voor het daglicht dat over was en de duisternis die wachtte.

Dit alles ging door hem heen terwijl hij door Star Street liep en naar Sussex Gardens ging. Hij koos een wat langere maar mooiere route naar Oxford Street dan via Edgware Road. Er stonden hier bomen, die al de dichte bladertooi hadden van het voorjaar dat in de zomer overging, en er stonden bloembakken voor de ramen van de huizen in Georgianstijl, en ook voor de stijlvolle kleine pubs. Hij zou nooit naar de gevangenis gaan, hij zou nog eerder zichzelf doden, maar het werd hem zwaar te moede als hij aan zijn moeder dacht, die hem voor altijd kwijt zou zijn.

Hij was hierheen gekomen om het parfum te kopen dat ze wilde hebben. Het heette Tourmaline, naar een of andere halfedelsteen, dacht hij, maar het moest moeilijk zijn om nieuwe namen voor geurtjes te bedenken, want er waren er zoveel op de markt. In Oxford Street, tussen Marble Arch en het Circus, waren vier grote warenhuizen. Het eerste was Selfridges en daar zou hij ook als eerste naartoe gaan.

Het was lang geleden dat hij daar was geweest. Sinds zijn vorige bezoek waren de afdelingen parfumerie en cosmetica veel groter geworden. Hij zou nooit hebben gezegd dat hij goed op de hoogte was van de parfums en cosmetica die vrouwen gebruikten, maar de grote namen kende hij wel. Sommige daarvan waren er nog, maar de merken waarvan hij zich herinnerde dat zijn moeder ze vroeger gebruikte, waren allemaal weg, of als ze er nog waren, zaten ze weggedrukt in een hoekje. Overal waren nieuwe namen. Gefotografeerde vrouwen, meisjes, vast en zeker de mooiste van de wereld, keken hem stralend of pruilend aan vanaf elke wand en zuil. Hun volmaakte huid en glanzende haar lieten hem koud. Hij wilde hen niet kussen en niet doden.

Toch vond hij het interessant. Vrouwen die er heel anders uitzagen dan de modellen van de cosmeticafirma's, liepen rond te kijken of gingen recht op hun doel af, maar hij dwaalde als in een droom door dat mysterieuze warenhuis, zonder te weten waar hij heen ging en zelfs niet meer op zoek naar die nieuwe naam, Tourmaline. De vorige keer dat hij parfum voor zijn moeder had gekocht, had hij in de etalage van een drogisterij aan de kant van Marble Arch van Edgware Road gezien wat hij nodig had. Hij was naar binnen gegaan, had het aangewezen en gezegd dat hij het wilde hebben. Misschien had hij deze keer ook zoiets moeten doen, naar een kleine winkel gaan en de verkoopster een stukje papier met de naam geven.

Tourmaline was nergens te vinden. Hij zou verder gaan door Oxford Street en de volgende winkel ingaan. Ditmaal zou hij ernaar vragen in plaats van rond te dwalen. Hij ging naar de dichtstbijzijnde uitgang, probeerde dat althans, maar zijn weg werd versperd door een menigte jonge vrouwen die naar een meisje stonden te kijken dat op een hoge kruk zat en zich door een schoonheidsspecialiste liet opmaken. Toen hij zich geërgerd een weg tussen hen door baande, kwam hij in een relatief lege ruimte met horloges en sieraden. Verderop zag hij de buitendeur. Maar net toen hij dacht dat hij die deur zonder nieuwe belemmeringen kon bereiken, kwam er een jong en beeldschoon oosters meisje met lang haar voor hem staan. Ze hield een flacon omhoog en vroeg hem of hij die bepaalde geur wilde proberen. Het was een oud parfum, al jaren niet meer in gebruik, maar er waren zoveel verzoeken binnengekomen dat de parfumeur het twee jaar geleden opnieuw had geïntroduceerd.

'Omdat er zoveel vraag naar was,' zei ze met haar verleidelijke, geparfumeerde stem. 'Vroeger heette het Yes, maar dat is ouderwets en dus hebben we het een nieuwe naam gegeven. Wilt u het eens proberen?'

Hij zag de naam in goudkleurige letters zonder hem te lezen. Te laat schudde hij het hoofd en mompelde hij 'Nee, dank u', want ze spoot al een wolk over de handen die hij omhoog had gebracht om haar af te weren. Het parfum had een rampzalige uitwerking op hem. Hij deinsde een stap terug toen het zijn neus belaagde en voelde een aardbeving die door zijn hele lichaam schokte. Hij zou later niet weten wat zijn eerste reactie was geweest, alleen dat hij het uitschreeuwde, een gesmoorde serie woorden, maar daarna kwam de vloer als een lift omhoog. Hij zakte door die vloer alsof die van gelei was, stroperig en lijmerig. De trillende wanden kwamen op hem af en hij verloor het bewustzijn.

Toen hij bijkwam, lag hij op een soort geïmproviseerde brancard en werd hij van de afdeling weggedragen. Door zijn ogen dicht en zijn lichaam stil te houden deed hij alsof hij nog bewusteloos was. Hij wilde niet bijkomen, hij wilde niet praten of ondervraagd worden, het liefst wilde hij dat er op dat moment een eind aan zijn leven kwam en hij aan de lange rust die daarop volgde kon beginnen.

Maar net als in de afgelopen nacht kon hij er niets aan veranderen. De brancard was neergelegd. Hij ging moeizaam overeind zitten, zag dat ze hem naar een kantoor hadden gebracht en de brancard, of wat het ook was, op twee stoelen hadden gelegd. Een man boog zich over hem heen en vroeg of hij een dokter moest bellen. Jeremy zei dat hij geen dokter wilde. Dit overkwam hem wel vaker, loog hij, het was een soort epilepsie. Het was alleen nog nooit in een openbare gelegenheid gebeurd. Hij mankeerde niets. Hij kon nu naar huis gaan. Wilde hij nog iets? Op dat moment bracht een vrouw hem een glas water, en omdat hij plotseling vreselijke dorst had, dronk hij het helemaal op.

'Ik zocht,' zei hij, 'naar een parfum dat Tourmaline heet...'

'Geen punt,' zei de vrouw en ze was binnen twee minuten terug met een rood doosje. De naam stond in goudkleurige letters op de zijkant.

Jeremy betaalde ervoor en vond het goed dat ze een taxi voor hem belden. Toen hij daarin achterover leunde, merkte hij dat hij keer op keer in zichzelf de woorden opzegde van een bordje tegenover hem: GELIEVE NIET TE ROKEN, GELIEVE NIET TE ROKEN. Hij kon daar niet mee ophouden en zei het zelfs hardop tegen de chauffeur toen hij uitstapte.

'Gelieve niet te roken... sorry, ik bedoel, hoeveel is het?'

De man keek hem vreemd aan, misschien omdat hij die frase als een mantra had herhaald, of misschien vanwege de reden waarom de taxi voor hem was gebeld. Mannen vielen niet flauw. Vrouwen misschien wel, maar mannen niet. Waarom was hij flauwgevallen? Hij wist het antwoord daarop, maar hij moest over dit alles nadenken. Hij moest naar zijn dakterras gaan en nadenken.

Tussen het moment waarop hij het parfum had geroken en het moment waarop hij was flauwgevallen, had hij zich niet echt alles herinnerd wat hem ten tijde van zijn vaders overlijden was overkomen, maar de belangrijkste incidenten waren wel in hem opgekomen. Hij had niet het gevoel gehad dat een film versneld was afgedraaid of dat, zoals oude vrouwen graag mochten zeggen, zijn hele leven voor zijn ogen langs was geflitst. Nu hij tussen zijn bloemen zat, onder een stralende blauwe en witte hemel, zag hij zichzelf weer op dertienjarige leeftijd, al erg lang, al duidelijk in de puberteit, met die gehate beugel. Hij ging met zijn moeder naar het ziekenhuis, waar zijn vader in het allerlaatste stadium van longkanker verkeerde. Douglas Gibbons had zijn hele leven lang gerookt, net als zijn vrouw, net als zijn weduwe nog steeds rookte, achter in de zestig en blijkbaar kerngezond. Toen was ze nog jong en overmand door verdriet. Keer op keer zei ze tegen haar zoon dat hij binnenkort het enige was waarvoor ze kon leven.

Ze reageerde steeds heftiger op die ziekenhuisbezoeken, en toen ze weer aan het bed van haar man stonden, die verdoofd was door de morfine, balanceerde ze op de rand van de hysterie. Hij herkende zijn zoon en keek Jeremy met een afschuwelijk vaag glimlachje aan, maar hij scheen zijn vrouw niet meer te herkennen. Zijn ogen, die nog wel zagen maar niets meer begrepen, keken haar vanuit hun donkere diepten verbaasd aan. Blijkbaar wist hij niet wie die vrouw was. Dat was genoeg om een stortvloed van tranen te ontketenen, en nadat ze 'Tot straks' tegen Jeremy had gemompeld, was ze de kamer uitgerend.

Later zou hij zich afvragen of de vrouw die binnenkwam dat ook zou hebben gedaan als zijn moeder er nog was geweest, of ze misschien eerst door het kijkgaatje in de deur had getuurd. Hij herkende haar als een vroegere vriendin van zijn moeder die uit hun leven was verdwenen toen ze twee of drie jaar geleden verhuisde. Ze was tien jaar jonger dan zijn ouders en zag er erg goed uit. In die tijd begon hij oog voor vrouwelijk schoon te krijgen – dat had hij allang niet meer – en hij zag dat de vrouw een goed figuur en kort blond haar had, en lange benen die in een advertentie voor nylonkousen niet zouden misstaan. Sterker nog, haar aanblik trof hem op een manier die hij nooit eerder had meegemaakt, al hoopte hij dat het vaker zou gebeuren. In zijn ogen was ze, hoewel ze minstens vijftien jaar ouder was dan hij, opwindend genoeg. Eerst schonk ze hem geen aandacht. Ze was een meter de kamer ingelopen, zag zijn vader en hield haar adem in. Hij meende haar te horen mompelen: 'O, god.' Toen ging ze langzaam naar het bed en viel op haar knieën, pakte zijn hand vast en bedekte die met kussen. Jeremy zou er net zo goed niet kunnen zijn, of hij zou een rolstoel of een opgevouwen sprei kunnen zijn, zo weinig nota nam ze van hem. Zijn vader keek haar aan met zoveel liefde dat zelfs Jeremy, jong als hij was, het zag. Hij zag het wel, maar begreep het niet. Hij was in de war, wist niet waar hij getuige van was, onderging droomachtige gevoelens. Hij begreep niet langs welke mystieke of bovennatuurlijke weg hij in deze situatie verzeild was geraakt.

'Tess,' zei zijn vader met zijn krakende fluisterstem. 'Tess,' en toen, met enorm veel moeite: 'Geweldig dat je er bent.' Zelfs die paar woorden vergden al zijn kracht en hij hield zijn adem in en sloot zijn ogen.

Na al deze mijmeringen keerde Jeremy tot de realiteit in Star Street terug. Hij stond op, strekte zijn benen en rekte zijn armen boven zijn hoofd uit. Hij ging naar binnen en schonk zich een stevige gin-tonic in. Het eerste slokje nam hij voordat hij naar het dakterras terugkeerde. Als je bedacht hoe geweldig dat eerste slokje smaakte, hoe het je opbeurde, hoe het je energie en een soort inspiratie gaf, was het moeilijk om alcoholisme te begrijpen, want niets wat daarna kwam, bezat dezelfde intensiteit en pure opwinding als dat eerste slokje.

Hij stond op het dak en keek naar Inez' tuin en de tuin daarachter. Alles was nu weelderig groen. Een struik zat vol met grote sneeuwwitte bracteeën, een andere herkende hij als een sering. Het huis waartoe de tuin behoorde, moest in St Michael's Street staan. Door een bovenraam keek een gebronsd gezicht dat hij vaag kende – waarvan? – naar hem terug om vervolgens weg te lopen.

Hij ging weer zitten, kon de gedachte aan Tess en zijn vader niet uit zijn hoofd zetten. Er was iets wonderlijks aan teruggevonden herinneringen, iets waarin hij vroeger nooit had geloofd. In dat verleden speelde zich een ander leven af. Wat deze herinneringen betrof, had hij jaren geslapen, maar nu wist hij opeens alles weer, en dat kwam door dat parfum.

Ze was misschien een halfuur aan het bed van zijn vader blijven zitten, bijna zonder iets te zeggen. Ze hadden elkaar alleen maar in de ogen gekeken. Op haar gezicht tekenden zich wanhoop en hunkering af, op dat van zijn vader een verschrikkelijke vermoeidheid en een hopeloos verlangen.

'Zal ik nu gaan?' had hij gevraagd. Hij was te jong om iets anders dan verlegen te kunnen zijn.

'Alex,' zei zijn vader, want zo noemde hij hem altijd. 'Blijf. Blijf en breng Tess naar huis. Ik zal me beter voelen als ze jou heeft om voor haar te zorgen.'

Hij voor haar zorgen? Op zijn dertiende? Maar hij bleef en toen viel Douglas Gibbons eindelijk in slaap. Jeremy zou hem nooit meer zien. Hij keek Tess aan en zij hem, en ze knikten tegelijk. Hij glimlachte niet, hield zijn lippen op elkaar vanwege die beugel. Uiteindelijk was zij het die hem naar haar huis terugbracht, want ze was met de auto. Ze woonde in een huis aan de rand van de stad. Bij zichzelf noemde hij het een 'klein rothuisje', want hij was een snob, zoals de meeste kinderen tot op zekere hoogte zijn.

Ze vroeg hem of hij thee of koffie wilde, maar even later kwam ze met sherry binnen, glanzend, bruin en zoet. Hij had het nooit eerder gedronken en het steeg meteen naar zijn hoofd. Toen lette hij pas goed op haar benen, en plotseling zag hij dat ze heel anders waren dan mannenbenen, zoals haar borsten (waar hij bijna niet naar durfde te kijken) iets waren wat geen enkele man had. Ze praatte tegen hem op een manier waarvan hij later, toen hij ouder was, zou hebben ingezien dat ze het niet had moeten doen. Het was of ze vergeten was dat Douglas Gibbons, haar minnaar, zijn vader was en dat hij, als hij bij haar wegging, terug zou gaan naar Douglas Gibbons' vrouw, zijn moeder. Ze vertelde hem dat ze hartstochtelijk verliefd waren en dat zijn vader zijn vrouw voor haar zou hebben verlaten als hij niet ziek was geworden. Ze sprak in nauwelijks versluierde termen over hun liefdesspel, hoe geweldig dat was geweest. Opnieuw voelde hij zich in verlegenheid gebracht, maar er was ook nog iets anders. Die verwijzingen naar de liefdesdaad gaven hem een opgewonden gevoel.

Na een tijdje, toen ze nog een sherry had gedronken, zei ze dat ze naar boven ging om andere kleren aan te trekken. Haar rok was te strak en haar schoenen deden pijn aan haar voeten. Ze bleef een hele tijd weg en op een gegeven moment wist hij niet wat hij moest doen, naar huis gaan, of naar haar roepen, misschien was ze in slaap gevallen. Opeens riep ze hem.

'Kun je even boven komen?'

Er hing een geur van parfum in haar slaapkamer. Dat moest het bewuste parfum zijn geweest, en toen het zo sterk tot hem doordrong, besefte hij dat ze die geur ook had verspreid toen ze naar het bed van zijn vader was gegaan en naast hem was neergeknield. Ze lag in bed, onder een gewatteerde deken die ze tot aan haar kin had opgetrokken.

'Ik was zo moe,' zei ze. 'Ik was helemaal op.'

Hij ging bij haar staan. Ze reikte naar zijn hand en toen ze rechtop ging zitten, viel de deken van haar schouders weg, zodat hij haar naakte borsten kon zien. De warmte trok naar zijn gezicht en hals en hij wist dat hij rood als een biet werd. Hij durfde niet naar haar borsten te kijken en toch kon hij zijn blik daar niet van wegnemen.

'Je blijft toch bij me?' zei ze. 'Ik ben zo eenzaam. Van nu af zal ik altijd eenzaam zijn.' Ze bedoelde, omdat zijn vader op sterven lag, maar zelfs die woorden konden zijn opwinding niet wegnemen. 'Je lijkt op Douglas. Hij moet er ongeveer zoals jij hebben uitgezien toen hij jong was. Behalve die afschuwelijke beugel.'

Hij knikte, blozend, zijn mond stijf dicht.

'Wat ik echt graag zou willen,' zei ze, 'is dat jij bij me in bed komt en je armen om me heen slaat. Eventjes maar. Wil je dat doen?'

Hij was zo groen, zo naïef, dat hij dacht dat ze bedoelde dat hij bij haar in bed moest stappen zoals hij was, in zijn grijze broek en groen geruite overhemd en schoolblazer. Zelfs met al die kleren stelde hij zich voor hoe haar borsten zouden aanvoelen als ze tegen hem aan werden gedrukt.

'O, lieveling,' zei ze met de stem die ze bij zijn vader had gebruikt. 'Kleed je toch uit.' Ze giechelde. 'Ik zal niet kijken.'

Het was belachelijk, tenminste, dat was het achteraf. Hij ging achter de kaptafel staan, achter de spiegel, trok zijn kleren uit en hulde zich in haar ochtendjas, die over een stoel had gehangen. Op dat moment dacht hij nog steeds dat ze alleen maar door hem vastgehouden en getroost wilde worden, en hij schaamde zich voor zijn erectie, die nauwelijks onder de dunne ochtendjas verborgen bleef. Ze hield haar handen over haar ogen en hij rende naar het bed en stapte er naast haar in.

Ze begon zijn lichaam te strelen. Later zou hij begrijpen dat ze daar erg handig in was. Ze raakte zijn penis aan en hield hem vast en zei dat hij geweldig was. Jeremy had nog nooit iemand op die manier gekust en hij ontdekte nu dat kussen een openbaring was, veel meer dan lippen die tegen elkaar aan kwamen. Haar tong streek over de gehate beugel en hij vond het niet erg. Toen fluisterde ze – later zou blijken dat het onverstandig van haar was – op een zachte, vertrouwelijke manier: 'Je zegt het toch niet tegen je moeder? Ik bedoel, van ons zou het nog niet zo erg zijn, maar van mij en je vader.'

Ze was op hem gaan liggen, misschien omdat ze – met reden – bang was dat hij zonder hulp en aanmoediging niet zou weten wat hij moest doen. Maar toen ze dat zei, toen ze die fatale woorden gebruikte, dacht hij aan zijn moeder, die thuis op hem wachtte, die al om zijn vader rouwde, die zijn vader waarschijnlijk vertrouwde en in elk geval met heel haar hart van hem hield, en zijn erectie verzwakte en verslapte, zodat zijn penis een verkreukeld klein ding werd, opgerold tussen zijn buik en de hare.

'O, lieveling,' zei ze, 'wat is er met jou gebeurd?' Ze begon zijn penis te kneden en te kussen, en toen de deken wegviel en hem niet meer bedekte, maakten zich zo'n schaamte en verontwaardiging van hem meester dat hij dacht dat hij zou sterven als hij daar bleef liggen. Hij duwde haar ruw van zich af en sprong uit het bed.

'Geloof me,' zei ze en ze stak haar hand naar hem uit. 'Ik weet hier wel raad op. Ontspan je nou maar en laat het aan mij over.' Ze begon te lachen, keek naar hem en wees. Ze schaterde het uit. 'Eigenlijk ben je nogal jong, dat je zoiets overkomt. Ik zou hebben gedacht dat op jouw leeftijd, zeker de eerste keer...'

Hij wachtte niet af wat op zijn leeftijd niet zou moeten gebeuren en wat ze ervan dacht. De geur kwam als een golf tegen hem aan, vrijgekomen doordat de dekens los kwamen. Hij drukte zijn kleren tegen zijn lichaam, want zoals hij zich voor zijn erectie had geschaamd, zo schaamde hij zich nu dubbel voor het gebrek daaraan. De badkamerdeur stond open en hij rende naar binnen en kon nog net bij de toiletpot komen voordat hij overgaf.

Hij kon geen afscheid van haar nemen; hij zou nooit meer iets tegen haar kunnen zeggen. Hij kleedde zich aan, ging naar beneden, ging naar buiten. Ze was natuurlijk van plan geweest hem naar huis te rijden – hij was te onervaren om zich de regeling voor te stellen die ze ook met hem had willen treffen – maar hij was afhankelijk van de bus, en die liet een hele tijd op zich wachten en stond toen het grootste deel van de terugweg naar zijn dorp in een file. Terwijl hij in die bus zat, dacht hij aan wat er gebeurd was, en voorzover hij wist, was dat de laatste keer dat hij eraan dacht of het zich herinnerde. Tot vandaag.

Als de onbewuste wil maar sterk genoeg is, begraaft de geest ervaringen. Hoe ernstig de wond ook is, er groeit littekenweefsel overheen en dat gaat nooit meer weg. Maar de geur die dat meisje zo royaal over hem heen had gestoven, had alles weer blootgelegd. Dat was zo pijnlijk geweest dat hij zelfs even het bewustzijn had verloren.

Hij had het allemaal opnieuw ontdekt, en nu wist hij het. Hij wist dat haar woorden en haar lach, zijn falen en zijn schaamte, zo'n stempel op hem hadden gedrukt dat zijn leven toen volkomen was veranderd en hij in meer dan een nieuwe levensfase was gekomen: een nieuwe wereld. Zoals hij op die ochtend in een andere wereld was gekomen, weer een andere, toen hij die geur rook, die zo'n dertig jaar voor hem verborgen was gebleven.

Toen hij daaraan dacht – hij zou er voortaan altijd aan kunnen denken – begreep hij waarom ze altijd voor hem liepen en hij achter hen liep wanneer de aandrang om die meisjes te doden hem te pakken kreeg. Het kwam door de geur die ze verspreidden. Ze gebruikten allemaal het parfum dat zij had gebruikt, ooit een populair parfum, toen lange tijd niet gemaakt, maar twee jaar geleden weer geïntroduceerd. En als ze over straat liepen, bleef die geur in de lucht achter hen hangen, delicaat of juist heel sterk. En dan werd hij erdoor verstrikt, gevangen. Dan werd er iets in hem wakker geroepen en werd hij tot afschuwelijke dingen gedreven.

Zou hij, nu hij het wist, ermee ophouden?

– 25 –

Omdat ze er geen gewoonte van wilde maken om elke feestdag bij haar zus en zwager te zitten, besloot Inez deze keer naar de bioscoop te gaan en 's avonds thuis naar een Forsyth-video te kijken als tegengif voor de film, die waarschijnlijk een teleurstelling zou zijn. Wat een negatieve levenshouding, zei ze tegen zichzelf, maar ze hield zich aan haar plan. Westminster en het West End zouden vol dagjesmensen zijn die naar de viering van het Jubilee, het vijftigjarig regeringsjubileum van de koningin, kwamen kijken, dus daar kon ze beter niet heen gaan. Ze ging naar de Screen in Baker Street. Er daalde een hardnekkige somberheid over haar neer toen ze bedacht dat er dit jaar twee feestdagen achter elkaar zouden komen, een verschijnsel dat zich in de Britse geschiedenis nog niet eerder had voorgedaan.

Op het eiland Man was het zonnig maar koud. Freddy en Ludmila maakten elke dag een bustocht. Ze gingen niet naar mooie plekjes, bezochten geen musea, kerken en grote huizen, meden stranden en kwamen alleen van hun stoel om te winkelen of enorme maaltijden in de sfeer van pizza's, hamburgers en patat tot zich te nemen. Freddy had iedereen die ze tegenkwamen verteld dat hij en Ludmila pasgetrouwd waren, en dat maakte hen immens populair. Zoals Freddy later zou zeggen, hoefde hij bijna nooit zelf voor een drankje te betalen, maar zijn bruid vond dat het belachelijk was wanneer je zo vaak getrouwd was als zij, en wie weet hoeveel echtgenoten ze nog zou hebben?

Algy ging met Zeinab en de kinderen en mevrouw Sharif naar de Mall om de koningin en haar familie op het paleisbalkon te zien staan. Reem Sharif was erg patriottisch en monarchistisch en huilde overdadig achter haar verrekijker toen het volkslied werd gezongen. Algy was verbaasd. Hij had haar nooit eerder zien huilen. In dezelfde menigte, niet ver van hen vandaan, stonden Anwar Ghosh, Keefer, Julitta en Flint. Anwar herkende Zeinab, maar liet dat niet blijken. Hij was druk bezig zijn eigen zwarte sjaal om Julitta's hals te wikkelen om de diamanten hanger aan het oog te onttrekken.

'Wat doe jij nou?' schreeuwde Julitta hem toe. 'Ik heb het al zo heet. Ik krijg verdomme geen lucht meer.'

'Het meisje van wie hij is, staat daar.'

'Wat? Waar?'

'Opgeslokt door de menigte,' zei Anwar.

'Stomme trut, ik zei toch dat je hem niet moest dragen?' zei Flint.

'Na vandaag doet ze dat ook niet meer.' Anwar tuurde nog in de menigte, op zoek naar Zeinab. 'Morgen verpats ik hem.'

Hij klonk zelfverzekerd, maar in werkelijkheid vroeg hij zich af of de man die hij in Clerkenwell kende het ding zou willen aanraken. Ze hadden nooit zoiets kostbaars moeten meenemen. Nou ja, dat was afwachten. Nu moesten ze van dit moment genieten. Hij geloofde dat je in het hier en nu moest leven, en als hij een motto zou moeten kiezen, zou het 'Pluk de dag' zijn. Ze hadden met zijn vieren al veel van Jeremy Quicks geld uitgegeven en waren van plan er nog meer van uit te geven in cafés en daarna in clubs en restaurants, zodra Julitta de door haar aanbeden prins William had gezien.

Op vrijdag ging James met Becky uit eten. Hij ging met haar mee terug en bracht de nacht in Gloucester Avenue door. Hoewel ze hem dagen van tevoren had gewaarschuwd dat Will op maandag, de vrije dag, zou komen, was hij dat helemaal vergeten. Hij bleef maandagmorgen in bed liggen en stond onder de douche toen Will kwam. Zoals hij later op de dag tegen Becky mompelde, zou hij meteen naar huis zijn gegaan, als hij zijn appartement niet had uitgeleend aan een paar vrienden die uit het noorden waren gekomen om het koninklijke jubileum mee te maken.

Zijn gedrag in Wills bijzijn – hem negeren, mokken, zich in het cryptogram verdiepen, tegen Becky klagen wanneer hij maar even met haar alleen was – had haar vanaf het begin gestoord. Maar tot nu toe had Will zich in zijn gezelschap ongeveer zo gedragen als wanneer hij en Becky met zijn tweeën of bij Kim waren. Maar op die maandag zag ze een verandering. Natuurlijk was het waar dat Will anders was sinds hij op jacht naar de schat was geweest en een nacht in een politiecel had doorgebracht, angstiger, minder spraakzaam, en als hij al sprak, zei hij vreemdere dingen dan vroeger. Dit was iets nieuws. De televisie stond uiteraard aan, en hij begon nu iets te doen wat Becky hem nooit eerder had zien doen: hij gebruikte de afstandsbediening om heen en weer te zappen tussen de zenders. Bij wijze van uitzondering toonde James juist enige belangstelling voor het scherm. In de hele maand juni werden de wereldkampioenschappen gehouden, en hoewel er op dat moment geen wedstrijd aan de gang was, gingen de programma's gewoon door: commentaren op al gespeelde wedstrijden, of bepaalde teams in vorm waren of niet, of die-en-die speler van een blessure was hersteld. Voetbal, zei iemand, was belangrijker dan het koninklijk jubileum en veel belangrijker dan een dreigende oorlog tussen India en Pakistan. Maar niet voor Will, die liever naar kinderprogramma's en spelletjes keek, en die, juist wanneer James belangstelling toonde voor beelden van Britse doelpunten of zich op Beckhams geblesseerde voet concentreerde, naar een Tom en Jerry-tekenfilm zapte.

Becky, die dat zag, dacht eerst dat het per ongeluk was, dat Will zich niet van James' voorkeur bewust was en zich met het typische egocentrisme van een kind gedroeg. Maar toen ze wat langer dan gewoonlijk bij hen in de kamer bleef, zag ze dat het niet zo was. Will deed het expres om James te ergeren. Hij gaf James de afstandsbediening, pakte hem dan terug en zette de televisie weer op zijn lievelingszender. Van tijd tot tijd wierp hij een geniepige blik op James, keek voldaan naar diens ergernis, en Becky begreep dat er tot nu toe iets voor haar verborgen was gebleven. Ze had als vanzelfsprekend aangenomen dat mensen met 'andere begaafdheden', om het maar eens politiek correct uit te drukken, volkomen eerlijk en zuiver waren en dat hun handicap hand in hand ging met een goede inborst. Ze waren de heilige idioten uit de negentiende-eeuwse Russische romans, die hun gebrek aan intellect compenseerden met een hoogstaand karakter. Dat was niet zo. Will had dezelfde jaloezie en rancune, hetzelfde verlangen naar wraak, als ieder ander, maar bij hem waren die eigenschappen openlijk zichtbaar omdat hij een kind in een mannenlichaam was. Hij keek zo triomfantelijk als een kind. Toen James eindelijk zijn geduld verloor, de *Radio Times* neergooide en de kamer uit liep, zat Will te schudden van het lachen op de bank.

Jeremy haalde de auto op zondagavond uit de garage in de Mews en parkeerde hem langs de gele streep in St Michael's Street, zoals hij in het weekend en op feestdagen mocht doen. Van alle bewoners van de straat was Anwar Ghosh waarschijnlijk de enige die om halfacht 's morgens al op was. Hij dronk een mok chocolademelk – hij was nog niet naar bed geweest – en was de enige die zag dat Jeremy zijn auto openmaakte, een groot boeket bloemen, een fles champagne, een pakje met een boek of een doos bonbons en een gele draagtas van Selfridges op de achterbank legde en wegreed.

Jeremy was vroeg op weg gegaan. Hij ging naar zijn moeder. Hij had altijd al zielsveel van haar gehouden, maar sinds zijn ervaring van zaterdag dacht hij steeds meer aan haar en inmiddels beheerste ze zijn gedachten volkomen. Hij kon zich onmogelijk in haar verplaatsen, want hij had nooit geprobeerd vrouwen te begrijpen en het was nu te laat om daarmee te beginnen. Had ze ooit van zijn vader en Tess – haar achternaam kon hij zich nog steeds niet herinneren – geweten of was er nooit iets van de verhouding tot haar doorgedrongen? Als ze het had geweten, hoe erg had ze het dan gevonden? Misschien had ze het geweten maar had ze het stil willen houden, omdat ze bang was dat haar man haar zou verlaten als het allemaal bekend werd. Jeremy kon het haar nooit vragen, kon het onderwerp niet eens ter sprake brengen. Hij kon alleen maar hopen dat ze het nooit had geweten of dat de tijd haar geheugen had aangetast, zoals de jaren ook de hartstocht en de jaloezie en de vernedering wegnamen. Was dat wel zo? Hij had het ergens gelezen, maar hij wist het niet zeker.

Toen hij over de snelweg reed, die bijna leeg was omdat iedereen voor het Jubilee in het centrum van Londen was, dacht hij weer aan Tess en haar slaapkamer en zijn ontsnapping daaruit en die allesoverheersende geur. Hij kon daar nu aan denken zonder zich vernederd te voelen, zonder schaamte en zelfkastijding. Hij was een kind geweest en ze had hem op een onvergeeflijke manier misbruikt. Op dit moment maakte hij zich vooral zorgen over de gevolgen van die onmiddellijk begraven ervaring. Het verlangen om Tess te doden, de woede die op zijn mislukking en haar openlijk plezier daarom was gevolgd, waren natuurlijk tegelijk met die ervaring begraven, om daarna telkens weer op te duiken, niet wanneer hij een vrouw als zij zag, of een vrouw van ongeveer dezelfde leeftijd of met benen als zij, maar wanneer hij achter een vrouw liep en een zweem van dat onmiskenbare parfum opving. En nu herinnerde hij zich wat het meisje dat hem had bestoven had gezegd, dat het een oud parfum was maar dat het merk weer werd verkocht 'omdat er zoveel vraag naar was'. Ze had ook gezegd dat het Yes had geheten maar kortgeleden een nieuwe naam had gekregen.

Die meisjes die hij had gedood, hadden het allemaal gebruikt. Misschien had Gaynor Ray de oude versie nog gebruikt, gekocht in een winkel in een achteraf gelegen straat, maar de anderen, zijn latere slachtoffers, hadden het opnieuw uitgebrachte merk gebruikt omdat het weer in de mode was gekomen. Dit was de oplossing van het raadsel waarom hij in al die jaren, vanaf de tijd dat hij een tiener was tot aan de tijd dat hij midden veertig was, nooit in de verleiding was gekomen om te moorden. Het parfum was er in die jaren niet geweest. Het was van de markt gehaald, bijna alsof – wat vergezocht, wat belachelijk! – de fabrikanten aanvoelden dat het een dodelijke uitwerking kon hebben.

Als hij achter die vrouwen liep en het parfum rook, dat parfum dat alleen waarneembaar was voor iemand met een erg goed reukvermogen, kwam blijkbaar meteen die wraakzuchtige woede weer bij hem op. Die woede ging alleen weg als hij een van hen doodde, in plaats van Tess. Op een macabere manier vond hij het grappig dat hij niet eens wist hoe het parfum heette. Hij dacht dat hij nu alles wist, behalve de naam van het product dat hem liet moorden.

Toen Will vroeg of hij mocht blijven slapen, zei James dat hij naar huis ging. Zijn vrienden vertrokken die avond en als hij thuiskwam, zouden ze al weg zijn. Toen hij aanstalten maakte om weg te gaan, ging Will niet zover dat hij juichte of 'goed' zei, maar zijn tevreden glimlach sprak boekdelen. Becky was van plan geweest met hen beiden uit eten te gaan en vroeg zich af waar ze het soort eten hadden dat haar neef lekker vond en dat toch acceptabel was voor haar minnaar, maar nu was dat van de baan en konden zij en Will naar een Café Rouge of zelfs een McDonald's gaan. Als James veertien dagen eerder zijn spullen had gepakt en was weggelopen, als hij toen bij zijn vertrek niets tegen Will had gezegd en haar niet meer dan een kus op de wang had gegeven en een koud 'Nou, tot ziens dan' had gezegd, zou ze erg van streek zijn geweest. Maar nu was ze vooral opgelucht, en als ze na James' vertrek haar toevlucht tot de ginfles nam, was dat alleen maar uit gewoonte. Een avond leek haar tegenwoordig niet meer compleet zonder een paar slokken sterkedrank om zich voor te bereiden op wat haar nog te wachten stond.

Als Becky niet voor hem ging koken – dat zou voor de tweede keer die dag zijn geweest – wilde Will naar een fish & chips-restaurant waar ze al eens eerder met hem was geweest. Doordat James was weggegaan en Becky akkoord was gegaan met zijn voorstel om tot dinsdag te blijven, verkeerde hij in een uitbundige stemming, en natuurlijk deed hij geen enkele poging om dat verborgen te houden.

'Ik mag hem niet,' zei hij toen hij in haar auto stapte. 'Hij is niet aardig. Mag hij nu niet meer bij je komen?'

'Dat kan ik niet beloven, Will.'

'Hij mokt. Monty zegt dat mokken verkeerd is. Je kunt beter kwaad worden en schreeuwen dan mokken, zegt hij.' Will praatte altijd over het kindertehuis en het personeel daar alsof hij er nog was en ze hem nog steeds dat soort adviezen gaven. 'Waarom is wat hij op de tv wil zien beter dan wat ik wil?'

Daar was geen antwoord op te geven. Wat zou ze tegen een jongen van tien hebben gezegd als die dezelfde vraag had gesteld? Omdat hij volwassen is en jij een kind bent, dat zou voor een echt kind bijna onaanvaardbaar zijn en tegen Will kon je zoiets natuurlijk helemaal niet zeggen. James had moeten toegeven, vond ze, hij had de wijste moeten zijn. Per slot van rekening was Will er maar één keer per week; nou ja, deze week twee keer. Bij die gedachte ging er een huivering door haar heen, al wist ze niet waarom. Als gevolg van dit alles had ze een zekere afkeer van hen beiden gekregen, maar voor Will had ze ook begrip, terwijl James... Haar gevoelens voor hem waren aan het slinken. Telkens als ze bij elkaar waren, voelde ze weer een beetje minder voor hem. Binnenkort, dacht ze terwijl zij en Will naar een tafel werden gebracht, was er niets meer over van wat ze ooit met hem had gehad.

Opgewonden door de baklucht die uit de keuken van het restaurant kwam, deed Will zijn best om het menu te ontcijferen, dat gelukkig beperkt was. Hij twijfelde tussen schol en zeebaars. Ze bestelde een cola voor hem. Als het restaurant niet redelijk stijlvol was geweest, zou ze niet gegaan zijn, al had Will haar nog zo gesmeekt. Voor zichzelf vroeg ze om een groot glas witte wijn.

'O wat een mooie dingen! Je bent zo goed voor me, lieveling.'

Dat zei Jeremy's moeder toen ze de bloemen in maar liefst drie vazen schikte, de bonbons uitpakte en het flesje Tourmaline uit het gele zakje nam. Jeremy koesterde zich in haar goedkeuring en voelde zich voor het eerst gelukkig sinds hij werd gechanteerd. Zijn moeder gaf hem een van zijn lievelingslunches, een soort picknick uit een Ascot-Glyndebournemand. Het was een lunch zoals ze hem zelden aanbood en hij zelden kreeg: gerookte zalm, wildpastei met salade en aardbeien met slagroom. Ze stond erop dat ze champagne dronken.

Na de lunch week ze weer van de norm af door over zijn vader te praten. Toen ze een fotoalbum tevoorschijn haalde waarvan hij zich niet kon herinneren dat hij het eerder had gezien, bedacht hij dat het jaren geleden moest zijn geweest dat ze zelfs maar Douglas Gibbons' naam had genoemd. Was dat vreemd voor een bejaarde weduwe? Of zou in elk lang leven een partner met wie je niet meer dan vijftien jaar samen was geweest geleidelijk vervagen? Was zo iemand, die ooit een grote rol in je leven speelde, op een gegeven moment gewoon niet belangrijk meer?

Jeremy werd geconfronteerd met foto's van zichzelf toen hij elf en twaalf en, de voor hem zo noodlottige leeftijd, dertien was. In zijn oudere ogen zag zijn jongere editie eruit als wat hij inderdaad was geweest, een uitzonderlijk lange schooljongen met het onbeproefde, onervaren gezicht en de onschuldige ogen van een schooljongen. De jongen lachte niet, want dan zag je zijn gehate beugel. Wat had Tess in hem gezien dat ze hem seksueel aantrekkelijk vond? Het gezicht van zijn vader? Hij kon dat alles tamelijk rustig door zijn hoofd laten gaan, maar toen zag hij haar plotseling voor zich. Daar was ze, op de volgende foto, samen met zijn ouders en een man die misschien de man was van wie ze was gescheiden, en twee mensen van wie Jeremy zich meende te herinneren dat het buren waren. Zijn kalmte was weg en hij kon zich bijna niet inhouden. Onwillekeurig sloot hij zijn ogen voor dat al te scherpe beeld van haar. Maar op datzelfde moment – hij geloofde dat het zuiver toeval was – nam zijn moeder het album op haar eigen schoot en deed het dicht.

'Jullie jonge mensen,' zei ze, 'vinden oude foto's een beetje saai, hè?'

Dat sprak hij onmiddellijk tegen. 'Helemaal niet, helemaal niet. Het is erg lang geleden dat ik een foto van papa heb gezien.'

Eigenlijk zou hij 'mijn vader' willen zeggen, maar hij kon dat 'papa' uitbrengen omdat hij dacht dat ze het op prijs zou stellen. Als dat zo was, liet ze daar niets van blijken. Ze zuchtte, ongeveer zoals hij Inez Ferry had horen zuchten, niet van pijn of wanhoop maar van eenzaamheid, dacht hij. Toch glimlachte ze naar hem en zei: 'Je vader was een goede echtgenoot.' En toen bedierf ze het met: 'Over het geheel genomen.'

Hij was geschokt en was plotseling bang voor wat ze nog meer zou zeggen. Wat zou hij doen als ze het allemaal vertelde, over Tess en misschien – wat afschuwelijk – andere vrouwen voor Tess? Maar hij wist algauw dat hij daar niet bang voor hoefde te zijn. Als de foto's haar aan iets in het bijzonder hadden herinnerd, was dat waarschijnlijk niet de ontrouw van haar man. Toen zaaide ze weer een beetje twijfel bij hem.

'Weet je, lieveling, in mijn jeugd is me geleerd dat ik niet te veel van een man moest verwachten. Ze zeiden dat mannen in sommige opzichten altijd een kind blijven... jij niet, natuurlijk, jij bent heel anders. Mijn moeder zei altijd dat als een vrouw iets wilde ze moest praten en overtuigen en... nou ja, intrigeren, om het te krijgen, maar als een man iets wilde, nam hij het gewoon omdat het hem toekwam. En over het geheel genomen is dat ook mijn ervaring geweest, denk ik.'

Hij durfde niet te vragen wat ze daarmee bedoelde, maar hij hield er het gevoel aan over dat zijn vader alles pakte waarvan hij meende dat het hem toekwam, inclusief vrouwen.

Na die filosofische uitweiding sprak ze niet meer over zijn vader maar begon ze weer de bloemen en de bonbons te prijzen. Het was een mooie zonnige dag, heel anders dan wat er voorspeld was, en ze gingen een eindje wandelen over de landweggetjes en namen een voetpad door de weilanden naar de kerk, om ten slotte door een bos en over een andere landweg terug te keren. Hij had die wandeling wel duizend keer gemaakt, als kind met zijn moeder, later alleen of met vrienden, maar hij zag alles nu met nieuwe ogen en vroeg zich af of zijn vader Tess ooit had ontmoet in dit bos. Achteraf leek ze hem het soort vrouw dat van seks in de openlucht zou genieten, vooral wanneer daar een zeker risico aan verbonden was. Maar Tess' huis had hier minstens vijftien kilometer vandaan gestaan en dit bos lag zo dicht bij het huis van zijn moeder dat het veel te gevaarlijk zou zijn geweest...

's Avonds aten ze soep en koude kip, en even voor acht uur vertrok Jeremy. Het zou niet druk zijn, dacht hij, want iedereen zou pas de volgende middag naar Londen terugkeren. Maar hij vergiste zich en stond algauw in de file. Hij was van plan geweest de auto naar Chetwynd Mews terug te brengen en met de metro of een taxi naar Paddington te gaan, maar het was al elf uur geweest toen hij de buitenwijken van Londen bereikte. Hij reed regelrecht naar Edgware Road en zette de auto weer langs een gele streep, ditmaal in Praed Street.

Bij Inez brandde nog licht. Toen hij de trap opging, had hij opeens behoefte aan gezelschap. De hele rit naar huis had hij zich onzeker, bedreigd gevoeld. Er was een nieuwe week begonnen en in die week, misschien woensdag, misschien later, zouden die mensen – dat meisje – hem weer bellen en om meer geld vragen. Hij had nog meer geld, redelijk veel, maar wat weerhield hen ervan om te blijven aandringen en door te gaan tot hij helemaal niets meer had? Zonder zich af te vragen waarom hij opeens niet meer genoeg had aan zijn eigen gezelschap, klopte hij op Inez' deur. Ze hoorde het niet of wilde het niet horen en hij klopte opnieuw. Ze sprak hem niet door de intercom toe, maar bleef achter de deur staan om door het kijkgaatje te turen. Toen maakte ze de deur open, al keek ze allesbehalve gastvrij.

'Ik kom net terug van mijn moeder,' zei hij. 'Er zijn veel jongeren op straat.' Dat was niet zo. 'En toen ik zag dat er nog zo laat licht bij je brandde, vroeg ik me af of je last van ze had.'

'Nee. Het is een heel rustige avond geweest.'

'Mag ik binnenkomen?'

Hoewel aan haar gezicht te zien was dat ze dat liever niet had, zei ze, op nogal koele toon: 'Ja, natuurlijk.'

Ze had de televisie uitgezet, maar had de videocassette met de afbeelding van wijlen haar man niet weggestopt. Het is voor haar bijna een zonde, dacht hij woedend, haar soort pornografie. Al zijn verlangen naar gezelschap, welk gezelschap dan ook, werd weggevaagd door zijn woede omdat ze hem zo ijzig ontving. In plaats van te gaan zitten bleef hij midden in de kamer staan en gaf hij oppervlakkige antwoorden toen ze hem naar zijn moeder en de drukte op de weg vroeg. Ze bood hem niets te drinken aan, maar zei: 'Nou, als ik niets voor je kan doen... Ik stond net op het punt om naar bed te gaan.'

Leugenaar, dacht hij, ik wed dat je met jezelf zat te spelen terwijl je naar beelden van een dode keek. Necrofiel. Plotseling walgde hij van al zijn huisgenoten, van die idioot en die gekke Russische vrouw, van die debiel naast hem en zijn vriendin, die al net zo achterlijk was als hij, en vooral van Inez. Hij had haar graag vermoord, haar gewurgd in haar eigen huiskamer terwijl ergens in de verte een klok middernacht sloeg, maar dat was onmogelijk. Hij wist dat hij het niet kon. Ze was onschendbaar, zoals iedere vrouw, tenzij ze voor hem liep en een zweem van die naamloze geur achterliet. En misschien waren zelfs die vrouwen nu aan hem ontsnapt doordat hij het raadsel had opgelost en wist waar zijn moorddadige gevoelens vandaan kwamen. Hij had hen gedood omdat hij er niets aan kon doen, omdat een geur en een herinnering hem ertoe dreven, maar hij had geen spijt. Hij was blij, omdat hij hen haatte, hen allemaal.

'Welterusten,' zei hij tegen Inez en zijn stem klonk hem schor in zijn eigen oren. 'Ik wilde alleen even vragen of alles goed met je was.'

'Ja, dank je. Er is niets aan de hand. Welterusten.'

De deur ging net iets vlugger achter hem dicht dan beleefd was. Als dit alles voorbij was, en hij misschien al zijn spaargeld aan dat meisje in dat zwarte ding had betaald, en als hij dan nog veilig was, zou hij dit dubbelleven misschien helemaal opgeven en naar huis gaan en de rest van haar leven bij zijn moeder gaan wonen. Waarom niet? Hij hield van haar en zij hield van hem. Ze was de enige met wie hij veel tijd kon doorbrengen zonder dat hij zich verveelde of zich ging ergeren.

Inmiddels zou hij moe moeten zijn, maar hij betwijfelde of hij kon slapen. Hij schonk zich het drankje in dat Inez hem niet had gegeven en ging zitten om ervan te genieten, maar omdat het bepaald niet zijn eerste glas van deze dag was, had het niet de heerlijke uitwerking van een gin-tonic die hij bijvoorbeeld in het begin van de middag nam. De krant lag in maagdelijke staat op de salontafel. Hij sloeg hem open en zag foto's van het Jubilee-feest, de koninklijke familie in pasteltinten en militaire uniformen. De zon die door het heldere groen van de parken scheen. Afgezien van een brandweersirene in de verte, aanzwellend, afzakkend, wegstervend, was er geen geluid te horen. Het was bijna nooit zo stil als nu. Tien voor één 's nachts en morgen weer een vrije dag... nee, vandaag. Hij zou op zijn gemak een bad nemen en daardoor zou hij slaperig worden.

Hij nam zijn glas mee en was al bijna bij de badkamer toen de telefoon ging. Hij liet het glas bijna vallen. Het kon maar één persoon zijn; niemand anders zou hem op dit uur bellen. Hij liet het toestel negen keer overgaan. Toen nam hij op en hoorde haar stem, dat afschuwelijke accent, die nonchalante manier van praten.

'Je kunt niet zeggen dat ik je niet heb gewaarschuwd. Je moet ons misschien nog wat meer geven, zei ik. En dat moet ook. De huren zijn hoog en blijven stijgen. Vijfduizend en dan is het afgelopen, denk ik. Ik weet dat niet zeker, maar het ziet er wel naar uit.'

'Wacht,' zei hij. 'Laat me met je vriend praten.'

'Waarom?'

'Om te bewijzen dat hij bestaat. Is hij daar?'

'Nee,' zei ze. 'Hij is er niet. Ik bel je morgen opnieuw.'

Inez kon niet slapen. Ze zat rechtop in bed en piekerde over dingen waar ze zich overdag nauwelijks druk om maakte. Tot nu toe had ze nog niet gezocht naar een opvolger van Zeinab, die donderdag, dus binnen drie dagen, voor het laatst in de winkel zou werken. Ze vroeg zich af of ze dat had verzuimd omdat ze niets meer geloofde van wat Zeinab zei. Ongetwijfeld was Morton Phibling van plan om zaterdag te trouwen, maar was zij dat ook van plan? De trouwjurk, dacht Inez, de verlovingsring... Maar ze had nog een andere verlovingsring, en ze zei dat ze die van

Rowley Woodhouse had gekregen. Als Rowley Woodhouse bestond.

Ze bedacht nu ook dat Phibling sinds vorige week dinsdag niet meer in de winkel was geweest, en misschien was het nog langer geleden. Was er iets misgegaan? Had Zeinab hem misschien opgebiecht dat door haar slordigheid die hanger door inbrekers was gestolen? Dat zou genoeg zijn om iemand kwaad te maken, maar toch niet genoeg om hem het huwelijk te laten afzeggen? Moest ze dus op zoek gaan naar iemand anders om haar in de winkel te helpen? Deed ze dat niet, dan zou Freddy zich vast en zeker aanbieden en hij zou zeker niet genoegen nemen met een 'nee, dank je'. Ze geloofde niet dat ze het zou uithouden om Freddy vijf dagen per week, tien uur per dag, om zich heen te hebben. Van tijd tot tijd dacht ze ook weer aan de sleutel waarmee die mensen in haar huis waren gekomen. Freddy was goudeerlijk, daar was ze zeker van, maar hij kon zijn overgehaald door een schurkachtige vriend van hem, al zou ze niet weten hoe dat dan was gegaan.

Als dat zo doorging, kreeg ze helemaal geen slaap meer. Nog een geluk dat het morgen – vandaag – weer een vrije dag was. Ze deed het licht aan, ging rechtop zitten en vond op de vloer naast het bed de *Radio Times* met de foto van Martin erin. Ze draaiden een oude film waarin hij een kleine bijrol had, jaren voor de Forsyth-serie. Hij zag er erg aantrekkelijk en erg jong uit. Ze weerstond de verleiding om de foto te kussen, want dat zou sentimentele dwaasheid zijn. Woensdag zou ze Zeinab vragen wat ze met haar baan en het huwelijk van plan was, en net zolang aandringen tot ze een duidelijk antwoord kreeg. Beslissingen waren goed; beslissingen gaven je gemoedsrust. Martin was erg besluitvaardig geweest. Ze wenste hem goedenacht, deed het licht uit en lag nog een hele tijd wakker in het donker.

Julitta legde de telefoon neer en legde haar voeten op Anwars bed. Daar was niet veel meer ruimte meer, want Anwar en Flint waren er ook. Flint rookte een joint, die hij aan Julitta doorgaf. De lucht was blauw en weeïg van de marihuanadampen. Ze waren nog maar tien minuten terug, maar Keefer was al op een zak met Anwars vuile wasgoed in de hoek in slaap gevallen. Alleen Anwar nam niets sterkers dan een blikje cola light zonder cafeïne. Hij ging op één elleboog steunen om van Julitta's rook vandaan te komen. Toen keek hij naar haar hals en zei: 'Waar is dat diamanten ding?' Haar hand ging naar haar keel en toen ging ze geschrokken rechtop zitten en gilde.

26

Hij moest naar de bioscoop gaan, het Odeon in Swiss Cottage. Het geld moest hij net als de vorige keer van banken opnemen en uit automaten halen, en hij moest het deze keer meenemen in een computertas. Het Odeon was een van die bioscopen met een heleboel zalen, en de film die hij moest kiezen, *Bend it like Beckham*, draaide in zaal drie. Hij moest naar de voorstelling van woensdagmiddag kwart over drie gaan en hij moest er om vijf over drie al zijn. Op dat onpopulaire tijdstip zouden de meeste plaatsen in de zaal leeg zijn. Hij moest op de vierde rij van achteren gaan zitten, helemaal aan de rechterkant, de allerlaatste plaats aan de rechterkant, als het kon. In het onwaarschijnlijke geval dat de vierde rij vol was moest hij naar de derde rij van achteren gaan.

Jeremy ergerde zich enorm aan haar filmkeuze en vroeg zich af of ze in de afgelopen week meer over hem aan de weet was gekomen. Wist ze dat sommige andere films die in het Odeon draaiden, zoals *Unfaithful* of *About a Boy*, beter bij hem zouden passen? Ze scheen ook te weten dat hij een computerbedrijfje had en dus gemakkelijk aan een computertas kon komen. Dat zou betekenen dat zij, of haar vriend, als er een vriend was, intelligent was, en dat betwijfelde hij. Het zou allemaal wel toeval zijn. Ten slotte had het meisje hem geïnstrueerd dat hij na een halfuur de tas onder zijn stoel moest leggen, zijn eigen stoel, niet de stoel voor hem, en weg moest gaan. Ze zouden hem zien en ze zouden de tas vinden. Maar hij mocht niet treuzelen en als hij de politie erbij haalde... Ach, zij, hij, wist heel goed dat hij de politie er niet bij zou halen.

Hij zou dat geld weer bij elkaar moeten halen, een vermoeiend karwei, en hij had deze keer maar anderhalve dag de tijd gekregen. Terwijl hij van geldautomaat naar geldautomaat en van bank naar bank liep, bedacht hij hoe klein het risico was dat ze liepen. Als hij naar de politie ging – naar Crippen, nam hij aan, of die Zulueta – zou hij ze moeten vertellen wat de inbrekers uit zijn appartement hadden gehaald, en dan was het afgelopen met hem. Als hij ze nog eens vijfduizend had gegeven, zou hij nog maar iets meer dan vijfduizend over hebben, en dat zat nog in beleggingen ook. Dat was al zijn spaargeld, en als dat op was, zou hij zijn auto of zelfs zijn huis moeten verkopen. Daar moet je nu niet aan denken, zei hij tegen zichzelf, ga morgen gewoon naar de bioscoop, geef ze het geld en denk dan eens goed na. Iemand met zijn intelligentie zou toch wel slimmer zijn dan een tiener in een zwart gewaad en haar idioot van een vriendje, als er al een vriendje was?

Will was nog maar een avond en een nacht in Star Street terug toen Kim wegging. De vorige middag, toen ze rond het middaguur terug was gekomen en verwachtte dat Will om drie of vier uur thuis zou zijn, had ze zijn kamer en keuken schoongemaakt en 'gezellig' gemaakt, zoals haar moeder het noemde. Alles was al schoon genoeg, maar Kim ging druk in de weer met stofzuiger, stofdoek en boenwas. Ze kocht roze tulpen en witte seringen en zette ze in de enige twee vazen die ze kon vinden, waarvan één eigenlijk een prullenbak was. En toen nam ze, ongeveer als een huisvrouw uit de jaren veertig die zich mooi maakte voor haar man, een douche en trok ze de dunne zomerjurk aan die ze zaterdag had gekocht. Op het laatste moment herinnerde ze zich dat ze de lakens van Wills bed niet had verschoond, wat erg belangrijk was voor haar plan. Ze ging het meteen doen.

Ze had die ochtend haar haar laten doen door een van haar collega's, die speciaal naar haar moeders huis kwam. Meestal gebruikte ze weinig of geen make-up, maar deze middag had ze zich zorgvuldig opgemaakt en meer aandacht aan haar nagels geschonken dan ze anders deed. Toen ze zichzelf in de badkamerspiegel bekeek – de enige spiegel in het appartement – vond ze dat ze veel op Cindy Crawford leek, maar dan jonger. Becky bracht Will drie uur later naar huis dan Kim had verwacht. Inmiddels was de kip te gaar gekookt, waren de ovenfrites zwart geworden en opgedroogd en had ze zich opnieuw opgemaakt. Ze was dus al kwaad, maar dat werd nog erger toen Becky met Will mee naar binnen kwam. Een man van zijn leeftijd wilde toch niet dat zijn tante als een moederkloek achter hem aan liep?

'Je bent erg laat.' Kim besefte dat ze nu net als haar moeder klonk.

'Ik geloof niet dat we een bepaalde tijd hadden afgesproken,' zei Becky.

'Will zei dat hij niet laat zou komen. Dat zei hij vrijdag.'

Becky pakte een fles wijn uit Wills koelkast en trok de kurk eruit. Ze moest hem daar zelf hebben neergezet, want Will dronk nooit wijn en Kim had er meestal het geld niet voor. Maar ze accepteerde het glas dat Becky haar aanbood. Ze had het nodig.

'Zeven uur is toch niet laat?' zei Becky vriendelijk. Ze dronk haar wijn erg snel, schonk zich nog een glas in en zei dat het appartement er heel netjes uitzag. Kim vond dat prettig, ze begon tot rust te komen, maar toch wilde ze dat Becky wegging. Waarom bleef ze nou hangen? Ze had een eigen huis en een vriend.

Maar Becky bleef en praatte maar door. Ze zei dat ze blij was met deze gelegenheid om Kim beter te leren kennen, en dat ze er zo leuk uitzag, en dat Will, al kwam er een etensgeur uit de keuken, niet meer hoefde te eten, want dat had hij al gedaan voordat ze uit Gloucester Avenue waren vertrokken. Kim zette de oven uit en zodra Becky eindelijk weg was en de voordeur achter haar dicht was, kieperde ze al het eten in de afvalbak. Inmiddels had Will de televisie al een halfuur aanstaan. Hij had Kim toegelachen en begroet, maar daarna had hij geen woord meer gezegd. Moedeloos ging ze naast hem zitten en keek naar de serie. Omdat ze de vorige afleveringen niet had gezien, begreep ze er niets van. Trouwens, het drong nauwelijks tot haar door. Ze dacht aan haar plan. Ze had zich toch niet in Wills gevoelens voor haar vergist? Toen ze vorige week een keer samen op de bank zaten, had ze zijn hand vastgepakt en blijkbaar had hij dat wel prettig gevonden. Op een avond, toen ze naar bed gingen, had ze haar armen om hem heen geslagen en toen had hij dat ook bij haar gedaan, erg strak, zoals het zoontje van haar broer Wayne deed als ze hem iets had gegeven. Om de een of andere reden vond ze dat geen prettige vergelijking, alsof ze Will als een kind beschouwde, en dat was belachelijk en onmogelijk, want hij was een volwassen man van een meter tachtig die zich moest scheren.

Ze pakte nu zijn hand vast en hij keek haar met een stralende glimlach aan. De serie werd gevolgd door een andere serie, ditmaal over politie in plaats van mensen in een café, en toen door het journaal. Will wilde nooit het journaal zien, en hij speelde met de afstandsbediening tot hij een komiek en een stel langbenige meisjes in glitterende beha's en minirokken had gevonden.

'Ben je niet moe?' vroeg Kim. 'Het is laat.'

'Ik wil dit programma zien. Ik ga naar bed als het voorbij is. Dat beloof ik.'

Ook dat deed haar aan haar achtjarige neefje denken. Had ze nou maar nooit aan hem gedacht, want nu kon ze de vergelijking niet meer uit haar hoofd zetten. Alles wat Will zei: 'Straks, straks', en 'Ik kom, ik zéí toch dat ik kwam', leek op de dingen die Keiths zoontje zei. Eindelijk was het programma afgelopen en had de gehoorzame Will de televisie uitgezet en was hij naar de badkamer gegaan. Ze deed alle lichten uit, behalve de lamp op zijn nachtkastje, en trok de gordijnen om haar bed dicht om haar nachthemd aan te trekken, een nieuw, kort en pastelblauw hemd. Hij had nooit op haar nachtkleding gelet, maar misschien viel dit hem op.

Maar toen hij in pyjama tevoorschijn kwam, werd ze plotseling verlegen en trok ze het gordijn vlug dicht. Haar hart bonsde. Ze hoorde dat Will in bed stapte. Hij deed de lamp uit en het was donker in de kamer. Dat was iets waarop ze niet had gerekend, maar ze durfde de lamp niet weer aan te doen. Ze gaf het bijna op, maar dacht toen: als ik het niet doe, kan ik hier niet blijven, niet met die gevoelens die ik heb. Het wordt geweldig als ik hem eenmaal heb laten zien dat ik het wil, misschien wacht hij daarop, vijf minuten en hij is hartstikke blij dat ik hem heb laten zien wat ik voel. Ze kwam achter het gordijn vandaan, ging naar Wills bed en fluisterde: 'Will, Will...'

'Wat is er?' Hij sliep al bijna.

'Mag ik bij je in bed komen?'

Ze wachtte niet op een antwoord, maar trok het dekbed omhoog en ging naast hem liggen. Hij zou, hij móést zijn armen om haar heen slaan. En ze zou hem haar nachthemd laten uittrekken; dat zou hij leuk vinden. Ze legde haar handen op zijn borst en bracht haar mond naar de zijne. Wat toen gebeurde, was erger dan alles waar ze bang voor was geweest. Hij wendde zijn hoofd af, zodat zijn dikke blonde haar in haar gezicht kwam, en schudde haar handen van zich af.

'Ik hou niet van andere mensen in mijn bed,' zei hij en hij rolde zich van haar af. Hij lag nu met zijn voorhoofd tegen de muur en zijn knieën tegen zijn kin. 'Ga weg. Ga wég.'

En dus ging ze nu weg, om halfacht in de morgen, na een slapeloze nacht van onbegrip en schaamte. Will zou over een uur naar zijn werk gaan, maar ze wilde dat hij haar zag vertrekken, wilde hem laten inzien dat hij haar niet als een onbetaalde werkster en kokkin kon behandelen als ze niet zijn vriendin was. Maar hij scheen het incident van de afgelopen nacht helemaal te zijn vergeten.

'Ik ga weg, Will,' had ze tegen hem gezegd. 'Ik hou het niet meer uit. Ik ben niet je moeder, die in je kamer slaapt als je 's nachts bang bent.'

'Mijn moeder is dood,' zei hij heel opgewekt, 'maar ik heb Becky.'

Ze kon hem wel aanvliegen, met haar vuisten op hem inbeuken en hem krabben met haar lange nagels. In plaats daarvan pakte ze de rest van haar spullen in. Omdat hij niet aanbood haar koffers naar beneden te dragen, zette ze ze zelf buiten de deur. Ze zou ze naar haar werk moeten meenemen, en daarna naar huis; nou ja, het zou geweldig zijn als de drie meiden die ze kende hun flat in Kilburn met haar wilden delen. Zo niet, dan zou ze naar haar ouders in Harlesden teruggaan.

'Tot ziens, Will,' zei ze.

Hij keek naar het ontbijtprogramma en draaide zich niet eens om. 'Daag.'

Om James te kunnen vertellen dat ze hem nooit meer wilde zien, moest Becky dronken worden. Ze was er al erg genoeg aan toe geweest toen ze van Star Street naar huis reed. Twee keer kwam ze met haar wielen op het trottoir en op een gegeven moment raakte ze op een haar na de achterkant van een andere auto. De bestuurder zei dat ze tegen zijn bumper was gekomen, maar daar was niets op te zien. Hij had haar de huid volgescholden en gezegd dat ze 'ladderzat' was en dat ze zich moest schamen.

Als ze niet dronken was geweest, zou ze hebben begrepen dat het niet erg moedig was en zeker niet welgemanierd, om door de telefoon tegen je minnaar te zeggen dat je het uitmaakte. Maar in de aangename stemming waarin ze verkeerde, waarbij het was of de kamer in golven op en neer ging, liet ze zich niet belemmeren door ethische gevoelens. Ze belde James, zei dat hun relatie voorbij was en verzocht hem geen contact meer met haar op te nemen.

'Becky, hoeveel heb je gedronken?'

'Weet ik niet,' zei ze. 'Niet veel. Helemaal niet veel.'

'Je denkt waarschijnlijk dat ik niet heb gemerkt dat je steeds stiekem een slokje neemt. Nou, dat heb ik echt wel gemerkt.'

'Ik haat je,' zei ze, zoals Will had kunnen zeggen en zoals Will nooit zou zeggen. Haar woorden kwamen er onduidelijk uit. 'Jij bent een puri-puri-puriteinische moralister... mo-ra-list, mo-ra-list, preutse lul.'

Ze gooide de hoorn op de haak voordat hij dat kon doen. Hij was alles wat ze had gezegd, en hij deed lelijk tegen Will, en hij was ongeduldig en... nou ja, allerlei andere dingen. Ze wist niet welke dingen, want ze was in slaap gevallen.

De volgende dag voelde ze zich zo beroerd dat ze naar kantoor belde en zei dat ze niet kon komen, want ze had een zomergriepje. Ondanks aspirines, Alka-Seltzer en ten slotte een borrel kostte het haar de hele ochtend en het grootste deel van de middag om bij te komen. Ze begon zich te schamen en zichzelf verwijten te maken. Ze voelde zich ook schuldig, want ze vroeg zich af of Kim Beatty iets vreemds aan haar had gemerkt. Ze mocht toch wel een paar glaasjes drinken? Will had niet bij haar weg gewild, en na het middageten had hij haar steeds weer gevraagd of hij mocht blijven, of ze hem niet naar Star Street terug zou brengen. Hij was de afgelopen twee dagen zo blij geweest. Er was genoeg ruimte bij haar thuis, het was niet waar dat ze geen tweede slaapkamer had. Die kamer was groot genoeg voor hem. Meer verlangde hij niet.

Het was lang geleden dat ze hem voor het laatst had horen zeuren, maar nu had hij dat gedaan. 'Alsjeblieft, alsjeblieft, toe nou, laat me blijven. Zeg dat ik mag blijven, Becky. Toe dan.'

'Je bent graag bij Kim, hè? Je bent niet alleen.'

Voordat hij verder ging met smeken, had hij haar aangekeken alsof hij amper wist wie Kim was. En ze was ervan overtuigd geweest dat het voor beiden een goede regeling was. Ze had zich op een gegeven moment zelfs afgevraagd of het onvermijdelijke al was gebeurd, want ze geloofde dat Kim dat wilde en Will misschien ook wel, en dat ze dus minnaars waren geworden. Nu wist ze bijna zeker dat ze zich had vergist. Had ze, zij het maar gedeeltelijk bewust, geprobeerd Will aan iemand te koppelen? Het bloed steeg naar haar hoofd.

'Ik wil hier bij je blijven, Becky. Je laat me toch niet weggaan?'

Door weer naar de gin te grijpen was ze de middag doorgekomen. Hij had met een dof gezicht televisiegekeken. Ze dwong zichzelf het onderwerp weer ter sprake te brengen toen hij een halfuur niet had gezeurd. 'Je kunt hier niet blijven, Will. Toe, vraag me dat niet opnieuw. Ik ga je lievelingseten voor je klaarmaken, gebakken eieren met worst en aardappeltjes, en dan breng ik je naar huis.'

Hij had daar niets op gezegd.

De hanger was weg. Ondanks hun grote vermoeidheid hadden ze de kamer doorzocht en waren ze de trap op en neer geweest en hadden ze op straat gekeken, maar vergeefs. Blijkbaar was de sluiting losgeraakt en was de ketting met de diamant op de grond gevallen toen ze met zijn drieën in de mensenmassa op de Mall stonden.

Julitta zei steeds maar weer dat ze de klok zou willen terugdraaien. Had ze dat verrekte ding maar niet gedragen! Daar zou ze nu alles voor geven. 'Je hebt nu niets meer te geven,' snauwde Anwar, al had Julitta nog steeds haar deel van de tienduizend en was hij niet van plan geweest haar de hanger te laten houden. 'Het is toch al te laat, dus je kunt wel ophouden met huilen. Ik heb niks aan een stom jankend wijf.'

Maar Julitta bleef snikken. 'Iemand heeft hem opgeraapt en gehouden,' snotterde ze, zich niet bewust van de ironie. 'Verrekte dieven.'

Flint sleepte haar naar huis. Het was drie uur in de nacht. Toen ze weg waren, maakte Anwar een kopje chocolademelk op zijn gasstelletje klaar en kruimelde daar wat losse chocolade op. Hij kon zo goed nadenken. Hijzelf, niet Julitta, was degene geweest die de abaya had gedragen en Jeremy's rugzak in Aberdeen Place had opgepikt. Zoals ook zijn bedoeling was geweest, had de patser gedacht dat het een meisje was. Misschien zou hij het nog een keer moeten doen. Aan de andere kant was het hun beurt.

Ditmaal kon Flint het geld ophalen, en als het ze een derde keer lukte, zou het Julitta's beurt zijn. De patser was te bang om iets tegen hen te kunnen uitrichten. Keefer, die weer cocaïne naast zijn methadon was gaan gebruiken, een gevaarlijke combinatie, was inmiddels zo comateus en versuft dat hij en Flint hem tussen zich in naar beneden hadden gedragen, in het witte busje hadden gelegd en op de stoep van het St Mary's-ziekenhuis hadden gedumpt. Zo zag je maar weer, dacht Anwar, als mensen met een zwakke wil of een laag IQ opeens geld in handen kregen, steeg het ze naar het hoofd.

Hij dronk zijn chocolademelk op, kroop onder zijn dekbed en sliep binnen twee minuten.

De volgende middag om twee uur kwamen ze pas weer bij elkaar, en dat was blijkbaar te vroeg voor Julitta, want die gaapte aan een stuk door. Ze scheen over het verlies van de hanger heen te zijn, maar dat was moeilijk te zeggen bij iemand die het grootste deel van de tijd haar mond open had. Ze bespraken plannen om de tweede portie geld binnen te halen.

Flint wilde zich met een tulband en een djellaba vermommen, maar voelde zich vernederd toen Anwar hem vertelde dat het hoofddeksel en kledingstuk tot verschillende culturen behoorden. Hij kon beter zijn zwarte jasje met capuchon dragen en een zonnebril opzetten.

'Ik kan een snorretje bij de feestwinkel halen.'

'En mijn moeder heeft een pruik,' voegde Julitta daaraan toe. 'Die had ze voor haar haaruitval.'

'Doe eens normaal, ja?' zei Anwar. 'En hou eens op met gapen. Ik heb nou wel genoeg van je amandelen gezien.'

Uiteindelijk ging Flint in de door Anwar voorgestelde kleding naar het Odeon in Swiss Cottage: spijkerbroek, hoge zwarte schoenen, wijd jasje met capuchon, grote zonnebril. Hij had een opgerolde draagtas van Tesco in een van zijn zakken. De patser had opdracht gekregen de bioscoop om vijf over drie binnen te gaan, maar Flint was niet verbaasd hem om drie minuten voor drie vanaf de bushalte de straat te zien oversteken, met een computertas in zijn hand. Over zenuwen gesproken. Hij zou niet voor kwart voor vier durven weggaan. Flint ging naar de overkant om een kop koffie te drinken.

Jeremy zat helemaal rechts op de vierde rij van achteren, met de computertas op zijn schoot. Hij keek in de bioscoop om zich heen, zoekend naar een vrouw in een zwart gewaad. Niemand. De enige andere mensen waren twee vrouwen van middelbare leeftijd die bij elkaar hoorden, een vrouw met een kind van een jaar of zes en een stuk of wat mannen alleen. De reclamespotjes en trailers waren nog aan de gang toen het halfuur om was. Hij keek weer om zich heen en vroeg zich af of er eerder ook zeven mensen in de bioscoop hadden gezeten, inclusief hijzelf, of acht. Had die figuur in dat jasje met capuchon daar vanaf het begin gezeten of was hij later binnengekomen? Het maakte niet veel uit. Was het een man of een meisje? De figuur leek te tenger voor een man, zelfs een erg jonge man. De handen, waaraan je altijd kon zien of iemand man of vrouw was, gingen schuil in zwarte handschoenen. Toch moest dat hetzelfde meisje zijn. Ze was even lang en voorzover hij kon nagaan, had ze ook dezelfde bouw. Hij onderdrukte een zucht, die toch al overbodig was in deze omstandigheden, zette de computertas onder zijn stoel, stond op en ging weg.

Flint, die ooit acteur had willen worden – Hollywood, India of gewoon op tv – en daar soms nog van droomde, speelde de rol van een meisje dat nonchalant de bioscoop uit liep. Achter de scheidingswand tussen de achterste rij en de ingang en de hal bleef hij staan. Hij keek vijf minuten over de bovenrand naar het witte doek en slenterde toen een meter of twee door het gangpad om te gaan zitten waar de patser had gezeten. De film was begonnen. Eigenlijk jammer dat hij weg moest gaan, hij vond het best een mooie film, maar als je aan het werk was, was je aan het werk, zei hij deugdzaam tegen zichzelf. Hij was hier voor zaken. Hij trok de tas onder de stoel vandaan, deed hem in de Tesco-draagtas en ging naar buiten. Blijkbaar zag niemand hem vertrekken en kon het ook niemand iets schelen.

In St Michael's Street, lieten Flint en Julitta het openen van de tas aan Anwar over. Hij pakte de pakjes bankbiljetten eruit om ze te tellen. Vijfduizend pond. Op de bodem van de tas lag een A4'tje waarop met een computer iets was afgedrukt.

'Jullie hebben nu vijftienduizend pond van me gehad, en dat is genoeg,' las Anwar hardop. 'Als jullie nog meer willen vragen, denk dan eerst goed na. Ik betaal jullie schofterige dieven geen spie meer, ik herhaal, geen spie. Dreig maar wat jullie willen. Jullie hebben nu al mijn spaargeld en er is niets meer.'

'Wat is een spie?' vroeg Julitta.

'Een penny, stomme trut. Een van die kleine koperen dingen.'

'Waarom zouden we er daar een van willen hebben?'

'Hé, rot op,' zei Anwar. 'Goed nadenken, zegt hij. Ik denk na en wat ik denk, is dat hij verdomme gaat doen wat wij zeggen. Het is gek, maar totdat dat stomme kreng die diamant verloor, had ik al bijna besloten ermee te kappen.' Hij keek waarschuwend naar Julitta, die haar mond had opengedaan, vermoedelijk om hem te vragen het te vertalen. 'Nu niet meer. We moeten nog eens vijfduizend hebben. Hij krijgt zijn verdiende loon. Of beter gezegd, wij krijgen dat.'

'Goed denkwerk,' zei Flint.

27

Natuurlijk ging ze met hem trouwen. Daar hoefde Inez zich geen zorgen over te maken. Had ze haar uitnodiging voor de bruiloft niet ontvangen? Dat had Inez niet, en trouwens, ze was niet van plan om te gaan.

'Ik heb hem hier de laatste tijd niet meer gezien.'

'Hij wordt helemaal in beslag genomen door de voorbereidingen van het huwelijk,' zei Zeinab. 'Wat is er met die klok van Chelsea-porselein gebeurd?'

'Die heb ik verkocht. Aan een man die niet afdong en gewoon betaalde wat ik vroeg. Eindelijk.' Hoewel ze nu positiever over Zeinab dacht dan op de vrije dag, kon Inez het niet laten om iets venijnigs te zeggen. 'Om ongeveer kwart voor tien vanmorgen. Voordat jij kwam.'

Zulke opmerkingen hadden geen effect op Zeinab. 'Jammer dat hij dat beest niet ook heeft meegenomen.' Ze stond voor de spiegel die ze de hare noemde en bekeek zichzelf daarin. Ze was mooi als altijd, maar haar hals, armen en oren waren vrij van sieraden. De enige diamanten die ze droeg, zaten in Morton Phiblings verlovingsring. 'Jammer dat die hanger gepikt is,' zei ze. 'Ik heb het hem niet verteld. Daar kan ik maar beter mee wachten tot de huwelijksnacht.'

'We hebben nooit meer iets van de politie gehoord.'

'Stelletje nietsnutten,' zei Zeinab. 'En die arme Ludmila is al die trouwringen kwijt. Heb jij al iemand om mij op te volgen? Of neem je Freddy weer aan?'

Het was een ongelukkig toeval, vond Inez, dat net op dat moment de binnendeur openging en Freddy de winkel binnen kwam. 'Dat lijkt me wel duidelijk, hè, Inez? Of om het anders te zeggen: als je het over de duvel hebt...'

'Dan had je het er niet over moeten hebben,' zei Inez scherper dan ze zichzelf meestal toestond. Toen vroeg ze schuldbewust aan Freddy of hij en Ludmila een mooie huwelijksreis hadden gehad.

'Geweldig,' zei Freddy terwijl hij in de grijze fauteuil ging zitten. 'Ludo was in topvorm, en ik moet zeggen, Inez, dat het eiland Man, ondanks jouw nogal laatdunkende commentaar, me sterk aan Barbados deed denken.'

Het meisje en haar vriend, als er een vriend was, lieten er geen gras over groeien. Jeremy vroeg zich af of zijn briefje hen had geërgerd of juist had aangespoord om weer actie te ondernemen. Voordat de telefoon ging – om elf uur 's avonds, vroeg voor hun doen – had hij over zijn chanteurs of chanteur nagedacht. Tegenwoordig dacht hij aan weinig anders, of het moest al zijn om met steeds hernieuwde verbazing over zijn verleden na te denken, en over datgene wat hem die vrouwen liet doden. Als dat meisje hem ooit weer belde – en hij was ervan overtuigd dat ze dat zou doen – zou hij haar vragen of er echt een vriend was, of ze met nog meer waren, of dat ze echt alleen was. Dat betekende dat ze kans had gezien zijn geldkistje te stelen zonder dat haar metgezellen het wisten, of anders – en dat was waarschijnlijker – had een van de mannen, van wie er verscheidene moesten zijn geweest, het open gekregen maar had hij niet begrepen wat erin zat. Zij alleen had dat geweten, juist omdat ze een vrouw was.

Natuurlijk wilde ze hem laten denken dat er anderen bij betrokken waren, een vriendje van haar en misschien nog twee of drie anderen. Dan zou hij geloven dat als hij haar uit de weg ruimde op de plaats waar ze het geld kwam afhalen, de anderen hem geld zouden afpersen of naar de politie zouden gaan. Maar als hij wist dat ze helemaal alleen was...

Hij was aan zijn gin-tonic van laat op de avond begonnen, waarvan hij de eerste slok altijd zo stimulerend vond, toen de telefoon ging. Omdat hij alleen maar kon denken dat het Inez of zijn moeder zou zijn – had hij echt helemaal geen vrienden? – nam hij op. Hij was geschokt en meteen woedend toen hij haar stem hoorde.

'Ik heb je in mijn brief geschreven,' zei hij, 'dat ik niets meer heb. Je hebt alles wat ik had.' Ze zei niets. 'Heb je mijn brief niet gelezen?'

Hij vond dat ze nogal theatraal sprak, en ook wat scheller dan de vorige keren. 'Een van de anderen heeft het gelezen. We zijn met een heel stel. Dacht je dat ik alleen was? Dat zou je wel willen, Alexander, of hoe je je ook noemt. Het kan me geen fuck schelen' – hij huiverde bij het woord,

284

hij had altijd een hekel gehad aan zulk taalgebruik – 'wat erin stond. We willen nog eens vijfduizend.'

'Jullie krijgen het niet. Ik heb het niet.'

'Je kunt toch iets verpatsen? Je auto, je mooie huisje in South Kensington.'

De woede kwam in hem opzetten als een golf die zich over zijn hele lichaam verspreidde. 'Dat doe ik niet.'

'Goed. De bank zal het je lenen. Je weet wat er gebeurt als je het niet doet. Wij kunnen ook brieven schrijven en we sturen er gewoon een naar de kit. Ik bel je zaterdag.'

'Wacht,' zei hij op scherpe toon. 'Laat me met iemand anders praten.'

De lijn was nog open, maar ze zweeg. Hij hoorde niets op de achtergrond, geen beweging, geen stemmen. Ze verbrak de verbinding zonder nog een woord te zeggen.

Ze zou zaterdag bellen om een plaats door te geven. Het verraste hem dat hij zich opgelucht voelde. Hij had nog twijfels gehad, maar nu had ze het hem in feite verteld: ze was alleen. Hij herinnerde zich haar stem en hoorde dat ze loog. 'We zijn met een heel stel.' Dat was niet waar. Of ze was alleen, dacht hij, of haar vriend was er in het begin bij geweest maar nu werkte ze in haar eentje. Ze was hebzuchtig. Haar hebzucht zou haar ondergang worden.

Wat ging hij doen? Hij wist het niet, nog niet. Wachten op het telefoontje van zaterdag. Hij voelde dat zijn stemming zakte en nam vlug nog een slok gin. Om de een of andere reden herinnerde hij zich op dat moment dat hij bij zichzelf een frase had geciteerd toen hij zich erg neerslachtig voelde: 'Het daglicht is over en ons wacht slechts duisternis.' De duisternis was weer geweken en het licht was weer gaan schijnen, juist op het moment dat er voor de derde keer onder bedreiging geld van hem werd geëist. Ze zou die oorringen niet naar de 'kit' sturen, zoals zij het noemde. Daar zou hij wel voor zorgen.

Zeinab had beloofd dat ze die donderdagavond zou gaan dineren met Morton Phibling, die met haar naar het Connaught wilde, maar toen ze wat eerder dan gewoonlijk in het Dame Shirley Porter House terugkwam, stond Algy al in zijn nieuwe pak op haar te wachten. Hij had een tafel voor hen tweeën geboekt bij Daphne's. Een verrassingsdiner, zei hij. Haar moeder zou oppassen. Sterker nog, ze was al in de flat, met een kind op elke bolle knie, en ze keken met zijn drieën naar een video van *The Others*, die net bij het griezeligste gedeelte was gekomen. 'Waarom heeft Nicole altijd dezelfde paarse jurk aan?' vroeg Zeinab. 'Ze is toch een grote ster? Waarom heeft ze geen schitterende grote garderobe?'

'Weet ik veel.' Reem stak een halve Bounty in elke mond die haar als een vogelbekje werd toegestoken. 'Stil nou. We kijken.'

Zeinab dacht dat ze maar beter met Algy kon meegaan. Hij reageerde de laatste tijd niet goed als ze hem afwees, vooral niet wanneer ze ergens met Morton heen ging. Op de een of andere manier zou ze geen wroeging hebben gehad als ze die hanger niet kwijt was geraakt maar hem had verkocht en het geld aan Algy had gegeven. 'Goed,' zei ze. 'Ik ga me even omkleden.'

In de slaapkamer trok ze een zwarte satijnen jurk met kraaltjes aan die Algy's dood zou hebben betekend als hij had geweten wat Morton ervoor had betaald. Ze belde Morton met haar mobieltje, was blij dat hij niet opnam en liet de boodschap achter dat ze moe was en zich helemaal niet goed voelde en dus niet kon uitgaan. Toen de film afgelopen was, zei ze tegen Reem dat als Morton belde, ze tegen hem moest zeggen dat ze naar bed was gegaan en niet gestoord wilde worden.

'Goed,' zei Reem. 'Het waren geesten. Daarom.'

'Daarom wat?'

'Daarom had Nicole maar één jurk.'

Algy en Zeinab verlieten de flat en namen een taxi naar Knightsbridge. Ze hadden een geweldige avond, en Zeinab gaf zichzelf toe dat ze zich met Algy altijd veel beter amuseerde dan met Morton of wie dan ook. Het was heel romantisch, zoals in de tijd voordat de kinderen waren geboren. Alleen was het vreemd dat Algy voortdurend op het punt leek te staan haar iets te vertellen maar dat niet deed. Misschien verbeeldde ze zich het maar. Omdat Reem bleef slapen, konden ze het zo laat maken als ze wilden. Algy ging met haar naar een club en naar nog een club, en het liep tegen tweeën toen ze thuiskwamen.

Evengoed stond Algy vroeg op. Hij moest wel. Hij maakte Reem om halfacht wakker omdat hij haar hulp nodig had om de kinderen uit bed te krijgen. Hij herinnerde haar er ook aan dat ze had beloofd ze naar school te brengen. Zeinab sliep door en dat kwam Algy erg goed uit. De verhuiswagen kwam om halfnegen. Algy kon zich tegenwoordig een echt verhuisbedrijf permitteren. Toen ze hierheen waren verhuisd, had hij het huurbusje zelf bestuurd en had Zeinab geholpen met sjouwen.

Natuurlijk hadden ze toen niet zoveel spullen gehad. Hij zei tegen de mannen dat ze in de huiskamer moesten beginnen en voorzichtig moesten zijn met de digitale tv, en toen ze daar bezig waren en Reem met Carmel en Bryn naar school was gegaan, maakte hij Zeinab wakker.

'Hoe laat is het in godsnaam?'

'Het loopt tegen negen uur,' zei hij. 'Sta maar op. We zijn aan het verhuizen.'

'Wat?' riep Zeinab uit.

'Je hebt me goed verstaan, Suzanne. Kom nou, je wist dat we gingen, alleen niet precies wanneer. Nou, het is vandaag, het is nu.'

Ze stond op, trok haar nieuwe spijkerbroek aan – modieus verbleekt bij de knieën, de zomen gerafeld – en pakte ook een kasjmieren trui, want het was ijskoud voor juni. Zo'n verhuizing was eigenlijk wel spannend. Mannen bedienden haar meestal op haar wenken, en daarom was het leuk dat die geweldige Algy, wiens eigenmachtig optreden een opwindende verrassing was, haar ook eens wat beslissingen uit handen nam. Ze kreeg zin om iets leuks voor hem te kopen. Misschien zou ze, als ze in Pimlico woonden, haar verlovingsring verpatsen, het laatste sieraad van haar rijke aanbidders dat ze nog had.

Dat moest je Freddy nageven: hij was altijd punctueel. Meestal te vroeg, dacht Inez, die nog maar amper water had opgezet toen hij al in zijn kartonbruine stofjas verscheen.

'Voor het geval je je zorgen maakte,' zei hij, 'kan ik je mededelen dat ik de volledige toestemming van mijn vrouw heb om je in je winkel te assisteren.'

'Daar ging ik al van uit, Freddy.' Ze schonk thee in zijn kopje en schepte er suiker in. 'Ludmila maakte de vorige keer ook geen bezwaar.'

'Aha, maar nu ze mijn vrouw is, ligt het anders. Een echtgenote verkeert in een geheiligde positie, zou je kunnen zeggen. En dan is er nog een enigszins delicate aangelegenheid, Inez. Nu ik hier in een officiële hoedanigheid ben, om het zo maar eens te stellen, is er de kwestie van mijn salaris.' Freddy bracht waarschuwend zijn hand omhoog. 'Maar niet nu. Als we onze thee op hebben, is er tijd genoeg voor onderhandelingen.'

'In dat geval,' zei Inez, 'is er ook nog de kwestie van een huurverhoging, nu jullie een getrouwd stel zijn en jij hier ook woont.'

De discussie die daarop volgde, leidde tot een niet erg bevredigend akkoord. Inez was bereid de huur niet te verhogen zolang Freddy voor haar werkte, maar ze zou hem veel minder betalen dan wat Zeinab had gekregen. 'En vergeet niet Sociale Zaken te bellen, hè?'

'Doe ik,' zei Freddy met een geruststellende glimlach.

De ochtend was koud maar helder en zonnig, al zei dat niets. Zo begon de dag altijd, en tegen de middag viel de regen soms met bakken uit de hemel. Toch zette ze haar boeken buiten. Ze nam zich voor om goed op de bewolking te letten als die zich over een uur of twee zou samenpakken.

Jeremy Quick was op weg naar zijn werk geen thee komen drinken. Het was alweer een paar weken geleden dat hij dat had gedaan, en minstens een week dat hij naar zijn werk was gegaan. Daar was ze van overtuigd. Ze had hem zo nu en dan gezien en hij had niet ziek geleken, integendeel. Hij was energiek de trap op en neer gegaan en had met grote stappen door de straat gelopen in de richting van Edgware Road, om een halfuur later terug te keren en nog eens tien minuten later weer naar buiten te gaan. Ze zou erg graag willen dat hij de huur opzegde, maar ze vond dat ze niet het recht had om hem uit zijn appartement te zetten. Hij betaalde zijn huur, hij was niet luidruchtig, hij hield geen feesten tot diep in de nacht. Er was niets op hem aan te merken, behalve haar toenemende afkeer van hem, haar walging van zijn koude, mauvekleurige ogen en al zijn leugens.

Freddy moest wel een behoorlijk goede indruk op de klanten maken. Dat was een verrassing, want ze had hem altijd als een risicofactor beschouwd, maar nu ze zelf vanaf de straat naar binnen ging, zag ze hem even met nieuwe ogen en vond ze dat hij er heel professioneel uitzag in zijn stofjas, zoals hij daar een tumbler van Venetiaans glas tegen het licht hield. Hij lijkt net een ex-veilingmeester, dacht ze, of een soort ambachtsman die wat wilde bijverdienen. Er kwam een vrouw met een winterse vilten hoed binnen en Inez keek tevreden toe terwijl hij haar een Victoriaanse barometer verkocht.

'Beter dan die weervoorspellers op de buis,' zei hij terwijl hij haar aankoop in bruin papier verpakte. 'Negen van de tien keer zitten ze ernaast, maar dit dingetje heeft het altijd goed.'

De volgende bezoeker was het soort klant dat ze bijna nooit in haar winkel had, een man van in de dertig, tamelijk lang en stevig gebouwd, in een leren jasje en een spijkerbroek en met zijn nogal lange rossige haar in een staartje. Inez vroeg zich af wat hij zocht, iets opzichtigs misschien, wassen fruit onder een stolp of een schilderij van een negentiende-eeuws naakt, maar nadat hij verwonderd in het rond had gekeken, viel zijn blik op de jaguar.

'Dat is een schande,' zei hij hardop. 'Erger dan een bontjas.'

'Ik heb hem niet doodgeschoten,' zei Inez.

'Het is een schande om hem in huis te hebben. Het arme ding. Daar word je toch niet goed van, als je dat ziet, of bent u zo gevoelloos dat u niet dénkt?'

Inez stond op. 'Als u klaar bent met mij te beledigen, is er dan nog iets wat u wenst?'

Om de een of andere reden hadden haar woorden een kalmerende uitwerking op hem. 'Ik kom voor Ayesha,' mompelde hij.

'Er heet hier niemand Ayesha,' zei Inez, al had ze meteen een sterk vermoeden.

'Beeldschoon donker meisje met lang haar. Een jaar of twintig.'

'Ah, ik denk dat ik weet wie u bedoelt. En mag ik vragen wie u bent?'

'Ik ben Rowley Woodhouse.'

Inez zei het voor ze er erg in had: 'Dus u bestaat echt!'

'Natuurlijk besta ik. Waar is Ayesha?'

'Ze werkt hier sinds gisteren niet meer.' Freddy, die gretig had geluisterd, kwam naar hen toe, belust op dramatische verwikkelingen. 'Ze heeft deze hele dag vast nodig voor alle voorbereidingen. Ze gaat zaterdag trouwen. Ik ben zelf vorige week getrouwd, dus ik weet er alles van.'

Rowley Woodhouse staarde hem aan. Inez had genoeg van de situatie begrepen om dat onderwerp uit de weg te gaan, maar Freddy was óf naïef en onwetend óf hij genoot ervan om wraak te nemen. 'Ik snap er niets van,' zei Woodhouse.

'Zeg, u zult dit zelf met haar moeten uitpraten,' begon Inez te zeggen, 'en ik kan niet...' Toen zag ze Morton Phiblings gele BMW voor de deur stoppen. De chauffeur stapte uit om de deur voor zijn werkgever open te houden.

Er kwamen allerlei wilde gedachten in haar op – Woodhouse in het keukentje of zelfs in een kast verstoppen, alsof hij een heimelijke minnaar in een Franse klucht was – maar Morton was al in de winkel, nog een man die op zoek was naar zijn verloofde. Hij vroeg naar haar.

'Waar is zij die derwaarts kijkt in de ochtend, schoon als de maan?'

Hij zou al die onzin wel uit zijn hoofd leren voordat hij kwam, dacht Inez. Ze wist niet wat ze moest zeggen en kwam toen op een idee. 'Zeinab werkt hier sinds gisteren niet meer.' Zou Woodhouse kunnen denken dat ze hier twee Aziatische meisjes in dienst had gehad? 'Ik dacht dat u dat wist.'

Natuurlijk was het onvermijdelijk dat Morton iets verkeerds zou zeggen. 'Nu weet ik het weer. Wat dom van me! Ik ben zeker mijn verstand aan het verliezen. Hoe kan ik nou mijn eigen trouwdag vergeten!'

Woodhouse kwam dichter naar hem toe. 'Hebt u het over Ayesha?'

'Zeinab.'

'Een en dezelfde,' zei Freddy, altijd even behulpzaam.

Woodhouse keek even naar hem, maar sprak tegen Morton. 'Even voor alle duidelijkheid. U zegt dat u morgen gaat trouwen met míjn verloofde?'

'Nee, ik ga trouwen met míjn verloofde. Het mooiste meisje van de wereld, Zeinab of Ayesha of hoe ze ook heet, dat is mij om het even,' ging hij enthousiast verder. 'Ze ziet eruit als Miss World, maar morgen wordt ze mevrouw Phibling.'

Woodhouse sloeg hem, een nogal onzekere linkse hoek. Inez gilde. Ze kon er niets aan doen; het geluid kwam uit haar open mond voor ze er erg in had. Morton wankelde, maar bleef overeind. Inez deinsde terug, verschanste zich achter het bureau en schreeuwde tegen Woodhouse dat zijn tegenstander een oude man was, hij moest niet vechten tegen een man die twee keer zo oud was als hij. Morton kwam met beide vuisten op hem af. Ondanks haar schrik stond ze versteld van Mortons behendigheid. Toen wist ze plotseling weer wie hij was. Elke keer dat hij in de winkel kwam, had ze zich afgevraagd waar ze hem van kende. Jaren geleden, 35 jaar misschien wel, was hij wereldkampioen boksen in het bantamgewicht geweest. Haar eerste man had haar een paar keer meegenomen naar bokswedstrijden. Hij heette toen niet Morton Phibling, maar Morty Phillips. Geen wonder dat Woodhouse tegen de vloer ging. 'Bel de politie,' schreeuwde ze tegen Freddy.

Maar voordat hij de telefoon had gepakt, stopte Zulueta's auto voor de deur. Inez was nog nooit zo blij geweest hem te zien. Morton en Woodhouse beukten er weer op los, maar Morton was duidelijk de overwinnaar. Zeinabs andere verloofde was op de knieën gedwongen en deed zwakke schijnaanvallen op de benen van de ex-bokser. Er was dringend behoefte aan een scheidsrechter die tussenbeide kwam, en die verscheen in de persoon van Zulueta, die met rechercheur Jones de winkel binnen kwam.

'Wat is hier aan de hand?'

Woodhouse viel op de vloer en rolde zich onder het maken van trieste kreungeluiden op zijn zij. Morton keek naar hem vanuit de grijze fluwelen stoel, waarin hij zich had laten zakken, en veegde met een rode zijden zakdoek over zijn gezicht, waarover zich langzaam een tevreden grijns verspreidde. 'Ik ben het nog niet verleerd,' zei hij.

Jones boog zich over Woodhouse, die geen behoefte had aan medelijden, vooral niet omdat zijn rivaal minstens dertig jaar ouder was dan hij. Woodhouse ging op zijn knieën zitten en schudde zijn hoofd, alsof hij zich verbaasde over de dwaasheden van de mens. Zulueta keek Inez aan. 'We kwamen eigenlijk vragen, mevrouw Ferry, of u ons het adres kunt geven van een zekere Morton Phibling, die verloofd schijnt te zijn met de jongedame die hier werkt.'

'Dat ben ik,' zei Morton. Hij stond op, alsof hij zich daardoor wat beter herkenbaar kon maken. 'Herkent u mij niet? Toen u hier kwam in verband met die moorden, was ik er ook. Weet u dat niet meer?'

'De omstandigheden waren nogal anders, meneer.'

Woodhouse was opgestaan. Hij duwde Jones opzij en zou Morton weer te lijf zijn gegaan, als Zulueta hem niet van achteren bij zijn schouders had gegrepen. Hij duwde hem in de stoel waaruit Morton net was opgestaan en Woodhouse liet zich er met een machteloos gekreun in zakken. 'Zo is het wel genoeg.' Zulueta had de houding van een kleuterjuf die haar klas tot de orde roept. 'Nou, heren, u houdt er nu mee op, en aangezien u geen van beiden gewond bent, zullen we er geen werk van maken.' Hij keek Woodhouse met gefronste wenkbrauwen aan. 'Ik moet u er wel aan herinneren, meneer, dat sommigen de duw die u rechercheur Jones gaf als mishandeling zouden opvatten. U bent gewaarschuwd.' Hij haalde een notitieboekje uit zijn zak, richtte zijn aandacht weer op Morton en zei: 'Meneer, we hebben gehoord dat een waardevolle diamanten hanger die afgelopen maandag op de Mall is gevonden uw eigendom is. Volgens de heren La Touche-Chessyre, juweliers in Bond Street, hebt u dat sieraad bij hen gekocht voor de prijs van 20.000 pond.' Freddy hield zijn adem in en Rowley Woodhouse keek ongelovig. 'En wel op...' Zulueta keek in zijn notitieboekje. '22 mei 2002.'

Morton knikte. Zijn zelfvoldane grijns was plotseling helemaal verdwenen.

'Blijkbaar weet u waar ik het over heb,' zei Zulueta, die al zijn gewichtigheid opgaf. 'In dat geval moet ik u vragen met ons mee te komen naar het politiebureau om het voorwerp te identificeren.'

Woodhouse en zijn vechtpartij met hem waren vergeten. Morton schudde nu net zo bedroefd zijn hoofd als Zulueta. 'Mijn geliefde moet haar ranke hals hebben gebogen toen ze deelnam aan de Jubilee-festiviteiten.' Hij liep achter Jones aan naar de deur. 'Het geeft niet. Wat een verrukking voor haar als ik het sieraad in haar handen terugleg!' Tegen de andere rechercheur zei hij: 'Ik ben bereid u naar het bureau te vergezellen, maar ik ga in mijn eigen auto, als u daar geen bezwaar tegen hebt.'

Op de zolder van zijn ouderlijk huis zocht Anwar in de doos met oude kleren waar eerder de chador uit was gekomen. Omdat het resultaat teleurstellend was, klom hij de ladder af en ging naar de slaapkamer van zijn ouders. Moest het deze keer een sari zijn of een *salwar-kameez*? Van de laatste had ze er maar één en hij kon zich niet herinneren dat ze hem ooit had gedragen. Sari's – en ze had prachtige – trok ze aan als ze naar belangrijke diners of recepties ging. In beide gevallen kon je er een sluier bij dragen. Misschien moest hij Julitta's gezicht met de hoek van een *dupatta* bedekken, want ze had een erg lichte huid en zou er in een sari vreemd uitzien, tenzij ze was opgemaakt. En dat, dacht Anwar, zou zijn krachten wel eens te boven kunnen gaan.
Welke zou zijn moeder niet missen? De lichtroze met de zilveren rand waarvan ze eens had gezegd dat hij te jong voor haar was geworden? Maar hij had haar ook nooit die donkerblauwe met dat witte patroon zien dragen. Die was van katoen en waarschijnlijk vond ze hem te eenvoudig voor een diner. Aan de andere kant moest het gezicht van de drager worden bedekt, dat zag hij nu wel in, en hoewel een vrouw in een sari een dupatta kon dragen, zou ze daar vast niet haar gezicht mee bedekken. In de kleerkast zag hij nog iets anders; een lange jas met knopen en een ceintuur, een slonzig donkergrijs kledingstuk zoals moslimvrouwen in delen van het Midden-Oosten dragen. Zijn moeder had hem een jaar of drie geleden gekocht toen zij en zijn vader op vakantie waren in Syrië. Hij zou warm zijn, had ze gezegd toen haar gezin haar uitlachte, en ze zou hem kunnen dragen als ze 's winters ergens op bezoek ging. Voorzover hij zich kon herinneren, had ze hem nooit gedragen. Hoewel ze nooit erg op haar kleding lette, vond ze dat dit kledingstuk haar erg slecht stond.
Julitta kon hem dragen met de *hijab*. Misschien een witte, of beter nog, omdat zelfs zo'n doek haar gezicht niet zou verbergen, een *yashmak*.

Anwar betwijfelde of iemand er een zou kunnen maken, maar ze zou een zwarte doek om haar hoofd kunnen winden, over de rug van haar neus en weer terug boven haar wenkbrauwen, met een knoop aan de achterkant. Hij rolde de jas op, vond een lange zwarte doek in een la en ging naar het busje terug zonder dat hij zijn zussen nog zag.

Op de terugweg naar Paddington dacht hij weer aan de rijke patser. Ze zouden binnenkort een nieuwe naam voor hem moeten bedenken. Als ze hem zo bleven uitmelken, zou hij niet lang rijk meer zijn. Waar zou hij hem deze keer met het geld naartoe sturen? Misschien het plantsoen, het driehoekje van gras en bomen, tussen Broadley Street en Penfold Street. Het was een van die schaduwrijke plekjes waar je beter niet kon komen als het donker was. Hemelsbreed was het niet ver van de imposante huizen van Crawford Place en Bryanston Square. Aan de andere kant van Lisson Grove liep Boston Place, waar de patser een van die meisjes had gedood, langs Marylebone Station naar Dorset Square. Toen hij aan de moord op Caroline Dansk dacht, die daar langs de spoorwegmuur had gelopen, kwam waarschijnlijk de eerste ridderlijke gedachte uit zijn hele leven bij Anwar op. Wat zou zijn vader daar blij mee zijn geweest, zij het natuurlijk niet met de context waarin die gedachte was opgekomen. Waarom niet? Hij glimlachte in zichzelf en dacht dat hij hier weer echt van zou genieten.

's Middags kwam de man terug die de klok van Chelsea-porselein had gekocht. Inez dacht dat er misschien iets met de klok aan de hand was, een stukje van het porselein eraf of een defect in het uurwerk, maar dat was niet de reden dat hij terugkwam. Wat die reden wel was, vertelde hij niet, maar hij liep rond en bewonderde dingen en praatte tegen haar. Hij was zestig jaar, pas weduwnaar geworden, een gepensioneerde advocaat die in St John's Wood woonde. Natuurlijk verwachtte hij van haar dat ze zich de naam herinnerde die hij haar voor de rekening had opgegeven toen hij de klok kocht. Ze groef in haar geheugen, maar kon zich de naam niet herinneren, en ze kon ook moeilijk het bureau openmaken en de rekening eruit halen terwijl hij tegen haar praatte.

Ongeveer een halfuur later dan hij had beloofd, kwam Freddy terug van zijn lunch in de Ranoush Juice met Ludmila, maar Inez was niet zo blij met zijn komst als ze had verwacht. Haar bezoeker bleef nog maar twee of drie minuten. Bij zijn vertrek zei hij dat hij maandag graag terug wilde komen, want ze had dingen in haar winkel die hij wilde bekijken.

'Je kunt zo zien dat hij op je valt, Inez,' zei Freddy.

'Doe niet zo mal.'

'Goed, zelf weten. Die arme ouwe Freddy heeft het weer mis, zoals gewoonlijk. Maar we zullen zien.'

Ze was van plan geweest zichzelf die avond te verwennen door niet naar één maar twee Forsyth-films te kijken. Maar toen het zover was, toen ze een glas wijn had ingeschonken en comfortabel voor het scherm zat, maakte ze geen aanstalten om de toets van de afstandsbediening in te drukken, maar vroeg ze zich af of het niet morbide was om zo overdreven lang in de rouw te blijven. Te lang had ze zich gekoesterd in dromen van een volmaakte liefde die voorgoed vervlogen was. Het leven ging door, zoals ze dan zeiden.

Ze pakte een boek dat ze maanden geleden had gekocht maar daarna niet meer had ingekeken.

Hij had elke keer iets anders gebruikt om zijn slachtoffers te wurgen. Het eerste meisje wurgde hij met haar eigen zilveren ketting. Dat was het enige wat hij bij de hand had, want hij had niet van tevoren geweten dat hij Gaynor Ray of een andere vrouw zou doden. De volgende keer was het winter geweest en had hij een elektrisch snoer gebruikt dat hij toevallig in de zak van zijn jas had. Daarna was het anders geweest. Als hij 's avonds ging wandelen, had hij nooit de bedoeling iemand te doden, maar misschien zou hij helemaal niet zijn uitgegaan als de kans op een moord niet in zijn onderbewustzijn sluimerde, en hij had altijd iets bij zich wat hem eventueel van pas zou kunnen komen, een stuk touw, een eind schilderijenkoord, een reep stof. Maar hij was nooit duidelijk van plan om een meisje te volgen en haar te doden met een van de hulpmiddelen die hij bij zich had. De mogelijkheid was nu eenmaal aanwezig en hij wilde iets bij zich hebben als hij een vrouw zag lopen die hem tot waanzin dreef. Soms legde hij het in gedachten uit aan een politieman of advocaat, in het geval dat hij zou worden opgepakt, en dan besefte hij hoe onbegrijpelijk het zou overkomen op brave burgers die nooit in de verleiding kwamen. Hij wist dat, want nog niet zo lang geleden was hij zelf ook zo'n brave burger geweest.

Ditmaal had hij het wurgmiddel, een stuk elektrisch snoer, misschien wel het meest efficiënte middel, met opzet in zijn zak gedaan. Ze hadden gevraagd om een van die tassen van glanzend synthetisch materiaal die goedkoop en licht te dragen zijn en die op congressen worden weggegeven om er papieren en brochures in te doen. Jeremy had hem moeten kopen; als zelfstandig ondernemer ging hij nooit naar zulke congressen. Maar hij had niet voldaan aan het verzoek van de chanteurs om de tas met vijfduizend pond te vullen. De tas, jadegroen en zwart met een onbekend logo op de voorkant, bevatte alleen krantenpapier dat tot stukken ter grootte van bankbiljetten was verknipt.

Hij vroeg zich af welke vermomming het meisje deze keer zou aannemen, maar verder dacht hij niet veel aan haar. Voorzover hij kon nagaan, liep hij alleen het risico dat hij zich vergiste en dat ze anderen had die haar hielpen. Maar zouden die anderen dan steeds weer toestaan dat zij het chantagegeld zelf ging ophalen? Ze wisten wat hij had gedaan. Zouden ze toestaan dat steeds dezelfde persoon, en nog wel een vrouw, zich aan een heel reëel gevaar blootstelde? Zouden ze niet een van hen sturen, een man? Als er ook mannen bij waren, zou toch een van hen hem bellen om de eisen te stellen? Ze had op een nogal wanhopige manier over haar vriend gesproken, dacht hij, alsof ze erg graag wilde dat hij haar geloofde. Waarom had die vriend, als hij erbij was, niet zelf met hem gesproken? Waarom was zij het altijd geweest die de telefoongesprekken voerde?

Het antwoord was duidelijk: omdat ze dit in haar eentje deed en misschien al eens eerder zoiets had gedaan. Als ze stierf, als ze gewurgd in een tuin aan een stil straatje in Marylebone werd aangetroffen, zouden de politie en de media ervan uitgaan dat ze gewoon het zoveelste slachtoffer van de rottweiler was. Daarom zou hij een klein persoonlijk voorwerp van haar meenemen, zoals hij bij alle anderen had gedaan. Het zou geen punt zijn om haar lichaam ergens te dumpen, want ze was tenger en lang niet zo groot als hij. En hij had ervaring genoeg.

Dit uitwisselpunt lag het dichtst bij Star Street van de drie punten, en het tijdstip was later dan bij de vorige twee gelegenheden: twaalf uur 's avonds. Het zou natuurlijk donker zijn, zelfs tegen het midden van de zomer zou het donker zijn, vooral wanneer de lucht betrokken was. Hij ging pas om tien voor twaalf van huis, want hij had geen zin om eerst wat rond te hangen, zoals hij de vorige keer had gedaan.

Hij vond Broadley Street nogal sinister. Misschien was het overdag anders, maar 's avonds was alles eenzaam en verlaten, vooral in de smalle zijstraten met de flats van de gemeente en hier en daar een groot Victoriaans huis. In sommige huizen brandde licht, en toch leek het of er geen mensen op straat waren, afgezien van een stel tienerjongens die uit Penfold Street kwamen. Ze stootten elkaar aan, slaakten oerkreten en schopten een leeg bierblikje als een voetbal naar elkaar toe. Ze liepen voor hem langs, staken de weg over zonder naar rechts of links te kijken en gingen het trottoir aan de andere kant op, richting Lisson Grove. Een auto reed te hard door de straat, het dak open, zo hard mogelijke stampende, dreunende, krijsende muziek. Daarna keerde de stilte terug, des te opvallender door de verstoringen die er waren geweest.

Toen hij de straat overstak, keek hij op zijn horloge. Hij kon nog net zien hoe laat het was. Twee minuten na middernacht, maar het meisje was er nog niet. Er was niemand in het nog stille plantsoen waar geen vrouw met ook maar een beetje verstand op dit uur in haar eentje naartoe zou gaan. Voor dit meisje lag het anders, tenminste, dat dacht ze. Toen zag hij haar uit Ashmill Street komen, of beter gezegd schrijden, want ze liep zoals zedige Aziatische vrouwen doen, langzaam alsof ze alle tijd van de wereld had, het hoofd hoog geheven, het gezicht, hoofd en lichaam helemaal gehuld in kleding met de kleur van de nacht.

Er stond geen maan en er waren geen sterren en maar weinig straatlantaarns, maar hij kon zien dat haar lange jas met ceintuur donkergrijs was en dat de doek die om haar hoofd was gewonden, om het onderste deel van haar gezicht en om haar voorhoofd, zwart was. Ze liet niet blijken dat ze hem zag staan maar stopte een paar meter van de boom waaronder hij de tas moest leggen. Hij ging niet naar de boom, maar bleef op dezelfde plaats staan. Hij keek naar haar en probeerde haar te laten terugkijken, al wist hij niet of hem dat was gelukt. Hij kon zien dat haar ogen en wenkbrauwen niet bedekt waren, maar niet of de ogen gesloten of open waren. Het leek net of ze haar ogen dicht had. Hij snoof, probeerde haar geur te ruiken, want hij wist dat hij zelfs op deze afstand een zweem van haar parfum zou kunnen opvangen, maar hij rook niets van dát parfum, natuurlijk niet. Als hij iets rook, was het gras, een beetje tabaksrook en vreemd genoeg ook de geur van kokosnoot.

De hand in zijn zak tastte naar het elektrisch snoer en hij legde zijn vingers eromheen. Met de tas in zijn andere hand liep hij erg langzaam naar de boom, in de hoop dat hij haar met zijn nonchalance nerveus zou maken. Misschien keek ze naar hem, misschien niet. Hij zette de tas op het gras, draaide zich om en bleef naar haar staan kijken. Het zou gemakkelijker zijn geweest, dacht hij, als ze blijk gaf van de nervositeit die ze zou moeten voelen, of van welke emotie dan ook, in plaats van daar als een standbeeld te blijven staan. Hij voelde een vreemde afkeer van de daad die hij moest verrichten, een afkeer die hij nooit eerder had gevoeld. De vorige keren was het anders geweest. Zodra hij had geweten dat hij ging doden, had het bloed in zijn hoofd gebonkt, had zijn hele lichaam getrild tot het was of zijn voeten springveren hadden en zijn handen geladen waren met elektriciteit. Waarom bleef dat alles uit, juist nu hij er zoveel behoefte aan had?

Dat besef joeg een huivering door hem heen. Het was de geur, de naamloze geur van dat parfum, die ontbrak; er was alleen die geur van kokosnoot. Hij had die parfumgeur nodig om in actie te komen. Nou ja, dacht hij, dan moest het maar zonder de geur. Hij wist wat hij deed, niemand wist dat beter dan hij, en als hij het kon doen wanneer iets hem voortdreef, moest hij het ook zonder die stimulans kunnen doen. Ze was dichter naar de boom toe gegaan, weer met die gracieuze manier van lopen. Hij zag haar in het enige licht dat er was, afkomstig van de kleine zwakke straatlantaarn die op het gras scheen, en toen sprong hij op haar af, met het snoer in zijn handen. Ze stootte een diepe bulderkreet uit, boog zich naar voren en schopte hem. Hij hield vol, trok hard aan het snoer, hoopte dat het haar luchtpijp nog steeds dichtdrukte, dwars door al die plooien van de dikke zwarte stof heen. Gedurende een halve seconde zou hij zijn greep moeten verslappen. Hij deed dat en trok de doek van haar hals. Plotseling deinsde hij met een kreet terug, want zijn knokkels voelden een knobbel van kraakbeen.

Een adamsappel. Dit was een man! Een erg jonge man met een gladde olijfbruine huid, een nogal lange arendsneus en ogen die, hoe nietszeggend ze daarstraks ook hadden geleken, nu gloeiden van woede of triomf of wraakzucht. Zijn bovenlip trok weg en hij keek Jeremy als een grauwende hond aan. Hij kwam schoppend op Jeremy af, krabbend met nagels die veel te lang waren voor een jongen, maar Jeremy was langer en wist zijn blote handen om de keel van zijn chanteur te krijgen. Hij kneep, drukte zijn duimen, zijn vingertoppen naar binnen. De jongen, verrassend sterk maar kokhalzend en snakkend naar adem, zag kans om hard met zijn knie in Jeremy's kruis te stoten. De pijn was verschrikkelijk. Jeremy viel niet, maar hij wankelde wel en gaf onwillekeurig een schreeuw, en terwijl hij overeind probeerde te krabbelen, greep de jongen de tas en rende weg. Hij was jong en hij kon sneller, veel sneller lopen dan een man van 48, ook al moest hij zijn lange jas omhooghouden. Jeremy, die hem achtervolgde maar ver achterbleef, zag hem de jas van zich afwerpen, zodat die op het trottoir bleef liggen. De hoofddoek had de jongen al op het gras laten vallen, maar de tas hield hij vast. Jeremy gaf het op. Hij moest wel; hij wist dat hij verslagen was. Hij zag de jongen die een meisje had moeten zijn, nog steeds in de verte. Hij was Penfold Street in gerend, en Jeremy strompelde achter hem aan, maar gaf het algauw op. De jongen had Marylebone Road bereikt, waar hij redelijk veilig was. Jeremy kon hem nog zien rennen, zo snel als hij kon in de richting van Baker Street Station.

Jeremy's balzak brandde al wat minder erg, maar de pulserende pijn die was achtergebleven, was bijna ondraaglijk. Hij zag zich gedwongen om op een van de houten banken te gaan zitten. Na een tijdje nam de pijn enigszins af om vervolgens weer te komen opzetten. Hij had er de afgelopen tien minuten helemaal niet aan gedacht, alleen gehandeld en geleden. Toen hij opstond om terug te gaan in de richting vanwaar hij was gekomen, dacht hij na over wat hij had gedaan. Het wurgsnoer had in de huid van de jongen gevreten, en dat moest pijnlijk zijn geweest en had hem korte tijd de adem benomen, en als hij het spoor of zelfs de wond ontdekte, zou hij op wraak belust zijn. En het meisje natuurlijk ook. Zou hij naar de politie gaan? Waarschijnlijk wel, want Jeremy besefte dat hij de oorringen er helemaal buiten kon laten. Hij hoefde alleen maar naar de politie te gaan met het spoor (of de wond) op zijn hals en met het signalement van zijn belager, en dan zouden ze meteen weten wie hij bedoelde en regelrecht naar Star Street gaan...

Thuis ging hij langzaam de trap op, zonder zich iets aan te trekken van het geluid van iemand, waarschijnlijk een kind, die achter Will Cobbetts deur snikte. In de rest van het huis heerste duisternis en diepe stilte. Jeremy ging zijn appartement binnen en liet zich in een fauteuil vallen zonder licht aan te doen. Slapen leek hem onmogelijk; hij zou nooit meer slapen. Maar hij deed zijn ogen dicht en dacht na over wat hem te doen stond. Moest hij daar blijven en wachten tot ze kwamen? Dat idee sprak hem niet aan. Tot zijn verbazing en toen ook tot zijn schaamte merkte hij dat hij naar huis zou willen vluchten, naar zijn moeder. Dat kon niet. Misschien zag hij haar nooit meer terug, en als dat al gebeurde, zou het in de gevangenis of bij het proces zijn. Je moet niet in die termen denken, zei hij tegen zichzelf. Hij maakte de bureaula open waarin hij de valse oorringen, de aansteker en de sleutelring had gelegd en stopte ze in de zak van zijn jasje. Had hij nog meer belastende voorwerpen in zijn bezit? Niet dat hij kon bedenken. Met zijn sleutel in zijn linkerhand ging hij de trap weer af. Achter Cobbetts deur werd nog gesnikt en nu was er ook een streepje licht te zien tussen die deur en de vloer. Jeremy ging de straat op.

De straat zag er precies zo uit als altijd bij nacht, verlaten, de auto's kop aan staart geparkeerd langs de trottoirbanden, met maar weinig ruimte ertussen. Het ruitje aan de bestuurderskant van een tamelijk nieuwe Peugeot was ingeslagen, ongetwijfeld om bij de radio of een mobiele telefoon te komen. Hij meende zich te herinneren dat de ruit nog intact was geweest toen hij aankwam. Aan de straatlantaarn op de hoek hing een afvalbak, maar die was geleegd. De mensen die twee deuren verder in Bridgnorth Street woonden, hadden hun vuilniszak alvast buitengezet voor de volgende morgen. Jeremy maakte het koordje dat de zak afsloot los en deinsde terug voor de vieze stank. Dat was je straf als je een superieur reukvermogen bezat. Hij deed de oorringen, de aansteker en de sleutelring in de zak en maakte hem weer dicht.

Toen hij de trap weer opging, bleef hij voor Cobbetts deur staan. Het licht was uit en het snikken was opgehouden. Wat kon het hem schelen? Hij interesseerde zich niet voor Cobbett, dacht hij, of voor wie daar ook maar binnen was, een kind, een slecht behandelde vrouw. Op de een of andere manier was dat snikken voor hem een klaagzang geweest, een lijkzang voor hem, want aan zijn leven zou in feite binnenkort een eind komen. Hij ging naar zijn appartement terug, trok zijn kleren uit en bleef slapeloos op zijn bed liggen.

Je zou denken, zei Becky om zeven uur 's morgens tegen zichzelf, dat als je zoveel dronk als zij, je lichaam geleidelijk aan een grote dosis alcohol zou wennen en je geen hevige katers meer had. Dat was de regel; blijkbaar was zij de uitzondering. Opnieuw dacht ze, zoals elke morgen, dat ze met drinken moest stoppen of de hoeveelheid drastisch zou moeten beperken. Deed ze dat niet, dan zou ze haar baan op het spel zetten, haar uiterlijk ruïneren, dik worden, vroegtijdig oud worden en haar lever verwoesten.

Ze kwam wankelend overeind. Haar benen volgden min of meer de instructies op die ze kregen, en haar hoofd zweefde naar het plafond. De barstende hoofdpijn zou pas over een halfuur komen, en daarmee zou dan een begin komen aan de draconische straf. Nadat ze haar tanden had gepoetst en haar mond had gespoeld en koud water over haar gezicht had geplensd, en vergeefs twee aspirientjes had genomen, vroeg ze zich af waarom. Waarom dronk ze zoveel nu ze vrij was, alle tijd van de wereld had, een goede baan en veel geld? Om geen enkele reden, en daarom werd het tijd dat ze ermee stopte.

De geluiden in haar hoofd waren allemaal verkeerd, een aanhoudend geritsel ergens links van haar, en een ritmisch kloppen aan de rechterkant. En in het midden, recht boven haar ogen, rinkelde iets. Ze deed haar ogen dicht, leunde tegen de keukentafel, en begreep toen dat het rinkelen niet in haar hoofd zat, dat het echt was. 'Hallo. Wie is daar?'

'Will. Laat me binnen, Becky, toe. Ik heb het koud.'

Ze drukte op de toets met de afbeelding van een sleutel, maakte de deur van het appartement open en liet zich in de eerste de beste stoel zakken. Will zag eruit alsof hij uren had gehuild. Zijn gezicht was rood en gezwollen, zijn ogen waren opgezet en leken net spleetjes. Hij droeg een koffer die er zwaar uitzag en liet hem op de vloer ploffen. Becky zag dat het de grootste was van de drie koffers die hij had. Hij zei niets. O, god, dacht Becky, is hij zijn spraakvermogen weer kwijt?

Dat bleek niet zo te zijn. 'Mag ik iets drinken? Melk?'

'Ja, natuurlijk. Pak maar.'

Terwijl Will de melk in een mok goot, maakte ze voor zichzelf een stevige gin-tonic klaar. Het enige wat zou helpen, hoe slecht het ook voor haar was, was meer alcohol. 'Wat is er, Will?'

Hij wilde niet direct antwoord geven. 'Ik kom hier voorgoed, Becky. Ik wilde zaterdag niet naar huis, ik wilde blijven, ik wil altijd blijven, want ik ben hier graag.'

'Is het niet leuk bij Inez?'

'Ja, maar het is niet zoals hier.'

'Wat zit er in die koffer, Will?'

'Al de dingen die ik nodig heb.'

Hij knielde neer en maakte hem open. Ergens onderop moesten ook kleren liggen, maar ze zag alleen een speelgoedvrachtwagen – spéélde hij daarmee? – een stripalbum, de *Radio Times*, de afstandsbediening van de video voor het geval de hare niet werkte en hij die van hem hier kon gebruiken, een pot pepermuntballetjes, een rode honkbalpet met MANCHESTER UNITED in witte letters, een videoband van Dribbel.

'Ik richt mijn kamer zelf in,' zei hij. 'Ik doe wat jij deed. Ik haal alle stoelen op één na eruit en zet de computer ergens anders en maak van de bank een bed en doe er lakens op.'

'En je werk, Will?'

'Je kunt Keith bellen en zeggen dat ik me niet goed voel.' Het equivalent van een ziekmelding op school, dacht ze. 'Je kunt zeggen dat ik morgen weer beter ben en dat hij me dan hier kan komen halen.'

Hij maakte de koffer dicht en sleepte hem de studeerkamer in. Haar hoofdpijn was niet zo erg meer, maar haar lichaam was nog zwak. Ze hoorde hem meubilair verplaatsen en intussen het refrein van de dwergen uit Sneeuwwitje neuriën. Ze wist nog van vroeger dat hij alleen zong als hij zich gelukkig voelde.

Wat moest ze doen? Als hij de volgende dag naar zijn werk ging, zou zij dat vermoedelijk ook wel kunnen. Hij zou elke middag een paar uur alleen zijn, maar dat was niet zo erg. Ze had haar minnaar weggestuurd en er zouden geen nieuwe minnaars komen. De televisie zou de hele ochtend en de hele avond aanstaan, dag in dag uit, elke dag. Ze zou geen schuldgevoel meer hebben; dat zou allemaal verleden tijd zijn. Er zou een dodelijke rust voor in de plaats komen, een levenloze kalmte met een lief maar eigenzinnig kind dat haar beheerste en dat altijd aanwezig zou zijn. Hij zou haar hele leven beheersen, haar contacten met anderen, de tijd dat ze sliep en de tijd dat ze wakker was. Misschien zou de behoefte aan drank tegelijk met het schuldgevoel verdwijnen. Misschien. Op een dag.

Het was onvermijdelijk geweest dat hij hierheen kwam. Misschien had ze, ergens in haar pijnlijke hoofd, altijd al geweten dat dit zou gebeuren. Ze had die akelige dag alleen maar uitgesteld. Maar ik hou echt van hem, dacht ze. Die woorden hadden een galmende klank. Hield ze van hem? Hield ze van iemand op de wereld?

Becky legde haar armen op de tafel en haar hoofd op haar armen en huilde. Ze huilde om een auto-ongeluk en een fragiel chromosoom en een gevoelloze samenleving en om zichzelf. Uit de studeerkamer kwam Wills zingende stem: 'Hei-ho, hei-ho, je krijgt het niet cadeau...'

'Je had gisteravond naar ons toe moeten komen,' zei inspecteur Crippen. 'Toen het gebeurd was. Je had niet tot nu moeten wachten.'
'Ik dacht dat u hartstikke blij zou zijn met de beste aanwijzing over de identiteit van de rottweiler die u waarschijnlijk ooit zult krijgen.' Anwar was niet echt verontwaardigd. Het kon hem niet schelen. Als de politie niets met de informatie die hij verstrekte zou doen, zou hij naar de media gaan en kijken wat zij ervan vonden dat de politie niets deed terwijl er duidelijke bewijzen van een wurgpoging werden gepresenteerd.
'Laat me eens naar je hals kijken.'
Anwar, die de wond had afgedekt met een coltrui die hij onder zijn pak droeg, niet uit schaamte maar om zijn keel met des te meer dramatiek te kunnen ontbloten, trok de donkerblauwe wollen col naar beneden en rekte zijn nek uit.

Beide rechercheurs, Crippen en Zulueta, reageerden bijna zo goed als hij had gehoopt. 'Je hebt daar een lelijke wond,' zei Crippen, die een beetje terugdeinsde voor de paarsrode kring rond Anwars olijfbruine keel. 'Het zou me verbazen als dat geen litteken achterliet.'

'Laat het maar behandelen,' zei Zulueta. 'Je moet naar een dokter.'

Crippen schudde nog met zijn hoofd, misschien wel om de slechtheid van wat er in West-Londen rondliep. 'Vertel me nog eens wat er gebeurd is.'

'Ik liep van Marylebone Station naar huis. Ik was op bezoek geweest bij mijn tante in Aylesbury.' Dat was hij inderdaad geweest, afgelopen vrijdag met zijn ouders, maar tante Seema zou nooit weten welke dag het was geweest, ze had ze nooit allemaal op een rijtje gehad. 'Om ongeveer twaalf uur gisteravond liep ik vanuit Lisson Grove door Ashmill Street.' Daar zouden ze niets tegenin kunnen brengen, want het was de kortste route.

'Je lijkt niet erg op een meisje,' zei Zulueta. 'Of op een vrouw.'

Hij keek verbaasd naar Anwar, naar diens benige lichaam, holle borst en magere benen, de vlashaartjes op zijn kin en wangen en zijn grote, spitse neus.

'Misschien kon hij het niet goed zien,' zei Anwar. 'Het was donker en hij stond onder een boom. Ik liep dwars door het plantsoen naar Broadley Street. Hij kwam met dat stuk snoer op me af en voordat ik iets kon doen, had ik het om mijn keel.'

'Wat deed je?'

'Ik ben toch geen meid? Ik verzette me natuurlijk tegen hem.'

'En je zegt dat je hem herkende?'

'Ja, ik herkende hem,' zei Anwar heel deugdzaam. 'Ik weet niet hoe hij heet, maar hij woont in het appartement boven mijn vriend Frederick Perfect.'

Freddy, die honderd pond had gewonnen in de loterij, was in een goed humeur. Hij zwaaide door de etalage naar Jeremy en werd nadrukkelijk genegeerd, al had de bewoner van de bovenste verdieping hem vast en zeker gezien en zelfs in de ogen gekeken.

'Hij kan om deze tijd niet naar zijn werk gaan,' zei Freddy. 'Hij ziet er niet goed uit, misschien is hij ziek of zoiets. Ik hoop niet dat het besmettelijk is. Als je dan zonder jas of paraplu naar buiten gaat, wordt het nog erger. Het gaat stortregenen. Ik vraag me af waar hij heen gaat. Misschien naar de dokter. Dat zal het zijn.'

Geen van deze opmerkingen vereiste een weerwoord. Inez glimlachte Freddy vaag toe. Hij was deze ochtend erg laat naar beneden gekomen, in navolging van Zeinab, maar dat vond ze niet zo erg, tenminste deze ene keer niet. Net nadat ze de deur had opengemaakt en de boeken op het trottoir had gezet, was de man binnengekomen die de klok van Chelsea-porselein had gekocht. Hij had wat rondgelopen en naar allerlei voorwerpen gekeken – maar zonder ze echt te bekijken, vond ze – en toen was hij naar haar toe gelopen en had hij haar gevraagd of ze met hem wilde dineren. Ze was zo verrast dat ze zei dat ze dat graag wilde, en toen hij weg was, besefte ze dat ze, verrast of niet, het echt graag wilde.

Natuurlijk ging Jeremy niet naar de dokter. Hij was op weg gegaan om een wapen te kopen. Met een echt handvuurwapen zou hij niet kunnen omgaan. Een imitatie zou goed genoeg zijn, of zelfs een speelgoedwapen, zolang het op afstand maar op een pistool of revolver leek. Speelgoedpistolen waren voor omstanders net zo angstaanjagend als echte pistolen, zolang je er niet mee schoot.

Hij had een vreselijke nacht achter de rug en was om zeven uur 's morgens eindelijk in slaap gevallen. Als hem ernaar werd gevraagd, zei hij altijd dat hij nooit droomde of dat hij zijn dromen vergeten was als hij wakker werd, en dat klopte ook wel zo ongeveer. Wel had hij vreemde nachtelijke visioenen of fantasieën die overdag terugkwamen en hem dan opeens voor ogen stonden en hem dwarszaten, juist doordat ze geen duidelijke betekenis hadden. Zo had hij een keer het eerste meisje gezien dat hij had gedood, recht van voren, van opzij, omlaag kijkend, omhoog kijkend, lachend en huilend, en later had hij een stoet als Macbeth's koningen gezien, maar dan van wurgmiddelen, touw, draad, kabel, snoer, koord, tape, ketting, dansend en deinend over een eindeloze trap omlaag. De afgelopen nacht had hij, nadat hij een hele tijd geen last van zulke beelden had gehad, flesjes en flacons parfum gezien maar niets geroken. De parfumflesjes, groot, klein en nog kleiner, doorzichtig, goudkleurig, roze, groen, blauw, zwart, waren door elkaar gegooid alsof ze van grote hoogte naar beneden waren geworpen. Hij probeerde zich ertegen te verzetten, deed zijn ogen dicht, dwong ze weer open te gaan, stond op, deed een paar lampen aan. Zodra hij weer ging liggen, met het licht aan of uit, begonnen ze opnieuw, ze sprongen en stuiterden, en vielen, vielen, vielen, maar bereikten nooit de grond, waar ze zouden zijn gebroken en opgeveegd. Gebeurde dat maar.

Nu waren ze weg, maar de herinnering was er nog, en hij voelde ook een sterke aandrang. Zijn gedachten waren vervuld van dé geur en van het feit dat hij de naam niet wist. Maar hij moest dat wapen hebben voordat hij aan zijn aandrang toegaf. Er was een winkel in New Oxford Street, bij St Giles's, waar hij waarschijnlijk een replica zou kunnen krijgen. Op Marble Arch nam hij een bus die naar het oosten ging, en na een langzame rit door het drukke verkeer stapte hij uit op het punt waar Shaftesbury Avenue en New Oxford Street elkaar kruisen. De winkel die de replica's van wapens verkocht, had zich naast een winkel met paraplu's en wandelstokken bevonden, maar hij was er niet meer. Het zou een speelgoedwapen moeten worden.

Hij ging met een taxi terug en liet zich afzetten bij Selfridges. Ondanks de sterke aandrang ging hij niet naar de parfumafdeling maar nam hij meteen de roltrap naar de afdeling met herenkleding. Tussen het speelgoed op de eerste verdieping zag hij een speelgoedpistool dat goed genoeg was. Het was zwart en zilverkleurig en het was van plastic, maar iemand op straat zou dat niet zien. Hij kocht het. Moest hij een gijzelaar nemen? Als dat Aziatische meisje nog in de winkel had gewerkt, zou hij niet hebben geaarzeld. Hij moest iemand gijzelen om er zeker van te zijn dat zijn plan om zelfmoord te plegen zou slagen. Nee, geen zelfmoord, want als hij dat wilde kon hij zich van het viaduct werpen, hij wilde gedood worden, sterven door toedoen van anderen.

Toen hij de roltrap naar beneden had genomen, ging hij toch nog naar de parfumafdeling. Hij moest het weten. Maar het mocht niet te lang duren. Als de jongen die hij de vorige avond had ontmoet naar de politie was gegaan, zouden ze hem gauw te pakken hebben. Eerst opbellen, en als er niet werd opgenomen...? Dan zouden ze natuurlijk wachten tot hij thuiskwam. Met bonkend hart en zwetende handpalmen liep hij de parfumafdeling op. Zijn neusgaten werden meteen belaagd door geuren, zoet of bitterzoet, muskusachtig of fruitig, maar ongevaarlijk voor hem, in tegenstelling tot dat ene andere parfum.

Hij zocht naar het meisje dat hem met de dodelijke essence had bestoven. Ze zou voor iedereen mooi zijn geweest, donker, met zwarte ogen, met wat oosters bloed, dacht hij, geen mongolenplooi op haar bovenste oogleden, dus ze zou uit het Verre Oosten moeten komen. De verstuiver was zwart en goudkleurig geweest.

Wat er ook gebeurde, hij mocht zich er in geen geval opnieuw mee laten bestuiven. Hij was banger voor die geur dan voor de dood.

– 29 –

Hij herkende haar. Ditmaal probeerde ze geen klanten te verleiden met parfum, maar stond ze achter een toonbank met een meisje te praten dat ongeveer even oud was maar er heel anders uitzag. Voorzichtig ging hij naar haar toe, in verwarring gebracht door al die verschillende artikelen om hem heen. Hoe konden vrouwen dat aan? Waarom lieten ze zich ermee in? Het leek hem veel onnodig en uiteindelijk nutteloos werk. Toen werden die gedachten verdreven door een angst die in hem opkwam. Zou de politie het al weten? Die gedachte had al een halfuur begraven gelegen onder een onlogische, onnodige, irreële vraag die, ook als hij het antwoord wist, geen enkele bijdrage zou leveren aan zijn welzijn, zijn leven, zijn gemoedsrust. Dat alles was voorgoed weg. Voordat hij stierf, wilde hij de naam van het parfum weten; meer niet.

Terwijl hij door het warenhuis liep, was de donkere schoonheid verdwenen. Hij keek om zich heen in de hoop haar terug te zien. Er waren tientallen meisjes, sommigen zo volmaakt als een fotomodel, allemaal aantrekkelijk. Hij zei tegen het bleke, blonde meisje: 'Pardon?'

Ze draaide zich om en hij verbeeldde zich dat ze haar die uitdrukking op haar gezicht, vriendelijk, tolerant, vol begrip, hadden aangeleerd. Ze moest zo'n gezicht zetten als ze met een klant van het mannelijk geslacht te maken kreeg. 'Wat kan ik voor u doen?'

Deze ene keer ergerde hij zich niet aan die belachelijke frase, die niet in het dagelijkse taalgebruik thuishoorde. Bijna beschroomd zei hij: 'Ik ben hier ruim een week geleden geweest en toen stoof uw vriendin wat parfum over me heen.'

'Mijn vriendin?'

'De jongedame met wie u zojuist stond te praten. Ik zou graag willen weten hoe dat parfum heet.'

'Nou, Nicky werkt eigenlijk niet met onze producten. Ze is daar.' Ze wees naar een andere toonbank met een andere collectie pakjes en flesjes en potjes erachter. 'Maar ze is nu in bespreking.'

Hij schrok vreselijk van dat excuus, of die uitvlucht, die meestal werd toegepast wanneer het om de verblijfplaats van directeuren of topmanagers ging. Hij voelde zich oud, iemand uit een nieuwe, andere wereld. Het enige wat hij nu nog kon doen, dacht hij, was naar huis gaan, zich verdedigen en zo nodig een eind aan alles maken.

Het medegevoel blonk als tranen in haar ogen. 'Kunt u zich de datum herinneren? Hoe zag de... eh, geur, eruit?'

'Het was zaterdag 1 juni. 's Morgens. Ik denk dat het eruitzag als... Het was zwart en goudkleurig. Ze spoot het op me. Ik moet... Ik wil...'

'Ik begrijp het volkomen,' zei ze en hij kon alleen maar bedenken hoe weinig ze ervan kon begrijpen. 'Ik kan het wel voor u vinden. Ik heet Lara, als u dat nu onthoudt? Lara. Als u me uw telefoonnummer geeft...?'

Hij had geen kaartjes voor Star Street en vertelde haar dus het nummer. Ze schreef het op. Hij wist dat hij nooit iets van haar zou horen. In het onwaarschijnlijke geval dat ze hem zou bellen, dat ze het papiertje niet was kwijtgeraakt en hem niet was vergeten, zou het te laat komen. Hij bedankte haar en besefte dat Jeremy Quick in de afgelopen uren bescheiden en nederig was geworden. Al zijn arrogantie was weg. Alexander Gibbons had stilletjes zijn plaats ingenomen.

Hij moest Star Street voorzichtig benaderen. Hij was blij dat het was gaan regenen terwijl hij in het warenhuis was. Het was een fijne motregen die als een mist in de lucht hing en de stank van diesel en fastfood versterkte. Een taxi kon hij wel vergeten, maar het was niet ver. Hij besloot te gaan lopen. Als er politiewagens stonden, als de auto van Crippen of Zulueta er stond – hij zou de donkerrode Audi van de inspecteur en de blauwe Honda van Zulueta al van ver herkennen – zou hij zich terugtrekken om een strategie uit te werken. Maar het hoefden niet die twee rechercheurs te zijn; ze konden een vrije dag hebben, of misschien was er een heel ander team op de zaak gezet. Hij liep over Seymour Place en sloeg links af George Street in, richting Edgware Road.

Hij kon er wel van uitgaan dat de jongen met de zwarte sluier de afgelopen nacht niet naar de politie was gegaan, want dan zouden ze hem vanmorgen in alle vroegte hebben opgepikt, iets waar hij vreselijk bang voor was geweest toen hij wakker lag en zijn slapeloze fantasie voor zijn ogen werd afgedraaid. En waar was nu zijn theorie dat 'die mensen', de jongen en zijn vriendin, zo laat naar bed gingen dat ze pas in de loop van de middag aan hun dag begonnen? Dat zouden ze in een noodgeval natuurlijk niet doen, niet als ze het spoor zag dat het wurgsnoer op de hals van haar vriend had achtergelaten. Misschien had de jongen niet tot de ochtend gewacht...

Intussen stak hij Edgware Road over. Hij was erg nat en had overwogen een paraplu te kopen, maar had dat niet gedaan. Hij vroeg zich af vanuit welke richting hij het huis het best kon benaderen. Ze zouden verwachten dat hij van hier door Star Street zou lopen, of vanaf Norfolk Square, en dus zou hij St Michael's Street nemen.

Hij wist niet dat hij door een raam aan de linkerkant werd gadegeslagen. Anwar wees Flint op hem. Ze stonden in de hal en tuurden door het ruitje in de voordeur.

'Ga je de kit bellen?'

'Dat weet ik niet. Maar nee,' zei Anwar. 'Ik heb ze verdomme al genoeg geholpen. Laat ze zelf maar eens wat werk verzetten.'

Geen politieauto's, helemaal geen auto's. Zoals op een ochtend midden in de week bijna nooit voorkwam, waren de parkeerplaatsen, zowel die voor bewoners als die met meters, in de buurt van de winkel allemaal vrij. Jeremy bleef voor de bewonersdeur staan twijfelen en ging in plaats daarvan via de winkel naar binnen. Als Inez een schreeuw gaf of schrikachtig reageerde, zou hij daar veel uit kunnen afleiden.

Ze keek op van haar boekhouding en zei niet erg vriendelijk: 'O, hallo.' Een grijns van die idioot in zijn bruine stofjas. 'Goedemorgen, meneer Quick. Dat is lang geleden. Vroeger kwam u altijd even binnen wippen om met de bazin te praten.'

Daar ging hij niet op reageren. Jeremy raapte zijn moed bij elkaar. 'Heeft er nog iemand naar me gevraagd?'

'Ik geloof van niet,' zei Inez. 'Die zouden dan toch bij jou aanbellen? O, ja, er kwam een telefoontje van die politieman, Zulueta, heet hij toch? Hij wilde weten of je thuis was. Ik zei dat ik geen flauw idee had. Het klonk niet belangrijk.'

Nee, natuurlijk niet. Hij bedankte haar, nog steeds bescheiden, en ging via de binnendeur naar boven. De volgende verdieping dreunde van Rachmaninov. Hij verbeeldde zich dat hij de deuren zag schudden. In zijn appartement zweeg de telefoon, maar er was iets aan het toestel (of aan hem) wat hem vertelde dat het keer op keer had gerinkeld. Misschien had hij een antwoordapparaat moeten hebben, maar daar had hij nooit behoefte aan gehad, en wat zou hij er nu aan hebben om Crippens opgenomen stem te horen?

Op zijn dakterras was de eerste bloem van het seizoen in bloei gekomen. Hij wist de naam niet meer. De bloem was onbeduidend lichtroze, maar zoals in de catalogus had gestaan, was de geur erg verfijnd, als rijpe sinaasappels en jasmijn met een vleugje nootmuskaat. Hij boog zich naar de bloem toe en hield zijn neus bij het hart ervan. Ja, die bloem kwam haar belofte helemaal na. Het zou de laatste roos zijn die hij ooit zou ruiken, de laatste roos van zijn zomer. Toch zweeg de telefoon en zweeg de deurbel. Het enige geluid was de muziek van beneden en zelfs die drong maar vaag tot hem door. Misschien had Zulueta hem alleen willen vragen of hij de vorige nacht iets had gezien, want het was mogelijk dat de jongen zijn naam niet had durven noemen, omdat hij hem als een gevaarlijke man beschouwde, iemand die je niet kwaad moest maken. De jongen kon hebben geredeneerd dat ze misschien niet genoeg bewijs tegen Jeremy konden verzamelen en dat Jeremy dan vrij zou komen en wraak zou nemen op de jongen en het meisje die hem hadden verlinkt. 'Ik ben een gevaarlijke man,' zei Jeremy hardop, en in wat misschien de taal van de jongen was, 'niemand fuckt met mij.' Maar de stem waarmee hij dat zei, was zwak en zacht. Zijn ware gevoelens kwamen tot uiting in wat hij daarna mompelde: 'Ik heb een rotleven gehad.'

Hij liep weer naar binnen en liet de tuindeuren openstaan, al was het koud en regende het nu harder. In de slaapkamer trok hij zijn natte broek en jasje uit en koos voor kleren die hij niet vaak droeg: een trui en spijkerbroek. Het was net twaalf uur geweest. Tijd voor een kleine gin-tonic, een beetje meer gin dan anders, een blokje ijs en een schijfje citroen. Hij was met een scherp mes de citroen aan het snijden, toen de telefoon ging. Hij sneed zich niet, want toen het geluid begon, verstijfden zijn handen en bleef het mes in de lucht hangen.

Opnemen of niet? Als hij niet opnam, zouden ze denken dat hij nog uit was en het later opnieuw proberen. Uiteindelijk zouden ze Inez bellen en dan zou zij het hun vertellen. Het zou verstandiger zijn geweest als hij niet naar de winkel was gegaan, maar daar was nu niets meer aan te doen. Toen het toestel voor de negende keer was overgegaan, nam hij op en zei met krachtige stem: 'Hallo?'

De verbinding werd meteen verbroken. Nu wist hij het. Ze zouden komen. Als ze meteen vertrokken, zouden ze er binnen tien minuten zijn. Hij moest nu besluiten wat hij ging doen. Wat zou hij doen? Inez was in de winkel, samen met die dikke idioot. Jammer dat het Aziatische meisje er niet was. Ze was weggegaan of ziek geworden of wat dan ook. Er bleef maar één persoon over en die zou goed genoeg moeten zijn. Hij pakte het speelgoedpistool en liep de trap af. Rachmaninov werd luider met elke stap die hij zette. Ze had het geluid harder gezet. Misschien dacht ze dat hij weer uitging, toen ze zijn deur hoorde dichtgaan. Er stond haar nog een lelijke verrassing te wachten.

Hij bonkte met zijn vuisten op de deur en wist dat ze nu zou denken dat hij kwam klagen. Hij klopte opnieuw en schopte tegen de onderkant van de deur. De muziek zakte af tot gemurmel en met dat afschuwelijke scherpe accent dat ze soms gebruikte, riep ze: 'Wat is er?'

'Wil je opendoen? Ik ben het, Jeremy Quick.'

Ze maakte de deur erg langzaam open, alsof ze het met grote tegenzin deed. Hij zette een voet over de drempel voordat hij haar het pistool liet zien. Ze sloeg haar hand voor haar gezicht, hield van schrik haar adem in en begon toen te jengelen. Ze droeg een roze ochtendjas, eigenlijk niet meer dan een negligé, een en al sierstrookjes en een grote strik om haar middel. Haar grijzende blonde haar was slordig opgestoken en was vastgemaakt met zo'n klemmetje als erg jonge meisjes gebruiken.

'Kom,' zei hij. 'Ik wil je boven hebben.'

Ludmila beefde over haar hele lichaam, een verschrompeld blad dat aan een tak bungelde, in beweging gebracht door de wind. In de staat waarin ze verkeerde, en op haar muiltjes met hoge hakken, had ze moeite de trap op te komen. Ze struikelde en kreunde, maar ze redde het en viel over de drempel toen hij de deur van zijn appartement openmaakte.

Hij liet haar op de vloer liggen, liep naar de ramen aan de voorkant en keek naar buiten. In de verte hoorde hij een sirene, maar hij wist niet of het een politieauto of een ambulance was. Alleen het geluid dat brandweerwagens maakten was duidelijk te herkennen, dat afschuwelijke en vreemd genoeg toch ook muzikale geloei waarmee ze hun lied begonnen, gevolgd door die harde waarschuwende klanken. Hij luisterde. Het geluid van de sirene stierf weg. Hij draaide zich om en richtte het speelgoedpistool weer op Ludmila. Ze was weggekropen en zat nu in een stoel. Nu ze niet meer gedwongen werd te lopen en trappen te beklimmen, was ze minder bang en had ze zichzelf beter onder controle.

'Mag ik een sigaret?' vroeg ze hem.

'Goed. Dit pistool is geladen, als je dat maar goed begrijpt. Als het moet, zal ik het gebruiken. Mijn leven is niet belangrijk meer voor mij, en het jouwe ook niet.'

Hij liet haar een sigaret nemen en gaf haar vuur met zijn eigen, zelden gebruikte aansteker. Als hij haar dat zelf had laten doen, had ze van alles kunnen uithalen, bijvoorbeeld zijn vloerbedekking in brand steken. Ze inhaleerde, keek naar de aansteker, naar hem, en zei: 'Dat is de aansteker van dat meisje.'

Dat was niet zo. Die had hij weggegooid. 'Welk meisje?'

'Dat gewurgd is.'

Hij had graag willen glimlachen, maar de spieren van zijn gezicht weigerden dienst.

'Jij hebt haar gewurgd. Jij bent de rottweiler!'

Wat had hij altijd een hekel aan die bijnaam gehad. Hij verdedigde zichzelf, al wist hij dat het zwak klonk. 'Ik heb nooit iemand gebeten. Dat is vuige laster. De kranten drukken allerlei onzin af.'

Terwijl hij dat zei, hoorde hij een auto en nog een, buiten stoppen. Een portier werd dichtgeslagen. Hij verstijfde. Als verlamd bleef hij staan. Ludmila keek op. De as viel van haar sigaret op de vloerbedekking.

Zodra hij weer over zijn benen kon beschikken, liep hij opnieuw naar het raam. Zulueta's auto stond aan de overkant, langs een gele streep. In de auto daarachter zaten twee mannen. Het achterportier aan de andere kant ging open en Crippen stapte uit, gevolgd door een man van wie hij zich meende te herinneren dat hij Osnabrook heette. Jeremy schoof het raam open en maakte daarbij zoveel geluid dat Crippen opkeek.

Ze keken elkaar in de ogen. 'We komen naar boven, Quick,' zei hij. 'We hebben een paar dingen te bespreken.'

Jeremy draaide zich even om naar Ludmila en riep toen naar beneden: 'Ik heb niets te zeggen, niet tegen jullie en niet tegen iemand anders. En ik heet niet Quick. Ik heet Alexander Gibbons. Ik heb een pistool en ik heb mevrouw... eh?'

'Perfect,' schreeuwde Ludmila zo hard dat Crippen haar kon horen.

'Ik heb mevrouw Perfect hier boven. Jullie hebben haar stem gehoord. Willen jullie haar zien?'

Hij wachtte niet op hun reactie, maar trok Ludmila uit de stoel en duwde haar, met het pistool in haar rug, naar het raam. Crippen ging de winkel in, gevolgd door Osnabrook. Terwijl hij het pistool op

Ludmila gericht hield, trok Jeremy een stoel naar het raam en gaf haar met het pistool een teken dat ze daar moest gaan zitten, waar iedereen op straat haar kon zien. Er waren daar nu nog meer mensen, want er waren vier geüniformeerde agenten aangekomen. Ook zij gingen de winkel binnen, waaruit Freddy Perfect nu de straat op kwam gerend, onder het roepen van: 'Ludo, Ludo!'

Ludmila wierp hem een handkus toe. Jeremy zag dat niet graag. Het gaf blijk van een luchthartigheid en koelbloedigheid die niet bij de ernst van de situatie pasten. Hij ging voor haar staan, drukte het pistool tegen haar hals en riep: 'Zeg tegen haar dat ze zich moet gedragen. Als het moet, dood ik haar. Daar zit ik niet mee.'

Ludmila begon weer te beven. Hij voelde het. 'Hou daarmee op,' zei hij tegen haar. 'Beheers je.'

Crippen en Zulueta waren samen de straat op gekomen, en ze hadden een van de geüniformeerde agenten bij zich. Zodra die man sprak, vanaf de andere kant van de straat en door een megafoon, wist Jeremy wat hij was. Een van die 'psychologische' politiemannen die dachten dat ze een wanhopige man met slimme tactieken tot overgave konden brengen.

'Laat mevrouw Perfect gaan, Quick. Je schiet er niets mee op als je haar daar houdt en haar terroriseert. Uiteindelijk kom je er niet verder mee. Laat haar gaan. Laat haar de trap afgaan, dan komen wij haar tegemoet. We zullen niet proberen bij je binnen te komen, dat garandeer ik je.'

'Hoe krijgen jullie me dan te pakken?' zei Jeremy.

'Als je beseft dat het allemaal niets uithaalt, geef je je wel over. Want het haalt toch niets uit? Wat jij doet, leidt tot niets en maakt de dingen op het eind alleen maar erger voor je.'

'Het eind voor mij is hier, op deze verdieping.'

'Geef me het pistool, Quick. Maak het leeg en laat het uit het raam vallen.'

'Dat meen je toch zeker niet,' zei Jeremy, 'en ik heet niet Quick. Zo heb ik nooit geheten.'

De politieman ging daar niet op in. 'Laat me zien dat je het pistool leegmaakt. Denk eraan, je hebt nog niets gedaan. Er is nog niets bewezen. Het gebeurt zo vaak dat mensen voor een ander worden aangezien. Laat het pistool vallen voordat je in de verleiding komt om iets te doen.'

De telefoon begon te rinkelen. Ze belden natuurlijk met Inez' telefoon in de winkel. Hij kon erbij en door zich een beetje uit te rekken kon hij in de telefoon praten en tegelijk het pistool in Ludmila's rug drukken. 'Hallo?'

Niet de politie. Het meisje dat hem had gechanteerd, zei: 'Nou zit je in de rottigheid, hè?' En lachend legde ze neer.

Hij smeet de hoorn zo hard op de haak dat de hele tafel ervan trilde. Toen liep hij langs Ludmila heen om nog eens in Star Street omlaag te kijken. De psycholoog was er nog; hij overlegde met Crippen. Ondanks hun belofte kwam er iemand de trap op. Het waren er zelfs meer dan een, en als ze probeerden geen geluid te maken, brachten ze daar niets van terecht. Ze bonkten op zijn deur. Jeremy ging een beetje in die richting, het pistool nog op Ludmila gericht.

'Als iemand die deur begint in te trappen, gaat ze eraan,' zei hij, blij dat Ludmila weer beefde. 'Ze beeft van angst. Dat is jullie schuld. Dat hebben jullie gedaan. Ik hoop dat jullie trots op jezelf zijn. Wie terroriseert er nu vrouwen?'

Hij kreeg geen antwoord. Hij verwachtte dat ook niet, maar er kwam een eind aan het bonken. Voorzover hij nog blij kon zijn met iets, deed het hem goed dat hij dat speelgoedpistool had. Het was net zo goed te gebruiken als een echt pistool, met één uitzondering. Het kon op het eind niet het dodelijke schot lossen, maar hij nam aan, hij hoopte, dat anderen dat zouden doen. De voetstappen gingen de trap weer af.

'In de staat Utah,' zei hij tegen Ludmila, 'voltrekken ze de doodstraf door de veroordeelde voor een vuurpeloton te zetten. Wist je dat?'

'Dat doen ze nooit,' zei ze.

'Dat hébben ze gedaan. Voor het laatst in de jaren zeventig. Ze vragen om vrijwilligers en ze krijgen er veel meer dan ze nodig hebben. De meesten schieten zo slecht dat ze nog geen olifant op twee meter afstand kunnen raken en dus zetten ze er ook een paar getrainde scherpschutters tussen. Zo zou ik graag dood willen gaan, executie door een vuurpeloton. En jij?'

'Ik wil niet doodgaan. Ik ben net getrouwd.'

Hij lachte. De telefoon ging weer. Als hij niet opnam, zouden ze aan de gang blijven. Hij hield het pistool tegen haar hals, net onder haar rechteroor, waaraan een oorhanger als een kroonluchter bungelde.

'Hallo?'

'Met inspecteur Crippen, Quick. Of Gibbons. Of wat dan ook.'

Jeremy zei niets.

'Je doet jezelf hiermee geen goed, weet je. Dat pistool was geen goed idee. Het gijzelen van mevrouw Perfect was geen goed idee. Als je haar laat gaan en het pistool uit het raam laat vallen, ben je op de goede weg om je zaak een gunstige behandeling te laten krijgen.'

'Als je dat soort dingen zegt,' zei Jeremy, 'krijg ik veel zin haar te doden. Ik heb het pistool nu in haar oor. Als ik de trekker overhaal, is ze in een halve seconde dood.'

De verbinding werd verbroken. Ze waren natuurlijk weer aan het overleggen. Hij voelde dat Ludmila bij het pistool vandaan probeerde te komen. Ze draaide zich half om en keek naar hem op. 'Waarom doe je dit?' Ze sprak opeens met een Slavisch accent; misschien was ze dat daarstraks vergeten. 'Waarom ik? Wat heb ik je gedaan?'

'Je was er,' zei hij eenvoudigweg.

Er was een andere auto gekomen. Geen auto, een politiebusje. Uit de achterdeur kwamen vier scherpschutters met geweren. Hij glimlachte.

'Ik laat haar nooit gaan,' schreeuwde hij uit het raam. 'Als jullie me doden, doden jullie haar ook. Daar zal ik voor zorgen.' Dat zou hij niet doen, maar het kon geen kwaad als ze dat dachten.

Zulueta was de straat op gekomen. Hij zag er aantrekkelijker uit, maar verder leek hij in Jeremy's ogen sterk op de jongen die hij de vorige avond had geprobeerd te wurgen. Ze hadden broers kunnen zijn. De zwarte ogen van Zulueta keken naar hem omhoog.

'We gaan nog niets doen... eh, Gibbons. Wij hebben net zomin haast als jij. Maar voor mevrouw Perfect ligt het anders. Ze is hartpatiënte, wist je dat?'

Jeremy wist dat niet en Ludmila ook niet. Freddy had het verzonnen. Maar Ludmila zou het niet ontkennen. Ze trok een moedeloos gezicht en kreunde een beetje.

'Als ze een hartaanval krijgt, kom je in grote moeilijkheden, Quick. Waarom zou je dat niet vermijden? Laar haar nu naar beneden komen, dan lopen wij haar tegemoet. We hebben hier een dokter. Laat haar in veilige handen komen, Quick... ik bedoel, Gibbons.'

Jeremy schreeuwde, een vreemd gesmoord geluid: 'Wat kan mij haar hart schelen? Straks kan niets me meer wat schelen.' Behalve mijn moeder, dacht hij. O, god, mijn arme moeder! Maar hij zei: 'Ik pleeg zelfmoord. Ik ben een zelfmoordbom, alleen gaan jullie het voor me opknappen.'

Nu wisten ze het. Jeremy liep vlug naar binnen en bijna meteen daarop ging de telefoon. Hij wilde eigenlijk niet opnemen. Wat had het voor zin? Star Street en een deel van Bridgnorth Street waren afgezet. Het publiek – dat altijd kwam, er was altijd wel iemand die merkte dat er iets aan de hand was – werd op een afstand gehouden, als schapen door herdershonden. De vier scherpschutters hadden hun positie ingenomen. Als het nu eens zijn moeder was die belde? Hij zou afscheid kunnen nemen... Hij nam op.

'Ja? Hallo?'

'Meneer Quick?'

Wie was dat nou weer? Hij voelde dat Ludmila verstijfde tegen de loop van het pistool. 'Wie is daar?'

'Lara,' zei ze. 'Het meisje van Selfridges. U was hier vanmorgen. U wilde de naam van een geur. Ik heb hem. Het is Libido. Zal ik dat voor u spellen?'

'Dank u,' zei hij. 'Heel erg bedankt. U hoeft het niet te spellen.'

Libido. De bron van de begeerte, de lust. Hij had zelf nooit veel libido gehad, behalve die ene keer. Eén keer. Hij wilde lachen omdat hij daar op het eind van zijn leven pas achter kwam, maar hij kon het niet. Hij bedankte haar nogmaals beleefd, want hij was nu Alexander, en legde de hoorn op de haak. Ludmila verstijfde, draaide zich om, greep zijn pols vast en schreeuwde: 'Dat is geen echt pistool! Als het metaal was, zou het kouder zijn. Dat is plastic, ik voel dat het plastic is!'

Ze was overeind gekomen en ze was verrassend sterk. Ze greep hem overal vast waar ze met haar handen kon komen en krabde hem toen in het gezicht. Hij gaf een schreeuw, niet van pijn, maar omdat zijn laatste hoop vervlogen zou zijn als ze weg kon komen. Hij schopte tegen haar schenen, met het pistool nog in zijn hand, sloeg haar in het gezicht en greep haar onder haar armen vast, eerst van voren, terwijl ze zich hevig verzette en hem woedend aankeek. Toen draaide hij haar met al zijn kracht om en hield haar zo dicht bij het raam dat ze er bijna uit viel. Beneden ging een jammerkreet op. Freddy was de winkel uit gekomen en wrong zijn handen in wanhoop.

Jeremy gebruikte haar nu als schild. Hij hield haar om haar middel vast. Maar tegelijk wilde hij zelf een doelwit blijven. Hij had maar één hand om haar vast te houden. Hij bracht de hand met het pistool omhoog en richtte het op Zulueta, die naar buiten was gekomen om Freddy naar binnen te trekken. Als Ludmila nu schreeuwde dat het pistool nep was, zou het allemaal voorbij zijn, zijn hoop op de dood door het vuurpeloton... Plotseling begreep hij dat ze dat natuurlijk niet zou doen! Ze wilde hem net zo graag dood hebben als hijzelf, en alsof ze zijn gedachten kon horen, deed ze een laatste woeste poging om zich los te trekken. Hij verslapte zijn greep op haar en ze viel op haar knieën en rolde bij hem vandaan over de vloer. Libido, dacht hij, zo heette het nu, dat parfum dat hem tegen zijn wil en in strijd met zijn aard tot moordenaar had gemaakt. Mijn arme moeder, dacht hij nog, en toen richtte hij het pistool glimlachend op de scherpschutters.

Ze schoten hem neer.

D orothy Gibbons rouwde ontroostbaar om haar zoon. Er was niets tegen hem bewezen, hij had nooit terechtgestaan, en ze bleef de rest van haar leven geloven dat hij onschuldig was. Toen ze zich voor het eerst na de begrafenis weer buiten haar huis waagde, kwam ze in een winkel toevallig een vrouw tegen van wie ze al 35 jaar geleden vervreemd was geraakt. Ze waren geen van beiden onherkenbaar veranderd, en al kostte het Dorothy moeite Tess Maynard te herkennen, Tess wist meteen weer wie zij was. Ze vatten hun vriendschap weer op en omdat Tess kortgeleden van haar tweede man was gescheiden en dus ook alleen was, gingen ze samen in een huis wonen. Tot nu toe gaat het erg goed met hen.

Zeinab en Algy bleven maar een halfjaar in Pimlico wonen. Toen deden ze een aanzienlijke aanbetaling op een huis in Borehamwood, dat ze met een hypotheek kochten, want Algy had een goede baan gekregen bij een makelaarskantoor. Zeinab is weer zwanger. Als het een meisje is, wil ze het Inez noemen en als het een jongen is, Morton, want aan Morton Phibling hebben ze de grondslag van hun rijkdom te danken, zoals ze Algy vaak voorhoudt.

Zeinab heeft zich door Algy laten overhalen, en veertien dagen geleden zijn ze getrouwd, de bruid in de jurk die voor haar huwelijk met Morton was gemaakt. Het was een bescheiden ceremonie, maar de receptie was erg luxe en vond plaats in Orville Pereira's nieuwe hotel in het noorden van Londen.

Hoewel hij woedend was omdat zijn bruid niet in de St Peter op Eaton Square was komen opdagen, is Morton daar inmiddels overheen. Per slot van rekening was er ook veel goeds voor hem uit voortgekomen, niet in de laatste plaats de glorieuze overwinning die hij op Rowley Woodhouse, een man die zijn zoon had kunnen zijn, had behaald. Hij had hem neergeslagen zoals hem dat in zijn bokstijd maar zelden bij

iemand was gelukt. Zijn nieuwe vriendin is even oud als Zeinab beweerde te zijn, en ze is net zo gek op diamanten en dure restaurants, al
is ze verder heel anders, want ze is blond en niet bepaald kuis. Morton
denkt erover haar ten huwelijk te vragen. Nadat hij diep had nagedacht,
accepteerden ze Algy's uitnodiging om op de bruiloft te komen, want
Morton wilde graag laten zien dat hij grootmoedig is en hij wilde ook
graag met zijn nieuwe vriendin pronken. Hij kreeg zijn beloning toen
Algy hem in zijn toespraak na het diner noemde als iemand aan wie
bruid en bruidegom dankbaarheid verschuldigd waren. Morton wist
niet precies waar ze dankbaar voor waren, maar dat deed er eigenlijk
niet toe.

Inez was er ook, met de man die de klok van Chelsea-porselein had gekocht en met wie ze inmiddels getrouwd is, haar derde man dus. Ze
hebben het winkelpand in Star Street verkocht, want Inez vond het niet
prettig om ergens te wonen waar een moordenaar had geleefd en was
gestorven, en kochten een huis in Bourton-on-the-Water, waar de jaguar uit het raam van de huiskamer kijkt. Inez is misschien niet exta-
tisch gelukkig, maar wel heel tevreden. Je kunt niet verwachten dat je
meer dan één keer in je leven krijgt wat ze met Martin had gehad. Haar
man draagt haar op handen en ze is heel erg op hem gesteld. Ze zegt
vaak tegen zichzelf, met de woorden van het Merle Haggard-nummer:
'*It's not love but it's not bad.*'

Het bruidspaar had het verleden laten rusten en ook Ludmila en Freddy
uitgenodigd, maar de uitnodiging was niet bij hen aangekomen. Ze waren niet meer bij elkaar. Ludmila had niets tegen haar man, maar het
huwelijk kon haar nooit lang bekoren en ze kreeg een relatie met een
Syriër die ze in het Al Dar-restaurant had ontmoet en die haar meenam
naar Aleppo, waar ze het erg zwaar had. Freddy is ingetrokken bij een
aardige, moederlijke vrouw die de garderobe in een erg goed hotel be-
heert. Ze hebben een kamer gehuurd in het huis van haar dochter in
Shepherd's Bush.

Omdat Zeinab het bestaan van Will en Becky was vergeten – en ze is de
enige niet die hen is vergeten, zo stil en beperkt is hun leven geworden –
kwamen ze niet op de gastenlijst voor. Will woont nog bij Becky in
Gloucester Avenue. Hij werkt niet meer voor Keith Beatty en leeft van
een uitkering. Becky gaat twee dagen per week naar kantoor en probeert
de rest van de tijd vanuit haar huis te werken, al ziet ze al aankomen dat
haar firma haar zal moeten 'laten gaan'. Zij en Will hebben eigenlijk een

grotere woning nodig, maar ze heeft niet de moed om te verhuizen en ze is bang dat ze er binnenkort het geld niet voor zal hebben. Will is intens gelukkig. Hij kijkt de hele dag televisie, wil dat ze twee keer per dag voor hem kookt als ze thuis is en wordt steeds dikker. Becky weet dat hij bij haar zal zijn en zij bij hem, tot hij sterft of zij, wie ook maar als eerste zal gaan.

Zeinab, Algy en Reem Sharif, die er op de receptie schitterend uitzag in de grootste rood met goudkleurige salwar-kameez die in Edgware Road te koop is, zijn de politie altijd zo veel mogelijk uit de weg gegaan. Ook Orville Pereira, die getuige was, heeft een grote afkeer van de politie. De aanwezigheid van Finley Zulueta zou dan ook een domper op de feestvreugde hebben gezet. Ze zouden bijvoorbeeld niet ongedwongen kunnen dansen, als hij er met zijn duistere, koude, afkeurende blik naar stond te kijken. Als ze hem hadden uitgenodigd, zou hij hebben geweigerd. Trouwens, hij had het veel te druk om ergens heen te gaan.

Hij kwam met spectaculair succes door zijn examen en is nu inspecteur. Hij denkt vaak aan Jeremy Quick of Alexander Gibbons en vraagt zich dan af wat hem ertoe had gedreven om die vrouwen te wurgen (als hij echt degene was die ze had gewurgd), waarom hij hun die voorwerpen afpakte en waarom hij een jongen in plaats van een meisje probeerde te wurgen. Zulueta studeert in zijn vrije tijd psychologie. Misschien houden zulke dingen – motivatie, aandrang, obsessie – hem daarom bezig. Het zit hem nog steeds dwars dat hij zich schuldig maar tegelijk opgewonden had gevoeld toen hij zag hoe de man door die scherpschutter werd neergeschoten en hoe verbaasd hij was geweest toen hij zag dat Jeremy op het moment van zijn dood had geglimlacht. Die emoties, vindt hij, zijn niet op hun plaats bij een ervaren, verantwoordelijke politieman met een steeds hogere rang. Toch had hij alle reden om zich af te vragen waarom de man had geglimlacht, alsof hij had willen sterven.